CARMICHAEL

HARRIS

LE GROUPE DES SEPT

JACKSON

JOHNSTON

LISMER

MacDONALD

VARLEY

Peter Mellen

LE GROUPE DES SEPT

Adaptation française
par Jacques de Roussan

EDITIONS

marcel broquet

CASIER POSTAL 310   LA PRAIRIE, QUÉ. J5R 3Y3   (514) 659-4819

Tous nos remerciements aux éditeurs et aux détenteurs de droits d'auteur pour avoir permis la reproduction dans cet ouvrage des documents ci-dessous énumérés :

Extraits de la Correspondance MacCallum, avec la permission de la Galerie Nationale du Canada, Ottawa.

Extraits du *Globe*, 27 mars 1916, avec les hommages de The Globe and Mail, Toronto.

Extraits de *Canadian Art*, avec la permission d'artscanada, Toronto.

Extraits du *Star*, avec la permission du Toronto Star Syndicate.

Extraits de *The Far North, A Book of Drawings by A.Y. Jackson* par F.G. Banting, avec la permission de Rous & Mann Press Ltd, Toronto.

Extraits de *Saturday Night*, avec la permission de Saturday Night.

Extraits de *Canadian Magazine*, avec la permission de The Ontario Publishing Co. Ltd.

«O Canada», copyright de Gordon V. Thompson Ltd, Toronto, avec autorisation de publier.

Extraits de *Lawren Harris* par Bess Harris et R.G.P. Colgrove, avec la permission de The Macmillan Co. of Canada Ltd.

Extraits de *A Painter's Country* par A.Y. Jackson, © 1958 de Clarke, Irwin & Co., avec autorisation de publier.

Extraits de *Hundreds and Thousands, The Journals of Emily Carr*, © 1966 de Clarke, Irwin & Co.

Extraits de «Group of Seven» (1948) et de «Group of Seven» (16-19 juin 1948) par Lawren Harris, *Canadian Historical Association Report*, avec la permission de l'auteur.

Extraits des articles de Barker Fairley dans *The Rebel* et *Canadian Forum*, avec la permission de l'auteur.

Extraits de «Tom Thomson (1877-1917), Canadian Painters» par Arthur Lismer, *Education Record of the Province of Quebec*, avec les hommages de Mme Arthur Lismer.

Extraits de «ACR 10557» par J.E.H. MacDonald, *The Lamps*, avec les hommages de M. Thoreau MacDonald.

Extraits de «Far North is pictured by Two Artists», Regina, Saskatchewan, *Leader Post*, avec les hommages du *Leader Post*.

Les Éditions Marcel Broquet remercient le Conseil des Arts du Canada de son aide financière pour la traduction de cet ouvrage.

FR 6093

Table des matières

PREMIÈRE PARTIE

SECONDE PARTIE

Remerciements

Il faudrait plus d'une vie pour voir toutes les œuvres peintes par le Groupe des Sept et pour parler avec toutes les personnes qui ont eu des liens avec ses membres. Je remercie vivement tous ceux qui m'ont aidé à préparer cet ouvrage et mon seul regret est de n'avoir pu en faire ni en voir plus.

Mes sincères remerciements à tous les collectionneurs privés qui m'ont permis de visiter leurs collections, en particulier Mme Charles S. Band, Mlle Helen Band, M. Alan Manford et M. Max Merkur. J'aimerais également remercier les nombreux musées qui m'ont gracieusement donné tous les renseignements pertinents concernant les tableaux qu'ils possèdent.

Mes remerciements vont également à Dorothy Farr et à Susan Crean pour leur travail d'assistantes à la recherche; à Jill McMillan pour la dactylographie du manuscrit; à Hugh Thomson, John Glover, John Evans et Ron Vickers pour leur aide en photographie; et à Geoff Matthews pour l'élaboration de la carte.

Un grand merci à Mlle Sybille Pantazzi et à Mme Mary Balke, bibliothécaires à l'Art Gallery of Ontario et à la Galerie Nationale du Canada, pour leur aide; à Nancy Robertson Dillow et à Margaret Davidson pour m'avoir permis de lire leurs thèses, et à mes étudiants pour leurs idées stimulantes et leurs passionnantes découvertes.

Et je tiens également à remercier tous ceux qui, chez McClelland & Stewart, ont conjugué leurs efforts pour mener à bien l'édition originale en anglais de cet ouvrage. Quant à ceux qui sont liés plus directement au Groupe des Sept, je suis très reconnaissant à Mme Mary Mastin, à Peter Varley et à Paul Rodrik des renseignements qu'ils m'ont fournis sur leurs pères; et d'une façon plus générale aux professeurs G.S. Vickers, J. Russell Harper, Ian McNairn et R.H. Hubbard.

Au moment d'écrire ces lignes, il existait encore quelques membres du Groupe et plusieurs de leurs amis encore vivants, tous déployant une énergie remarquable et une longévité enviable. A.J. Casson a répondu avec beaucoup de patience à une multitude de questions et s'est démené pour trouver la réponse à celles qu'il ne connaissait pas; A.Y. Jackson dont la mémoire remarquable a permis de donner des réponses que personne d'autre n'aurait pu faire; Thoreau MacDonald qui m'a montré des lettres, des photos et des souvenirs appartenant à son père; Barker Fairley qui a donné un compte rendu très vivant des personnalités du Groupe; et Chuck Matthews qui a généreusement mis à ma disposition films, rubans enregistrés et photos du Groupe ainsi que ses souvenirs personnels.

Je dois une reconnaissance spéciale à Robert et Signe McMichael dont le soutien et l'encouragement sans faille ne m'ont pas quitté pendant la préparation de cet ouvrage. Ils m'ont reçu un nombre incalculable de fois à Kleinburg et m'ont laissé toute liberté d'examiner leur collection et de fouiller dans leurs archives. Ils m'ont aidé à mettre à jour des détails importants, m'ont introduit auprès de collectionneurs privés et m'ont donné leur appui de bien des manières.

À Dennis Reid, conservateur adjoint de la Galerie Nationale, je dois des remerciements spéciaux. Grâce à sa profonde connaissance du Groupe des Sept, il a pu me fournir nombre de renseignements et d'idées ainsi qu'une aide morale dont j'avais bien besoin.

Après avoir exprimé à chacun toute ma gratitude, il m'est plus facile maintenant de remercier la personne qui s'est trouvée directement impliquée dans cet ouvrage. Je n'ai pas de mots pour souligner la contribution de ma femme, tangible et intangible, dans la rédaction de cet ouvrage.

À mon père

1   Tom Thomson   *Épinettes noires en automne,*   1916   Huile sur bois   21.5 X 26.6 cm (8½ x 10½ po)   Collection McMichael

1 Introduction

La plupart des Canadiens croient que les membres du Groupe des Sept ont été les premiers à peindre le Canada tel qu'il est, en particulier le Nord. En fait, le Canada, en tant que pays nordique, est un thème qui revient tout le temps dans l'histoire et la littérature canadiennes. Des écrivains ont déjà comparé le Canada à d'autres pays nordiques et ses habitants aux hardis Vikings. Certains ont même suggéré que l'air vif du Nord rendait les gens forts, en bonne santé et virils. D'autres ont affirmé qu'il agissait comme une protection contre le relâchement des mœurs. [1]

Mais le Canada n'a pas toujours été vu comme un pays fruste et vierge. Les artistes qui ont peint le Canada l'ont perçu de différentes manières à différentes époques. Les premiers topographes s'intéressèrent surtout à son pittoresque et ils peignirent des « cartes postales paysagistes » qui montraient des scènes un peu surannées de pique-niques aux chutes du Niagara. Les artistes de la fin du XIXème siècle virent en lui des paysages domestiqués avec vision de champs et de bois, ressemblant beaucoup à ceux d'Angleterre. Et comme personne ne vivait dans le Nord ou ne se souciait d'y aller, les artistes ne voyaient pour leur part aucune raison de le peindre.

Cependant, dans les premières décades de ce siècle, les Canadiens se laissèrent gagner par l'idée du développement du Nord. En jetant un coup d'œil autour d'eux, ils prirent conscience des ressources naturelles encore vierges du Bouclier canadien. C'est là, se dirent-ils, que se trouvent la richesse et l'avenir du Canada, c'est là que se trouve son identité. Le Groupe des Sept en prit conscience également et se mit à peindre ce qu'ils voyaient. Il en résulta que le Nord encore vierge et eux-mêmes devinrent les « authentiques » représentants du Canada.

Mais, bientôt, la scène changea encore une fois pour se tourner vers les villes en expansion rapide. Par la suite, donc, les peintres, suivant cette tendance, s'insurgèrent contre le paysage et se penchèrent sur la ville et sur eux-mêmes pour y trouver l'inspiration.

Avant 1850, on trouve au Canada peu d'œuvres paysagistes intéressantes. Au XVIIIème siècle, les artistes topographiques ont réalisé de nombreux paysages canadiens mais presque tous sans chaleur aucune, à part ceux de Thomas Davies (vers 1737-1812) qui a peint des aquarelles éclatantes et d'une grande sensibilité. En dehors de quelques œuvres exceptionnelles d'artistes anonymes, aucune figure marquante ne se détache avant l'apparition de Cornélius Krieghoff (1815-1872) au milieu du XIXème siècle. On a critiqué son œuvre pour

2. Lucius R. O'Brien
Lever de soleil sur le Saguenay, 1880
Huile sur toile 87.6 x 125.7 (34½ x 49½ po)
Galerie Nationale du Canada

ses ciels européens et ses couleurs germaniques mais ses meilleurs tableaux n'en saisissent pas moins avec bonheur l'atmosphère de la campagne québécoise. Une peinture comme la *Ferme de l'habitant*, 1854, (à la Galerie Nationale du Canada) semble n'être rien d'autre qu'une observation amusante de la vie de l'*habitant*. Il faut aller au-delà de l'anecdote jusqu'aux collines dans le lointain et aux arbres recouverts de neige, pour apprécier la manière dont Krieghoff nous transmet une atmosphère romantique et lyrique. Les œuvres d'autres contemporains, comme Paul Kane (1810-1871), paraissent ternes en comparaison.

Après la Confédération en 1867 et la mise sur pied de l'Académie royale des arts du Canada et de nombreuses sociétés d'art, la peinture paysagiste au Canada devint plus étroitement liée que jamais à ses prototypes européens. Les pressions pour peindre des œuvres académiques étaient aussi fortes à cette époque qu'elles le sont dans le sens contraire aujourd'hui. Il n'était pas question de s'en évader pour promouvoir un style radicalement nouveau. Plusieurs artistes se tournèrent vers les États-Unis et, en peu de temps, on vit apparaître de nombreux paysages canadiens dans le style d'Albert Bierstadt ou de l'École de l'Hudson. Il en résulta un genre de style « réalisme romantique » qui mettait l'accent sur une observation détaillée de la nature, des transparences d'atmosphère, un éclairage saisissant et une impression générale très romantique. Lucius O'Brien, qui fut président de l'Académie royale des arts du Canada et éditeur de *Picturesque Canada*, et le type même de l'académicien qui a réussi. On appliquait toutes les formules éprouvées pour peindre des tableaux comme *Lever de soleil sur le Saguenay* (1880) qui fut l'œuvre d'admission d'O'Brien à l'Académie royale des arts du Canada.

La venue au Canada des divers mouvements européens continua de se faire avec l'inévitable décalage. Les artistes canadiens allaient découvrir ainsi Constable et le style de Barbizon, les Impressionnistes, les post-impressionnistes et tous les autres « ismes » en temps et lieu et ne manquèrent de s'y référer pour peindre ce qu'ils voyaient au Canada.

Horatio Walker (1858-1938) fut l'un des premiers à importer le style de Barbizon au Canada. Comme nombre d'autres peintres de cette époque, il en apprit beaucoup en travaillant pour les Studios photographiques Notman, à Toronto. Par la suite, il resta longtemps aux États-Unis et en Europe où il se découvrit des affinités avec l'École de Barbizon.

3. William Brymner
Lever de lune en septembre, 1899
Huile sur toile
72.3 x 100.3 cm (28½ x 39½ po)
Galerie Nationale du Canada

HORATIO WALKER À PROPOS DE SON OEUVRE

*«Je me suis efforcé pendant la plus
grande partie de ma vie à peindre
la poésie, les petites joies,
le rude labeur de la vie rurale,
la beauté sylvestre au sein de laquelle
évolue la vie paisible de l'habitant,
les gestes du bûcheron et du
laboureur, les brillantes couleurs
du lever et du coucher du soleil,
le chant du coq, les tâches quotidiennes
de la ferme et toute cette activité
qui entoure la grange du matin au soir.»* [3]

On en vint bientôt à féliciter Walker d'avoir «débarbizoné» Barbizon et, pendant les années 1880, il devint l'un des artistes nord-américains les plus à la mode et reçut des sommes énormes pour ses tableaux. On admirait beaucoup une peinture comme *Bœufs à l'abreuvoir* à cause de sa richesse de couleurs et de son ambiance poétique bien qu'aujourd'hui on la considère sentimentale et romantique. À la fin de sa vie, il s'établit dans l'île d'Orléans, près de Québec, et y peignit d'innombrables scènes montrant des cochons, des gens et la vie à la campagne.

Homer Watson (1855-1936), contemporain de Walker, a peint de nombreux paysages d'une exquise sensibilité, tout autour de chez lui, à Doon, en Ontario. Grâce à Oscar Wilde, il devint le «Constable canadien», titre qu'il n'accepta jamais vraiment. Dans ses œuvres tardives, il se préoccupait surtout de saisir l'atmosphère et l'ambiance, ce qu'il réussit admirablement bien. Il connaissait la plupart des membres du Groupe des Sept et, en 1931, écrivit à Arthur Lismer les lignes suivantes: «Je ne me soucie jamais de la couleur; tout mon amour se porte vers la forme de la structure et de la conception, une ambiance à faire vivre sur la toile; en fait, un peu de l'histoire des éléments.» [4] Le Groupe refusa Watson parce qu'il ne travaillait pas dans le Nord même si ce dernier fit remarquer avec justesse que lui aussi peignait le Canada et que chaque région avait sa propre nature.

William Brymner (1855-1925), autre contemporain de Walker, a lutté contre les pressions de l'académisme à Montréal. Il a exercé une grande influence en tant que professeur d'art et défenseur des tendances modernes. Il fut l'un des premiers à faire l'éloge de Monet, Renoir et Cézanne et à apprécier l'esprit innovateur d'autres Montréalais, tels que Cullen et Morrice. Lui-même peintre de transition, il n'en appartenait pas moins à l'ancienne génération et ses œuvres n'ont jamais fait le saut de l'académisme au modernisme. A.Y. Jackson a bien situé son importance comme professeur: «De tous les artistes que j'ai connus alors que j'étais étudiant, il n'y en a pas d'autre que j'admirais plus... Il n'était pas un très grand peintre mais avait une forte personnalité.» [5]

4. Horatio Walker   *Bœufs à l'abreuvoir,*   1899
Huile sur toile   120.6 x 90.1 cm (47½ x 35½ po)
Galerie Nationale du Canada

5. Homer Watson   *La rivière Grand à Doon,*   vers 1880
Huile sur toile   60.5 x 91.4 (23⅞ x 36 po)
Galerie Nationale du Canada

Malgré les progrès faits par Walker et Watson en matière de paysages, la plupart des collectionneurs, avant le début du siècle, ne portaient aucun intérêt à des scènes dépeignant le Canada. Ce n'était pas encore à la mode de soutenir les artistes canadiens et beaucoup de gens considéraient alors que le paysage canadien n'était pas digne d'intérêt. Ils pensaient que la lumière contrastante, les tons crus et la nature sauvage du Canada ne méritaient pas l'attention des artistes. Sur les affiches publicitaires du Canada, on ne montrait jamais de scènes d'hiver pour ne pas décourager l'immigration. «C'était déjà suffisamment pénible de vivre dans ce pays, dit un jour une vieille dame à A.Y. Jackson, sans en avoir en plus des tableaux chez soi.»[6] Les collectionneurs éclairés de cette époque recherchaient surtout de paisibles paysages exécutés par des artistes européens célèbres. C'est pourquoi ils achetaient des œuvres de peintres renommés, comme Israels ou Weissenbruch, qui peignaient des scènes avec des vaches et des arbres selon la plus pure tradition académique, avec beaucoup de détails et dans des tons de brun foncé.

«*On s'est enorgueilli qu'il se vendait à Montréal plus de tableaux de style hollandais que dans toute autre ville de ce continent. Ces peintures hollandaises sont devenues un symbole de statut social et de richesse. On murmurait en outre qu'il s'agissait là d'un bon investissement. On les collectionnait comme ces vignettes qu'on trouve dans les paquets de cigarettes. Il vous fallait toute la série. L'un disait à l'autre: 'Oh, je vois que vous n'avez pas encore de De Bock.' — 'Comment, vous n'avez pas aucun Blommer?' Les murs des maisons débordaient de vaches, de vieilles femmes pelant des pommes de terre, de moulins à vent… Si vous étiez pauvre et ne possédiez qu'un petit demi-million, il y avait toujours des Hollandais pour toutes les bourses. Au Canada, l'art, cela voulait dire une vache ou un moulin à vent. Des tableaux insignifiants, ternes et anodins et qui avaient l'air de valoir beaucoup plus quand on les entourait de lourds cadres dorés, qu'on les recouvrait d'une vitre et qu'on plaçait au-dessus d'eux une lampe électrique.*»[7]

6. Jan Hedrick Weissenbruch *Pâturage,* 1894
Aquarelle sur papier   46.9 x 68.5 cm (18½ x 27 po)
Galerie Nationale du Canada

2   Les prédécesseurs du Groupe des Sept — Montréal

L'IMPRESSIONNISME ARRIVE AU CANADA

« À ce moment où la peinture paysagiste canadienne avait la douce timidité d'une pastorale victorienne, Cullen s'est précipité hors de son atelier capitonné et, avec un cri sauvage, nous a tous donné accès à l'air libre. »[1]

CULLEN

Telle était la situation dans le monde de la peinture à Montréal lorsque Maurice Cullen (1866-1934) est revenu au Canada en 1895 après être resté sept ans en Europe pour y étudier. Pendant les rudes mois d'hiver, il fit des croquis le long du fleuve Saint-Laurent, en aval de Québec et s'aventura en raquettes dans la campagne non profanée. Il peignit l'atmosphère dépouillée et les couleurs vives du paysage couvert de neige avec la technique impressionniste qu'il avait apprise en Europe. À cause de cette nouvelle technique, ses tableaux se heurtèrent à l'étouffante tradition académique qui prévalait alors au Canada. Le résultat fut que Cullen se vit ignoré des critiques et des collectionneurs et subit bien des revers. Cependant, à cause de son caractère rebelle, il devint bientôt un héros pour les artistes plus jeunes.

Lorsque Cullen partit à Paris en 1888 pour y étudier, les impressionnistes avaient déjà acquis une certaine respectabilité et, dans les cercles artistiques de la capitale française, on discutait avec âpreté des œuvres d'*avant-garde* de Van Gogh, Gauguin et Seurat. Les aînés des impressionnistes, comme Monet et Pissaro, étaient encore actifs bien que la dernière exposition impressionniste se soit déroulée en 1886.

En 1894, Cullen commençait à se faire un nom à Paris grâce à plusieurs toiles exposées au Salon, à un tableau acheté par le gouvernement français et à une invitation d'entrer au sein de la prestigieuse Société nationale des Beaux-Arts. Puis, alors que toutes les portes s'ouvraient devant lui, il décida soudainement de revenir au Canada. Il arriva à Montréal en 1895.[2]

On ne connaît pas les raisons du retour de Cullen mais il est vraisemblable qu'après plusieurs années outre-mer, il ait ressenti l'appel du pays. La dévotion qu'il porta par la suite au paysage canadien et sa détermination à rester au Canada malgré de nombreux problèmes sont autant de preuves de son nationalisme croissant, sentiment qu'il partageait avec de nombreux autres artistes et écrivains de cette époque.

La sensibilité avec laquelle Cullen dépeint le caractère du paysage canadien est visible dès les premiers tableaux qu'il composa au Canada. *Charroi en hiver, Ste-Anne-de-Beaupré*, peint en 1896, est l'une de ses premières grandes toiles. Ce tableau présente un contraste frappant avec les précédentes scènes d'hiver de Krieghoff où la neige et les ombres sont dans différents tons de gris. Dans le tableau de Cullen, la neige reflète le bleu vif du ciel en conformité avec son idée que « la neige emprunte les couleurs du ciel et du soleil. Elle est bleue, elle est mauve, elle est grise et même noire, mais jamais tout à fait blanche ».

Il y a une luminosité dans ce tableau qu'on n'avait jamais encore vue au Canada et rarement par la suite, même avec le Groupe des Sept. Cullen retransmet la transparence éclatante d'une journée d'hiver avec les arbres et le haut de la colline silhouettés et soulignés avec hardiesse. La qualité tridimensionnelle de la profondeur de l'espace est mise en valeur par la piste qui s'avance dans le paysage pour disparaître sur la gauche, à l'endroit où le bœuf peine à remonter la pente. Le premier plan est dans l'ombre par rapport à la colline éclairée à mi-distance, avec le ciel bleu dans le fond. Cette technique de recul à l'aide de bandes horizontales de couleurs allant du sombre au clair au sombre, est souvent utilisée par Cullen. Les touches vives de rouge, de jaune et de vert sur les arbres forment un contraste vivant avec la tonalité froide du bleu.

Bon nombre des meilleures œuvres de Cullen datent des dix premières années du siècle. L'une de ses toiles les plus importantes est une scène d'hiver du *Cap Diamant* (à l'Art Gallery of Hamilton) qui comporte une vingtaine de tons de neige différents. Cullen a acquis une profonde connaissance des effets de lumière et de neige en faisant des milliers et des milliers de croquis d'après nature. Dans ses scènes de ville, comme *Vieilles maisons de Montréal* ou *Le vieux traversier, bassin Louise*, il porte beaucoup d'attention aux effets d'atmosphère tout en se souciant de la composition.

Ce que Maurice Cullen, dans sa façon d'adapter l'impressionnisme au paysage canadien, a rejeté est aussi intéressant que ce qu'il a emprunté. Tout en introduisant une palette plus éclatante, il rejette le traitement bidimensionnel de l'espace qu'on trouve chez presque tous les impressionnistes. [4] Ses paysages sont marqués profondément par la structure et la forme comme par la lumière et la couleur. Cullen était conscient que la qualité de la lumière, de la couleur et de l'espace au Canada n'était pas la même qu'en France. Il se rendait compte qu'une journée typique d'hiver avait ses caractéristiques propres avec son air vivifiant et froid, ses couleurs vivantes et son espace nettement déterminé. Aucun autre impressionniste canadien ou américain n'a mieux défini la forme car ils s'alignaient plus sur leurs modèles européens. [5]

7.   Maurice Cullen (détail)
Charroi en hiver, Ste-Anne-de-Beaupré,   1896
Huile sur toile   64.1 x 80 cm (25¼ x 31½ po)
Art Gallery of Hamilton

L'œuvre de Suzor-Côté (1869-1935), ami et contemporain de Cullen, représente l'autre façon de voir des impressionnistes canadiens. [6] Dans *Le Camp sur la colline,* la neige éclairée par le soleil, au premier plan, est traduite par des taches brillantes de blanc sur le bleu froid des ombres. La surface avec sa texture à peine ébauchée est saturée d'une lumière si vive qu'elle en estompe les formes pour produire un effet de flou. Bien que la courbe partant du bas à droite pour se diriger vers la route un peu plus loin donne une certaine impression de recul dans la profondeur du tableau, l'impression qui en résulte est essentiellement bidimensionnelle.

8. M.A. de Foy Suzor-Côté
Habitations sur la colline, 1909
Huile sur toile 58.4 x 73 cm (23 x 28¾ po)
Galerie Nationale du Canada

9. Maurice Cullen
Le vieux traversier, bassin Louise, vers 1907
Huile sur toile 60.3 x 73 cm (23¾ x 28¾ po)
Galerie Nationale du Canada

10. Maurice Cullen
Vieilles maisons de Montréal, vers 1908
Huile sur toile 60.9 x 86.3 cm (24 x 34 po)
Musée des Beaux-Arts de Montréal

James Wilson Morrice (1865-1924) est un autre peintre de cette époque qui a adapté la technique impressionniste au paysage canadien. Cullen et Morrice se connaissaient très bien et voyagèrent ensemble en Europe. Morrice revint chaque hiver au Canada jusqu'en 1914 et partait souvent en excursion avec Cullen faire des croquis le long du Saint-Laurent. Ces randonnées fourmillent d'anecdotes amusantes qui ont un air de famille avec celles de Jackson et Robinson dans les années 1920. Un jour, Morrice joua un tour pendable à ses amis en sortant en plein milieu d'une nuit d'hiver où il gelait à pierre fendre et se frotta le visage avec du pastel de couleur blanche. Lorsqu'il revint, chacun pensa qu'il avait le visage gelé. Morrice s'en amusa fort. [7] Les deux artistes peignirent des vues de Québec à partir de Lévis et de Lévis à partir de Québec, ainsi que des paysages de la campagne environnante. À Montréal, ils peignirent de vieilles maisons avec des chevaux tirant des traîneaux dans les rues enneigées, un genre de sujet qu'on considérait de mauvais goût à l'époque. Leur technique et les sujets choisis devaient leur valoir le même genre de critiques que le Groupe allait recevoir quelques années plus tard.

Dans ses tableaux les plus caractéristiques, Morrice aborde le paysage canadien différemment de Cullen. Alors que Cullen fait ses croquis directement d'après nature, Morrice peint surtout en atelier. Ses couleurs sont plus ternes et sourdes et insistent sur l'harmonie des tons. La forme est stylisée et comprise dans des limites bien précises pour donner un effet bidimensionnel plus proche de l'impressionnisme. Par comparaison, Cullen se sert de couleurs plus vives et réussit mieux à saisir l'atmosphère transparente de l'hiver. Cependant, Morrice est un artiste au caractère plus individualiste et son style est aisément reconnaissable. Ses œuvres canadiennes reflètent une impression exacte du paysage même si parfois elles ne possèdent pas la spontanéité du travail exécuté en plein air.

11. James Wilson Morrice   *Le Traversier, Québec,*   1909
Huile sur toile   60.9 x 81.2 cm (24 x 32 po)
Galerie Nationale du Canada

12. James Wilson Morrice   *La vieille maison Holton,*   vers 1909
Huile sur toile   60.9 x 73.6 cm (24 x 29 po)
Musée des Beaux-Arts de Montréal

« C'est par l'entremise de Cullen et de Morrice qu'à Montréal, nous avons pris connaissance des nouveaux mouvements pleins de vie qui se développaient en France dans le domaine de la peinture. C'est leur influence qui a diminué le respect des jeunes peintres envers les traditions étouffantes qui prévalaient dans cette ville. » [8]
(A.Y. JACKSON)

CULLEN

Le rôle influent de Cullen était dû autant à sa personnalité et à son enseignement qu'à ses œuvres. Les jeunes artistes admiraient son honnêteté et son intégrité, et respectaient son courage face à la désapprobation générale. Sensible et toujours généreux, il était prêt à aider les autres. Son ami Albert Robinson, un peu découragé, se souvient lui avoir rendu visite à son atelier et en être ressorti «revigoré et plein d'inspiration». [9] Comme professeur, Cullen emmenait ses étudiants en excursion l'été, et leur enseignait en hiver, dans son atelier du square Beaver Hall. Ils passaient des soirées à discuter de Monet, Renoir, Cézanne et des nouvelles tendances en peinture. Ces réunions étaient très vivantes et des artistes comme Morrice, Brymner, Gagnon et Robinson s'y joignaient souvent. Parmi ces visiteurs, il y avait A.Y. Jackson qui, par la suite, établit la liaison avec les artistes de Toronto.

Cullen gagna le respect des autres comme peintre et comme professeur. En 1910, Morrice écrivit à Newton MacTavish une lettre où il lui dit que Cullen était le seul «homme au Canada qui aille au fond des choses». [10] Deux ans plus tard, MacTavish rédigea un article dans le *Canadian Magazine*, intitulé: «Maurice Cullen, A Painter of the Snow (Maurice Cullen, le peintre de la neige)», dans lequel il faisait remarquer que le Canada était «souvent vilipendé comme un pays naturellement impropre au développement de l'art de peindre». [11] Cullen, pensait-il, était l'artiste qui avait prouvé la fausseté de ce point de vue et qui avait montré que le Canada était digne d'être peint. Il suggéra que d'autres artistes suivent l'exemple de Cullen en peignant ce qui les entoure dans un «style qui, s'il n'est pas canadien, sera au moins distinct». [12] C'est Jackson lui-même qui a souligné de la façon la plus catégorique l'importance de la contribution de Cullen:

Il était un héros pour nous. Ses tableaux de Québec, de Lévis et des bords du fleuve, sont parmi les plus belles œuvres jamais produites au Canada. [13]

MORRICE

L'influence de Morrice était plus directe. Il est resté un peu comme un étranger car, en dehors de ses courtes visites au Canada, c'était un expatrié qui considérait Paris comme «sa» ville. Sa fortune, son internationalisme et sa personnalité énigmatique le placent à part parmi ses contemporains canadiens. À Paris, il évoluait dans un cercle pittoresque d'artistes et d'écrivains, tels que Somerset Maugham et Arnold Bennett, qui donnèrent dans leurs livres une vivante description de son caractère excentrique. [14] Son attitude envers la communauté artistique canadienne semble avoir été quelque peu amère, surtout après que les critiques montréalais eurent éreinté ses tableaux. En ce qui avait trait à leur indifférence, il déclara un jour: «Je n'ai pas le moindre désir d'améliorer le goût du public canadien.» [15]

Les opinions diffèrent à propos de l'influence qu'il a eue comme peintre dans son propre pays. A.Y. Jackson dira que «pour tous les jeunes peintres de Montréal, alors que j'étais étudiant, Morrice était une inspiration». [16] D'un autre côté, Clarence Gagnon, autre artiste du Québec qui admirait beaucoup Morrice, affirmera: «Le fait qu'il venait tous les ans au Canada et qu'il peignait des tableaux quand il était ici n'est pas une raison suffisante pour l'admettre dans les rangs des artistes canadiens. » [17] Contrairement à Cullen ou à Brymner, Morrice n'était pas un professeur et n'avait pas d'élèves.

On peut dire de Cullen et de Morrice qu'ils ont ouvert la voie à l'École de Montréal. Cependant, l'influence qu'ils ont exercée eut un effet inhibitoire sur beaucoup de jeunes artistes qui continuèrent, pendant des dizaines d'années, à peindre comme eux. Des artistes comme Gagnon et Robinson, qui exposèrent avec le Groupe des Sept, développèrent un style personnel mais, même alors, n'allèrent pas beaucoup au-delà des découvertes déjà faites par Cullen et Morrice. [18]

13. Maurice Cullen
Givre et neige, vers 1914
Huile sur toile 101.6 x 76.2 (40 x 30 po)
Collection Mme O.B. Thornton, Montréal

14. James Wilson Morrice
La Citadelle, Québec, vers 1900
Huile sur toile 46.9 x 61.5 cm (18½ x 24¼ po)
Collection David R. Morrice, Montréal

Suivant le chemin tracé par Cullen et Morrice, les peintres montréalais des années 1920 commencèrent à peindre et à explorer le Québec. Leur enthousiasme fut tel que Jackson déclarera en 1924 que le village de Baie-Saint-Paul était le «centre d'art le plus vivant de tout le Canada».[19] Ces artistes étaient d'une génération plus jeune que Cullen et Morrice et les contemporains du Groupe des Sept. Ils connaissaient bien ces derniers et exposaient souvent de concert avec eux. À la vue des innovations de Cullen et de Morrice au début du siècle et de l'activité des peintres montréalais dans les années 1920, une question se pose: «Pourquoi n'y a-t-il pas eu de Groupe des Sept à Montréal?»

La réponse à cette question jette une certaine lumière sur l'École de Montréal et aussi sur le Groupe des Sept. Ce dernier s'est développé à la suite d'événements complexes dont deux sont plus marquants que les autres.

L'un fut le désir des peintres torontois de présenter un front commun contre les critiques dont ils étaient assaillis. Pour y arriver, ils formèrent une «alliance amicale de défense» qui devint le Groupe des Sept. À Montréal, les artistes étaient également critiqués et aussi durement. Cependant, ils ne s'associèrent pas en tant que groupe pour se défendre contre la critique; ils ne se souciaient pas de l'approbation du public. Le Groupe du Beaver Hall, bien que fondé dans les années 1920, n'a jamais réussi à faire l'unanimité comme l'a fait le Groupe des Sept.[20]

Plus importante encore était l'attitude des peintres de Montréal et de Toronto envers le

GAGNON

Clarence Gagnon (1881-1942) fut l'un des contemporains montréalais du Groupe. Il avait étudié avec Brymner à Montréal et était un grand admirateur de Cullen et de Morrice. Il s'est trouvé à Paris en même temps que Jackson et tous deux visitaient souvent ensemble les galeries d'art et les musées.[23] Quand il revint au Canada en 1909, il s'installa à Baie-Saint-Paul et commença à peindre des scènes de la vie de l'*habitant* dans les villages ruraux. Il fut par la suite rejoint par une pléiade d'artistes, dont Jackson et Robinson, qui passèrent chaque printemps à faire ensemble des croquis dans le bas du fleuve.

Des scènes comme *Village des Laurentides*, tableau peint à Baie-Saint-Paul, saisissent tout le charme et la gaieté du Québec. Gagnon est venu bien près de trop romancer son sujet en insistant sur l'utilisation de couleurs brillantes très décoratives. La chaleur des jaunes et des oranges fait contraste avec le froid des bleus des ombres sur la neige, formant de gais dessins de couleur semblables aux couvertures piquées fabriquées par les *habitants*. À l'instar de Cullen, Gagnon maintient la pureté de la forme et de l'espace qui sera encore plus prononcée dans ses œuvres ultérieures. À la fin des années 1920, il se concentrera sur des couleurs encore plus brillantes et sur une composition plus pure. Les meilleurs exemples en sont ses illustrations pour *Le Grand Silence Blanc*, en 1919, et *Maria Chapdelaine*, en 1933.

15. Clarence Gagnon *Village des Laurentides,* vers 1924
Huile sur toile   87.6 x 129.5 cm (34½ x 51 po)
Galerie Nationale du Canada

paysage. Le groupe torontois explorait les paysages vierges du Nord et les peignait avec fougue. Dans leurs peintures et leurs écrits, ces artistes exprimaient une philosophie consciemment nationaliste. Par contraste, il semble que les peintres montréalais s'efforçaient plutôt de peindre le calme de la campagne québécoise dans un style plus allègre et plus décoratif. Bien qu'ils aient voyagé et peint ensemble, leur but n'était pas de peindre tout le Canada. Au contraire des artistes torontois, ils n'ont pas abandonné la technique impressionniste de base pour adopter un style plus «moderne». Le Groupe des Sept est devenu sujet à controverse parce que ses membres ont appliqué les caractéristiques de l'*Art Nouveau* au paysage, faisant ainsi une cassure avec la conception structurelle de l'impressionnisme.

Le public montréalais a lui-même quelque chose à voir avec le manque d'esprit d'aventure de ses peintres parce qu'il agira comme un éteignoir. En 1927, Jackson a mis en furie le Montréal artistique lorsqu'il écrivit ces lignes: «Il n'y a pas de ville plus bigote que Montréal... La seule liberté qu'on s'y donne, c'est l'alcool.»[21] Après avoir présumé que le Groupe des Sept mourrait de faim à Montréal, il ajouta à l'intention des peintres montréalais: «Ce qu'ils font, ils le font très bien. Ils ont de la dignité et de l'équilibre. Ils ignorent ce qu'est le canadianisme. Ils font ce que les autres font. Ils vont sur la côte d'Azur et à Paris mais ne se donnent pas la peine d'explorer leur propre pays.»[22] Ce genre de déclarations provocantes démontre pourquoi Toronto eut un Groupe des Sept et pas Montréal.

ROBINSON

De tous les artistes qui travaillaient à Montréal à cette époque, Albert H. Robinson est le plus proche des Sept. Né à Hamilton, il étudia à Paris de 1903 à 1906 et s'installa à Montréal en 1908. Il y rencontra Cullen et Brymner et eut un atelier voisin de Suzor-Côté. Peu après, il fit la connaissance de Jackson et, en 1911, les deux peintres firent un court voyage ensemble en France. Ils furent des amis intimes et entreprirent souvent des excursions ensemble le long du Saint-Laurent, en aval de Québec. Robinson fut invité à participer à la première exposition des Sept ainsi qu'aux trois autres expositions qui suivirent. Il est étonnant qu'il ne soit pas devenu membre du Groupe étant donné qu'il en était si proche.

Dans *Saint-Tite-des-Caps*, on retrouve la même atmosphère que dans *Village des Laurentides* de Gagnon et *Route en hiver, Québec* de Jackson. On y retrouve la même perception du paysage rural et de la composition; cependant, Robinson est plus subtil et plus raffiné que Gagnon, plus coloré et plus modelé que Jackson. Robinson réussit à contrôler son penchant décoratif par une retenue presque classique. Lismer décrira comme suit son style:

Dans les tableaux de Robinson, il ne faut pas s'attendre à un traitement dramatique du sujet, ni à des lignes dynamiques ou à des tons foncés. Son art est celui d'une expression colorée de la vie quotidienne, pleine de charme et dépourvue de sensiblerie.[24]

16. Albert H. Robinson *Saint-Tite-des-Caps,* 1928
Huile sur toile 71.1 x 86.3 cm (28 x 34 po)
Art Gallery of Ontario

A.Y. Jackson servit de trait d'union entre Montréal et Toronto où il s'installa en mai 1913. Il a raconté l'histoire de sa vie jusqu'à cette date-là dans son autobiographie, *A Painter's Country*. Né à Montréal, Jackson se vit dans l'obligation de gagner sa vie à un très jeune âge. Son père avait quitté Chicago après plusieurs déboires en affaires et abandonné sa femme et leurs six enfants. Il commença à travailler comme garçon de bureau pour une compagnie de lithogravure et ne gagnait que 6 $ par semaine après six ans. En 1905, à l'âge de 23 ans, il gagna son voyage en Europe à bord d'un cargo de bestiaux puis, après un bref séjour, vint à Chicago où il fut à l'emploi d'une firme d'art commercial. En 1907, il avait économisé assez d'argent pour vivre pendant deux ans en France où il apprit les rudiments de l'impressionnisme. C'était à l'époque où Picasso s'aventurait dans le cubisme après avoir peint ses *Demoiselles d'Avignon* en 1907. C'est durant cette période que Jackson décida d'abandonner l'art commercial pour devenir peintre professionnel.

Jackson retourna au Canada en 1909 et peignit ses premiers tableaux à Sweetsburg, au Québec.

« *Un paysage intéressant à peindre avec ses clôtures qui serpentaient et ses granges battues par les intempéries, ses pâturages qui n'ont jamais connu la charrue, ses roches trop lourdes à enlever, le sol tout en bosses et en trous. C'est ici, alors que les seaux recueillaient encore de la sève, que j'ai peint* La lisière de l'érablière *et deux autres toiles.* »[25]

Deux ans après avoir exposé cette œuvre à Toronto, MacDonald écrivit à Jackson pour lui demander s'il l'avait encore en sa possession. Entre-temps, Jackson était encore une fois reparti en France mais avec A.H. Robinson. À son retour au printemps de 1915, il exposa avec Randolph Hewton à l'Art Association of Montreal. L'exposition fut un échec total et les deux artistes se retirèrent à Emileville, près de Montréal. Découragé de la situation au Canada, Jackson envisageait de déménager aux États-Unis lorsqu'il reçu de Toronto la lettre de MacDonald.

Dans cette lettre, MacDonald lui demandait s'il avait encore ce tableau; si oui, un autre artiste de Toronto, Lawren Harris, était prêt à l'acheter. La vente se fit et s'ensuivit un échange passionnant de correspondance grâce auquel Jackson fut mis au courant de ce qui se passait à Toronto.[26]

La réaction des peintres torontois devant ce tableau est particulièrement surprenante parce que, tout en étant une œuvre valable, il n'a rien de vraiment original ni d'exceptionnel. Cullen et Morrice avaient déjà exécuté des tableaux bien plus intéressants et, dans presque chaque numéro du magazine *Studio*, on voyait des reproductions d'œuvres semblables peintes aux États-Unis.[27] Mais ce tableau, bien que largement inspiré de la technique impressionniste que Jackson avait étudiée en Europe, communiquait une image typiquement canadienne qui faisait contraste avec les chiens, les fleurs et les enfants endormis qu'on avait pu voir au Salon de l'O.S.A. en 1911.

Les artistes torontois étaient complètement isolés des nouvelles tendances en peinture, à part ce qu'ils pouvaient en voir dans les magazines. À ce sujet, Jackson écrira qu'ils « manquaient d'informations valables sur les tendances picturales dans les autres parties du monde. Plusieurs bons tableaux de Monet, Sisley et Pissaro auraient été une source d'inspiration pour eux. Ils n'avaient rien qui puisse leur montrer le chemin ».[29] *La lisière* leur a apporté l'inspiration et la voie qu'ils cherchaient. Cette découverte de l'impressionnisme par l'entremise de Jackson et des peintres montréalais a été l'un des principaux facteurs ayant permis la naissance du Groupe des Sept.

17. A.Y. Jackson *La lisière de l'érablière,* 1910 Huile sur toile 57.1 x 66 cm (22½ x 26 po) Galerie Nationale du Canada

C'est par un curieux concours de circonstances que Jackson est venu à Toronto grâce à *La lisière de l'érablière.* Il avait exposé ce tableau en 1911 à l'O.S.A., à Toronto, où il avait fait une vive impression sur Lismer, MacDonald, Thomson et Harris. Vers la fin de sa vie, Lismer se rap-pelait encore comment ce tableau se dé-tachait des autres comme une «flamme brillant d'énergie potentielle et de beau-té».[29] MacDonald avait été impressionné par son «atmosphère canadienne» et Harris avait déclaré que c'était «la vision la plus rafraîchissante, la plus éclatante et la plus canadienne de tout le Salon».[30] Quant à Tom Thomson qui peignait alors dans des couleurs sombres, il avait affirmé que c'était le premier tableau qui lui ouvrait les yeux sur les possibilités offertes par le paysage canadien.[31]

Les débuts à Toronto et le culte du Nord

LES SOCIÉTÉS ARTISTIQUES

Au tournant du siècle, la communauté artistique de Toronto était fortement retranchée dans la tradition et les nouvelles tendances étaient lentes à se développer. C'est dans les sociétés artistiques, dont la durée était généralement brève, qu'on trouvait alors le plus de forces créatrices.[1] Il s'agissait généralement d'ateliers de dessin où des peintres ayant les mêmes goûts se rencontraient. Ils représentaient une manière de voir différente des cercles officiels et s'intéressaient plus spécialement à l'art pour l'art.

La première de ces sociétés, l'Art Students' League de Toronto, fondée en 1886, avait comme but de permettre aux amateurs et aux artistes commerciaux de se perfectionner.[2] Elle dispensa les premiers cours d'après modèle vivant jamais donnés au Canada, et mis sur pied des excursions dominicales pour faire des croquis dans la région torontoise. Ce fut la première fois que des peintres allaient à la campagne pour croquer d'après nature.

La publication annuelle, entre 1893 et 1904, d'un calendrier par l'Art Students' League permit de promouvoir l'idée de sujets canadiens. On choisissait des thèmes comme « les cours d'eau canadiens » ou encore « la vie dans un village canadien ». Plusieurs membres y allaient d'œuvres à l'encre dans chaque calendrier. Bon nombre de ces dessins, grâce à leur composition et à l'emploi intelligent de la lumière et de l'ombre, donnaient une véritable impression de vie.

Ainsi, *Le nouveau Nord* de David Thomson, dans le calendrier de 1904, montre l'intérêt qu'on portait déjà à l'environnement canadien. Thomson a fait de nombreuses randonnées en canoë dans le nord de l'Ontario, ce qui fait de lui un précurseur des Sept. Dans une lettre sur l'origine du Groupe, MacDonald écrira plus tard :

Le nom de Dave Thomson me revient en mémoire comme l'un des héros de l'époque. Ses dessins dans les calendriers de l'Art Students' League et ses aquarelles du parc Algonquin et des escarpements de Scarboro, furent des points de repère pour nous. Dave était un authentique Canadien mais il est allé ensuite se perdre dans une compagnie de lithogravure à Boston.[3]

18. David Thomson   *Le nouveau Nord,*   1903
Illustration   17.7 x 21.5 cm (7 x 8½ po)
Calendrier de la Toronto Art League
Bibliothèque de l'Art Gallery of Ontario

19. William Cruikshank   *L'ouverture d'une route,*   1894
Huile sur toile   88.9 x 172.7 cm (35 x 68 po)
Galerie Nationale du Canada

Parmi les nombreuses sociétés de brève durée, citons le Mahlstick Club qui vécut de 1899 à 1903. Ses membres ressemblaient à tous ceux des autres sociétés du même genre et comptèrent parmi eux des personnages connus comme Fred Brigden, C.W. Jefferys, Bill Beatty et J.E.H. MacDonald. Ses activités, comme celles de l'Art Students' League, comportaient du dessin d'après modèle vivant et des croquis d'après nature. Il y régnait aussi un bel esprit de camaraderie car, en plus des cours de dessin, on y chantait et on y pratiquait la boxe ainsi que l'escrime.

Cette même ambiance prévalait au Graphic Arts Club, qui existe encore aujourd'hui et qui, à un moment donné, compta dans ses rangs plusieurs membres du Groupe des Sept. MacDonald se souviendra fort bien des « soirées canadiennes » au cours desquelles les membres, assis en rameurs sur les bancs, chantaient en chœur. [4] Il y avait aussi des réunions en soirée chez l'un ou l'autre des différents artistes, où chacun travaillait pendant une demi-heure sur un sujet canadien pour ensuite se soumettre à la critique de l'un d'entre eux. Ainsi que le dira MacDonald, « c'était un véritable éveil du nationalisme canadien ». [5]

L'OPINION DE MacDONALD

« Des hommes comme Reid, Jefferys, Fred Brigden, Arthur Goode, Conacher, Plaskett et d'autres encore, ont joué un rôle de pionniers et ont ouvert la voie. L'Art League et ses publications annuelles, le Graphic Arts Club et ses soirées canadiennes... les réunions que nous faisions le soir dans l'atelier de l'un ou de l'autre pour travailler pendant une demi-heure sur un sujet canadien et ensuite se faire critiquer par l'un d'eux préposé à cet effet pour la soirée. C'était un véritable éveil du nationalisme canadien. Ainsi, le vieux Cruikshank avec son Ouverture d'une route, était plus proche de nous qu'un homme comme Krieghoff. » [6]

20. Frederick Brigden   *Route dans le Muskoka,*   1909
Huile sur toile   99.6 x 113 cm (39¼ x 44½ po)
Galerie Nationale du Canada

21. C.W. Jefferys   *Après-midi d'hiver,*   1914
Huile sur toile   50.8 x 60.9 cm (20 x 24 po)
· Galerie Nationale du Canada

LE CANADIAN ART CLUB

Le Canadian Art Club est une autre de ces sociétés qui s'est efforcée de promouvoir un art national. Fondé en 1907, il limita le nombre de ses membres à huit peintres et à quelques artistes invités. Au contraire des autres sociétés, ce n'était pas un club social et il n'était pas réservé aux seuls peintres de Toronto. Ayant comme but principal la mise sur pied d'expositions, il comprenait des membres venant d'un peu partout: Horatio Walker habitait alors New York, Morrice et Gagnon à Paris, Watson à Doon, en Ontario.

Le but commun de ses membres était de « produire quelque chose qui soit canadien d'esprit, quelque chose qui soit fort, vivant et grand, comme nos paysages du Nord-Ouest ». [7] Ces mots auraient pu être directement extraits d'un manifeste des Sept sauf qu'ils furent écrits douze ans avant la fondation de ce Groupe, et ils prouvent que la recherche d'une identité canadienne n'était pas un phénomène exclusif aux Sept et qu'il y avait au Canada des peintres qui voulaient promouvoir un art véritablement national.

L'ARTS AND LETTERS CLUB

Pour les jeunes artistes qui allaient par la suite fonder le Groupe des Sept, la société la plus importante fut sans contredit l'Arts and Letters Club. Club social pour ceux qui s'intéressaient à l'art, l'A.L.C. était le lieu de rencontre de quelques peintres talentueux et de personnes riches qui aimaient la peinture. Dans notre monde actuel d'artistes bohèmes et de sentiments anti-bourgeois, il est à peine croyable qu'un club privé ait joué un rôle aussi vital dans la naissance d'un mouvement artistique radical.

Les membres se glorifiaient de la difficulté même de se rendre au club situé dans l'ancienne Cour des Assises, derrière le poste de police No 1 de Toronto. Pour y entrer, il fallait longer le mur crasseux de Court Lane et dépasser un tas de fumier et une empilade de bois de chauffage. [9] En haut d'un interminable escalier en spirale se trouvait une grande salle avec une immense cheminée à l'un des bouts.

Ce mélange quotidien de tous les arts prenait vie dans cette suite de pièces conventionnelles et ternes pour finir dans cette grande salle, au sommet de l'escalier en spirale. Un lieu de réunion étrange et merveilleux! Une évasion totale de tout ce qui se faisait ailleurs à Toronto. [10]

Une ambiance et un esprit de créativité extraordinaires englobaient la plupart des activités de l'A.L.C., en particulier les réveillons de Noël avec des spectacles donnés par de brillantes personnalités telles que Roy Mitchell et Robert Flaherty, et ses décorations originales créées par les artistes eux-mêmes. Le soir, on y donnait souvent des concerts sous la baguette d'Ernest MacMillan, lui-même membre, avec des artistes invités comme Pablo Casals et Serge Rachmaninoff. C'est ainsi que sont nés l'Orchestre symphonique de Toronto, le Chœur Mendelssohn et le théâtre Hart House. L'A.L.C. a su créer une ambiance créatrice au sein de laquelle évoluaient peintres, musiciens, ac-

LES ARTISTES DE CHEZ GRIP LIMITED

Grip Limited était une compagnie qui, à un moment ou à un autre, employa cinq des membres du Groupe des Sept, sans oublier Tom Thomson. Seuls Jackson et Harris n'y travaillèrent pas.

Cette compagnie devait son nom à un caricaturiste torontois du nom de Bengough qui signait « Grip ». [13] Elle se spécialisait dans l'art commercial en général et dans les mises en page pour des grands magasins comme Eaton. La plupart des travaux commerciaux exécutés par les artistes de Grip Ltd l'étaient dans le style de l'*Art Nouveau* européen. Un style très ornemental avec beaucoup de lignes ondulantes et des à-plats de couleur entre elles. Ce qui permit aux artistes de saisir les motifs abstraits de la nature et leur donna un vocabulaire pictural totalement différent de celui utilisé par les peintres académiques. Ils virent des exemples de l'*Art Nouveau* dans le magazine *Studio* et dans *Jugend* qu'ils lisaient tous avec avidité mais ce n'est que plus tard qu'ils se servirent de cette technique dans leurs propres œuvres.

À une époque où il était difficile pour quiconque de gagner sa vie comme peintre, Grip Ltd donna du travail à de nombreux jeunes

L'un des autres buts de cette société était de hausser le niveau qualitatif de la peinture canadienne pour compenser le piètre niveau de l'Académie royale des arts du Canada et d'autres grandes institutions toujours prêtes à accrocher à peu près n'importe quoi dans leurs salons annuels. Les expositions du Canadian Art Club à Toronto et à Montréal ont permis à bien des jeunes artistes de voir des œuvres de Cullen, Morrice et autres « modernes ». En 1909, le C.A.C. a provoqué une telle secousse qu'un critique écrira : « C'est peut-être trop fort ou trop prématuré de dire que la venue de ce groupe signifie la naissance d'une école canadienne distinctive, mais c'est pourtant comme cela que les écoles voient le jour. »[8] Malheureusement, cette déclaration était prématurée car cette société disparut lorsqu'elle fusionna en 1915 avec l'Art Gallery of Toronto. Cependant, elle a prouvé qu'on pouvait maintenir un haut niveau de qualité hors des institutions officielles et que les Canadiens s'intéressaient à un art pictural qui soit représentatif du Canada.

---

teurs et mécènes, loin de l'atmosphère stérile du Toronto proprement dit.

Presque chaque jour, à midi, un groupe d'artistes commerciaux de chez Grip Limited venaient déjeuner au club. Parmi eux, on trouvait MacDonald, Varley, Lismer, Carmichael et Frank Johnston. Ils s'asseyaient généralement à la « table des artistes » avec Harris et Jackson. À l'autre extrémité, il y avait la « table des hargneux » où s'asseyaient des peintres plus traditionnels comme Hector Charlesworth et Wyly Grier. On se lançait des insultes amicales d'une table à l'autre mais sans arrière-pensée. C'est là que les artistes travaillant pour Grip Ltd rencontrèrent des peintres et des mécènes en dehors de leur travail. L'ambiance amicale du club leur donna également la possibilité de rencontrer l'élite fortunée de Toronto. Grâce à Harris, ils firent ainsi la connaissance du Dr MacCallum, de Vincent Massey et de sir Edmund Walker.

Lawren Harris fut membre de l'A.L.C. depuis sa fondation en 1908.[11] Son passé était bien différent de celui des artistes de chez Grip Ltd. Né en 1885 à Brantford, en Ontario, il était l'un des héritiers des Massey-Harris, ce qui lui permit d'être indépendant de fortune tout au long de sa carrière. Élevé dans un milieu torontois conservateur et religieux, il étudia au St. Andrew's College et à l'université de Toronto avant de partir en Europe à l'âge de 19 ans pour y étudier la peinture. Il passa les trois hivers suivants en Allemagne où il travailla à fond les techniques allemandes de la peinture. En janvier 1908, il partit au Proche-Orient avec Norman Duncan, voyageant de Beersheba à Damas et faisant en même temps des illustrations pour le livre de Duncan, intitulé « Going Down to Jerusalem », publié par la suite dans le *Harper's Magazine*, en même temps que des dessins d'un camp de bûcherons du Minnesota qu'il avait visité.[12] De retour à Toronto, il se lia d'amitié avec les artistes de Grip Ltd dont il partagea l'enthousiasme pour un art distinctivement canadien.

---

artistes. La plupart d'entre eux étudiaient la peinture à des cours du soir et partaient faire des croquis durant le week-end. Certains se rendirent jusqu'au parc Algonquin et au-delà pour y trouver de nouveaux paysages. Cet enthousiasme pour le Nord était devenu si contagieux que bientôt, un autre employé de Grip Ltd, Tom Thomson, se joignit à ces randonnées en canoë. De retour au travail, ils passaient leur temps à parler de peinture et du Nord. Lismer dira un jour qu'il y avait comme « une flambée d'énergie à l'intérieur de chez Grip ».[15]

Le directeur s'appelait Albert Robson et entretenait une atmosphère amicale au travail tout en étant exigeant. Il s'intéressait aux activités de ses employés et les encourageait dans leurs recherches.[16] Cependant, lorsqu'ils commencèrent à dessiner au bureau, il les prévint tout de suite qu'il ne dirigeait pas une école d'art.[17]

En 1912, Robson partit travailler dans l'Imprimerie Rous & Mann, emmenant avec lui Carmichael, Johnston, Lismer, Varley et Thomson. Comme MacDonald avait déjà quitté Grip Ltd pour se consacrer entièrement à la peinture, cette compagnie perdit vite de l'importance aux yeux du Groupe.

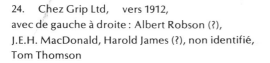

22.　À l'intérieur de l'Arts and Letters Club, vers 1920

23.　Lawren Harris,　vers 1930

24.　Chez Grip Ltd,　vers 1912, avec de gauche à droite : Albert Robson (?), J.E.H. MacDonald, Harold James (?), non identifié, Tom Thomson

Jim MacDonald entra chez Grip Limited en 1895, peu après sa fondation. Né en 1873 à Durham, en Angleterre, il arriva au Canada à l'âge de 13 ans avec ses parents. La famille s'installa à Hamilton, en Ontario, où il suivit les cours de la Hamilton Art School. [18] En 1889, sa famille déménagea à Toronto et, quelques années plus tard, il commença à travailler comme graveur pour la Toronto Lithographing Co. De là, il entra chez Grip Ltd où il resta jusqu'en 1911, à part deux années qu'il passa en Angleterre à travailler comme maquettiste de livres pour Carlton Studio, à Londres. Le bouillonnement qui existait alors dans la peinture en Europe ne toucha pas MacDonald qui ne s'intéressait qu'à l'École de Barbizon. En 1906, il écrira ce qui suit à sa femme pour lui décrire ses réactions à une récente exposition:

« *Je me suis particulièrement intéressé à un petit tableau (de Diaz, l'un des peintres de Barbizon), étant moi-même enclin à me considérer comme un spécialiste de la forêt. Avec le recul, à voir ces petits tableaux, j'ai le sentiment encore bien faible et lointain qu'un jour je serai aussi un peintre et que je ferai des choses semblables.* » [19]

De retour d'Angleterre, MacDonald fut

25. J.E.H. MacDonald, vers 1921

nommé graphiste en chef chez Grip Ltd. Au bureau, les jeunes artistes le considéraient comme un personnage plein de douceur et très paternel. Pour ceux qui le connaissaient moins bien, il apparaissait comme un homme de frêle stature, timide et calme, qui avait des cheveux roux et l'air rêveur d'un poète. Mais, en dessous, il y avait un homme pratique d'une grande force de caractère. À cette époque, il commençait seulement à prendre en main son sens de la créativité. Pour la première fois, il exécutait de grandes toiles d'après des croquis grandeur carte postale qu'il avait faits dans le High Park de Toronto; en fait, ces tableaux guindés et aux tonalités sombres ne présageaient pas de ce qui était à venir.

Tom Thomson (1877-1917) est entré chez Grip Ltd vers 1907 comme lettreur et colorieur. [20] Il est né à Claremont, en Ontario mais sa famille déménagea à Leith, près d'Owen Sound, alors qu'il était encore enfant. Il grandit à la campagne, passant le plus clair de son temps à chasser et à pêcher. En 1901, après avoir fait différents métiers sans succès, il partit pour Seattle et y étudia quelque temps à l'école commerciale que ses frères y avaient fondée. Mais il s'en lassa vite pour se joindre à un studio de photogravure. Bien que le travail à faire n'ait pas été très créateur, il lui permit néanmoins de se faire la main et de devenir graphiste. Il découvrit, par la même occasion et pour la première fois, l'*Art Nouveau*.

En 1905, il revenait à Toronto et y travailla comme photograveur. Deux ans plus tard, il entrait chez Grip Ltd. Un ancien employé de Grip Ltd dira de lui:

Tom, tel que je le connaissais, était un homme calme et modeste. Comme MacDonald, il

26. Tom Thomson, vers 1911

était grand. Ils avaient beaucoup en commun. En fait, ils exerçaient une influence stabilisatrice sur certains autres un peu trop vivants qui travaillaient dans la même pièce. Tom était généreux presque à l'excès et possédait un sens aigu de l'humour.
Il était généralement très aimé et il était difficile de ne pas s'entendre avec lui à cause de son caractère altruiste et doux. [21]

Dans ses heures de loisir, Thomson partait en excursion dans les environs de Toronto pour faire des croquis, en compagnie des autres employés de Grip Ltd. En 1912, il fit sa première longue randonnée en canoë dans le Nord.

LISMER

En février 1911, Arthur Lismer, qui arrivait tout juste d'Angleterre, entra chez Grip

Ltd. Il était originaire de Sheffield, ville industrielle où il naquit en 1885. À l'âge de 13 ans, il fut admis comme boursier à la Sheffield School of Art et commença un apprentissage normal de sept ans pour devenir orfèvre. Mais, dégoûté des méthodes surannées d'enseignement, il passa une bonne partie de son temps à lire John Ruskin et à admirer Turner et Constable. Trop à l'étroit à Sheffield, Lismer partit pour Anvers pendant un an et demi où il étudia à l'Académie royale des Beaux-Arts de Belgique. Il avait alors 21 ans et son séjour en Europe continentale contribua beaucoup à lui ouvrir de nouveaux horizons.

Au début de 1908, il retourna à Sheffield et se lança dans les affaires comme « spécialiste en publicité illustrée ». [22] Ce qui lui rapporta peu mais lui permit de visiter Londres où il vit l'exposition de Roger Fry sur les post-impressionnistes, à la galerie Grafton, en 1909. Il fut particulièrement impressionné par Van Gogh dont il lut et relut les lettres après l'exposition. De retour à Sheffield, il essaya de gagner sa vie mais sans grand succès. Il entendit alors parler des possibilités offertes par le Canada par l'entremise de William Broadhead et Fred Brigden qui s'étaient installés à Toronto et qui réussissaient bien dans l'art commercial. Convaincu que son espoir d'un avenir brillant résidait dans ce pays, Lismer s'embarqua pour le Canada le 20 janvier 1911.

27. Arthur Lismer, vers 1921

Un mois plus tard, il travaillait chez Grip Ltd où il se fit bientôt connaître par sa vitalité, son caractère extroverti, toujours prêt à lancer une blague. [23] Rien ne le mettait plus en joie que de lancer des piques à ceux qui pontifiaient ou à tout ce qui respirait la prétention.

Lorsque Thomson et Broadhead revinrent de leur randonnée en canoë sur le Mississagi, à l'automne 1911, Lismer fut enthousiasmé par leurs descriptions de la nature canadienne. D'un autre côté, il trouvait Toronto pas mal arriéré dans le domaine de l'art, sauf à l'Arts and Letters Club. «Si c'est seulement à moitié aussi passionnant que semblent le montrer les croquis de Tom, comment se fait-il que les Canadiens ne font que parler de leur ventre, de leur argent, etc.? Où se trouve donc l'esprit romantique, l'esprit philosophique?»[24]

VARLEY

En 1912, Lismer fit un court séjour à Sheffield pour s'y marier et il y rencontra Fred Varley, son ancien camarade de classe. Il le trouva déprimé et en proie à des problèmes financiers sérieux du fait qu'il avait une femme et deux enfants. Après avoir écouté Lismer lui parler du Canada, Varley décida de tenter sa chance au Nouveau-Monde.

28. Frederick Varley,   vers 1920

Il emprunta de l'argent au beau-frère de Lismer, s'embarqua seul en 1912 et arriva à Toronto avec trente shillings en poche. Il avait à peine épuisé cette somme qu'il commençait à travailler pour Grip Ltd où il ne resta que trois semaines avant d'entrer chez Rous & Mann. Il devait y rester pendant cinq ans.

C'est bien avant d'arriver à Toronto que Varley avait commencé sa vie de bohème. Né en 1881, il avait quatre ans de plus que Lismer. Il avait également étudié à la Sheffield School of Art grâce à une bourse mais s'en alla bientôt étudier à l'Académie d'Anvers. Lismer racontera par la suite que lorsqu'il suivit Varley à Anvers, la réputation de ce dernier était telle qu'«à l'Académie, on parlait de lui à mots couverts».[25] Il ajouta également: «Mais quel peintre! Il remporta deux médailles pour le dessin d'après modèle vivant et pour la peinture d'après nature.»[26] Varley quitta Anvers pour Londres où il mourut presque de faim en essayant de gagner sa vie comme artiste commercial. Quatre ans plus tard, il retourna dans le York-

shire où il se maria et eut deux enfants. Il menait une existence misérable lorsqu'il rencontra Lismer en 1912.

«*Je me souviens de la première impression qu'il fit sur moi. Un homme avec des cheveux en broussaille — et rouge carotte — qui semblaient se consumer comme une torche au sommet d'une tête taillée à coups de serpe. Cette couleur était le symbole même du feu qui le dévorait.*»[27]

À Toronto, Varley se lia vite d'amitié avec les autres artistes de chez Grip Ltd. Il n'était pas toujours facile à vivre à cause de ses manières bohèmes et de ses éclats mais il trouva en Tom Thomson un véritable ami car ce dernier lui ressemblait beaucoup. Les deux peintres partaient souvent en excursion pendant le week-end et parlaient de peinture. Mais ils faisaient rarement des croquis ensemble. Varley n'était pas trop emballé par la nature et préférait les gens aux arbres.

JOHNSTON

Né à Toronto, Frank Johnston est un autre de ces artistes qui travaillèrent, durant cette période, quelque temps pour Grip Ltd.[28] Après avoir commencé à travailler comme graphiste tout en étudiant la peinture le soir, il entra chez Grip Ltd vers 1908. Robson parle de lui comme d'«un graphiste et artiste commercial brillant et capable».[29] Cependant, Johnston n'y resta pas longtemps. En 1910, il partit aux États-Unis où il étudia à Philadelphie puis, travailla comme artiste commercial à New York. À part quelques brèves visites au Canada, Johnston fut absent de Toronto lors des années critiques en cours desquelles les Sept œuvrèrent ensemble. Mais il n'en gardait pas moins le contact avec Toronto et exposait régulièrement à l'O.S.A.

29. Frank Johnston,   vers 1930

Johnston avait une personnalité forte et pleine d'exubérance, un homme qui déployait beaucoup d'énergie. L'un des employés de Grip Ltd se souviendra de lui comme d'«un homme bien bâti, d'esprit rapide et sûr de lui. Impossible d'obtenir du calme quand Frank était aux alentours. Il a été à la tête de bien des joyeux chahuts chez Grip Ltd. Il avait autant d'habileté à se sortir d'une situation difficile qu'à s'y fourrer.»[30]

CARMICHAEL

Frank Carmichael était le plus jeune du Groupe ayant travaillé chez Grip Ltd. Il y devint apprenti en 1911 au salaire de 2.50 $ par semaine. Carmichael avait appris le métier de carrossier de son père à Orillia avant de venir à Toronto. Tout en travaillant chez Grip Ltd, il participait aux excursions que faisaient les autres employés durant le week-end et fit bientôt de rapides progrès en dessin. Il commença à suivre les cours de l'Ontario College of Art avec Reid et Cruikshank puis, sentant le besoin de se perfectionner, il partit pour Anvers, en 1913, suivant ainsi le chemin déjà tracé par Lismer et Varley à l'Académie.

30. Franklin Carmichael,   vers 1912

À la fin de 1914, la guerre était déjà déclarée et, à court d'argent, il revint à Toronto et emménagea au Building Studio avec Tom Thomson. Peu de temps après, il se mariait et dut presque aussitôt se démener pour gagner la vie de sa famille. A.J. Casson, son ami intime, qui a travaillé avec lui à titre d'adjoint de 1919 à 1926, déclarera que c'était un «petit bonhomme plein de verve, très déterminé et motivé».[31] Carmichael se flattait d'être un excellent dessinateur et travailla pour améliorer son coup de crayon.

En janvier 1913, une exposition d'art scandinave contemporain eut lieu à Buffalo, réunissant 163 œuvres de peintres contemporains des pays scandinaves. [32] MacDonald et Harris en entendirent parler et partirent immédiatement la voir. À en juger par les notes qu'inscrivit MacDonald dans son catalogue, ils furent tous deux très impressionnés par *Ondes sur l'eau* de Fjaestad, *Montagnes* de Sohlberg, et plusieurs autres paysages. Cette exposition les impressionna tellement que, plus tard, Harris déclarera qu'elle avait été « l'un des moments les plus passionnants et enrichissants qu'ils avaient tous deux vécus. » [34]

Il y a plusieurs raisons pour lesquelles cette exposition eut tant d'impact sur Harris et MacDonald. La plus évidente était cette affinité qu'ils ressentaient envers les paysages scandinaves. Ils voyaient la grande ressemblance qui existait entre ces deux pays nordiques et admiraient la façon dont les artistes scandinaves peignaient leur nature enneigée et leurs montagnes sauvages. MacDonald écrivit que, « à part certains points mineurs, ces tableaux auraient pu être canadiens, et nous nous sommes dit : « Voilà ce qu'il nous faut faire avec le Canada. » [35]

Ils furent également sensibles à ce que MacDonald appela la « simplicité rustique » de l'exposition. Ils y virent « une peinture de la terre, des bois, des eaux, des rochers et du ciel ». [36] Malgré leur connaissance de la forme commerciale de l'*Art Nouveau*, ils ne semblent pas avoir reconnu l'origine de la stylisation des œuvres scandinaves, basée sur le *Jugenstil*, manière germanisée de l'*Art Nouveau*. MacDonald remarqua que « ce n'était pas du tout parisien ou à la mode ». Il était persuadé que les Scandinaves répondaient directement à leur environnement et qu'ils ne s'intéressaient qu'à peindre la nature telle qu'ils la voyaient. [37] Par la suite, les deux peintres ne virent pas non plus la relation qui existait entre leurs propres œuvres et les influences venues d'Europe.

La question principale qui surgit à propos de cette exposition scandinave est de savoir si — oui ou non — les peintres du Groupe des Sept furent, en fin de compte, influencés par l'Europe. L'une de leurs prétentions est qu'ils furent les premiers artistes au Canada à se détacher de la peinture européenne. Lismer, pour sa part, a dit que « ce que faisaient les autres pays ou les autres mouvements nous importait peu ». [38] Malheureusement, cette image soigneusement entretenue d'une indépendance totale vis-à-vis l'Europe ne tient pas. On le voit rien qu'à leur utilisation des techniques européennes. Leurs œuvres sont passées par toutes les phases habituelles de l'impressionnisme, du post-impressionnisme et de l'*Art Nouveau*, avec l'inévitable recul dans la transmission des techniques d'Europe au Canada. Les peintres eux-mêmes n'étaient pas conscients de ces liens continuels avec l'Europe et se seraient exclamés si on leur en avait fait état. Jackson, qui arriva à Toronto seulement trois mois après l'exposition, insistera qu'elle n'avait eu aucune influence sur eux. [39]

Cependant, rien qu'à voir l'enthousiasme de Harris et de MacDonald et les événements qui se déroulèrent à Toronto en 1931, il ne fait aucun doute que tous les peintres torontois avaient eu connaissance de l'exposition. Ceux qui ne l'avaient pas vue avaient lu les articles sur la peinture scandinave publiés dans le magazine *Studio*. [40] Certains critiques ont même essayé de démontrer que Harris avait à l'esprit les *Montagnes* de Sohlberg lorsqu'il peignit *L'île Bylot*, plus de dix-sept ans plus tard. [41]

En fait, l'impact le plus important de cette exposition scandinave fut qu'elle fournit aux Sept une nouvelle manière de peindre des paysages en utilisant les techniques de l'*Art Nouveau*. Il y eut un retard considérable avant son apparition dans leurs œuvres mais, quand cela se produisit, ce fut une démarche distincte allant de l'impressionnisme à une manière de peindre dérivant de l'*Art Nouveau*.

31.   Gustaf A. Fjaestad
En bas des chutes
«Le Studio» (LVIII, No 240, mars 1913)

32.   Otto Hesselbom   *Mon Pays*
No 25 du Catalogue
Albright Art Gallery, Buffalo
Exposition d'art scandinave contemporain

«MacDonald et moi-même avions discuté de la possibilité d'une expression artistique qui tienne compte des différents aspects, caractères et états d'âme de ce pays. Nous entendîmes parler d'une exposition de tableaux scandinaves modernes à la galerie Albright de Buffalo — et nous prîmes le train pour la voir. Ce fut l'un des moments les plus passionnants et enrichissants que nous ayons tous deux vécus. Il y avait là un grand nombre de tableaux qui corroboraient nos idées. Il y avait des tableaux de paysages nordiques exécutés dans l'esprit même de ces paysages et sortant du coeur et de l'âme même de ceux qui avaient appris à les aimer. C'était une vision directe, vigoureuse et sans compromission du Nord. Après cette exposition, notre enthousiasme grandit et notre conviction de voir juste en fut renforcée. [42]

MacDONALD ET L'EXPOSITION D'ART SCANDINAVE

«On y retrouvait toutes nos idées. Non pas que nous ne soyions jamais allés en Scandinavie mais nous ressentions un sentiment de hauteur et de largeur et de profondeur et de couleur et de soleil et de grandeur et de découverte envers notre propre pays. Nous fûmes très heureux d'y trouver une correspondance avec nos propres sentiments, non seulement dans l'état d'esprit en général des peintres scandinaves, mais aussi dans l'aspect même de la nature de leur pays. À part certains points mineurs, ces tableaux auraient pu être canadiens et nous nous sommes dit : «Voilà ce qu'il nous faut faire avec le Canada.»

«Je crois ne pas diminuer le Canada en disant qu'il y a une certaine simplicité rustique dans cette exposition et qui nous a beaucoup plu. C'est une peinture de la terre, des bois, des eaux, des rochers, du ciel et des intérieurs de maisons simples, non pas une peinture paysanne, mais certainement une peinture dont les fondations sont solidement implantées dans de la bonne terre rouge. Ce n'était pas du tout parisien ou à la mode. Ces artistes semblent être des gens qui n'essaient pas de s'exprimer eux-mêmes mais qui s'efforcent d'exprimer quelque chose qui leur tient à cœur. Ils s'expriment au moyen de la nature plutôt qu'à celui de l'art. On peut les comprendre et les admirer sans avoir recours à la métaphysique ou au jargon sans vie des supercritiques sur les volumes ou les dimensions et les autres falbalas.» [43]

33.   Gustav A. Fjaestad   *Gelée blanche*
No 12 du Catalogue   Albright Art Gallery, Buffalo
Exposition d'art scandinave contemporain

34.   Henrik Krogh   *Futaie d'épinettes*
«Le Studio» (LVIII, No 240, mars 1913)

35.   Harald Sohlberg
Montagnes, paysage d'hiver
No 156 du Catalogue
Albright Art Gallery, Buffalo
Exposition d'art scandinave contemporain

L'un des résultats immédiats de cette exposition fut un désir croissant d'explorer le Nord. Selon Harris, « depuis ce moment-là, nous savions que nous étions à l'orée d'une aventure passionnante. Cette aventure, par la suite, devait impliquer l'exploration de tout le pays pour en faire ressortir toutes les possibilités d'expression et de création en peinture ». [44] Depuis bien des années, les peintres avaient fait des croquis dans la région de Toronto mais ne s'en étaient que rarement éloignés. La plupart des Sept connaissaient bien le Nord mais n'en firent aucune étude avant 1912 ou 1913. Thomson avait grandi à la campagne près d'Owen Sound; enfant, Harris avait passé de nombreux étés dans la région de Muskoka et Carmichael avait vécu à Orillia. D'autres artistes de chez Grip Ltd, tels que Tom McLean et William Broadhead, avaient déjà fait de longues randonnées dans le Nord et un peintre qui promettait beaucoup, Neil McKechnie, s'y était noyé dans les rapides d'une rivière.

En mai 1912, Thomson fit une première excursion jusqu'au parc Algonquin en compagnie d'amis de chez Grip Ltd. Il y rencontra Mark Robinson, un garde forestier qui allait devenir l'un de ses amis les plus intimes. Quelques mois plus tard, William Broadhead l'emmena avec lui dans une longue randonnée le long de la Mississagi, qui avait la réputation d'être l'une des plus belles descentes en canoë au monde. Thomson fit quelques croquis mais s'intéressa surtout à prendre des photos d'animaux sauvages. Peu avant la fin du voyage, le canoë se retourna dans des rapides et Thomson perdit presque tous ses films, ce qui le mit de fort méchante humeur. [45]

Fin octobre, à leur retour, ils parlèrent avec passion de leur voyage à leurs amis de chez Grip Ltd. Le Dr MacCallum en eut des échos et demanda à MacDonald de lui apporter quelques croquis afin de voir à quoi ressemblait le paysage.

« Ce qui fut fait et, comme je les examinais, j'en ressentis la véracité, leur expressivité et leur résonance en fonction de la fascination et de la sévérité de la nature nordique. Ils étaient plutôt sombres, avec des couleurs de terre et non dépourvus de défauts techniques, mais ils me firent comprendre jusqu'à quel point Thomson était envoûté par le Nord. » [46]

Durant les années suivantes, le Dr MacCallum allait devenir le principal support de Thomson, l'encourageant, achetant ses tableaux et arrivant à le convaincre de consacrer tout son temps à la peinture. Il joua également un rôle crucial dans la carrière des autres peintres qui allaient fonder le Groupe des Sept. Il initia de nouveaux venus comme Lismer et Varley aux beautés du Nord, dès leur arrivée d'Angleterre. Et, lorsque Jackson se promena autour de la baie Géorgienne à l'automne 1913, il le persuada de rester. Il contribua également au financement du Studio Building et plus tard, il commanda des tableaux pour son cottage à l'époque où ces artistes ne pouvaient trouver du travail à cause de la guerre.

Le Dr MacCallum (1860-1941) fut un fervent du Nord canadien. Il avait fait du camping et du canoë autour de la baie Géorgienne longtemps avant même que plusieurs membres du Groupe ne soient nés. [47] Il aimait le défi que représentait le Nord et s'intéressa aux jeunes artistes qui essayaient de le peindre. Sa réaction devant leurs tableaux était simple: s'il s'en dégageait l'amour du paysage, il les aimait. Autrement dit, son goût artistique était conditionné par son amour du Nord et non par une connaissance quelconque de l'art. Le soutien qu'il apporta aux peintres était le meilleur qu'un mécène puisse donner du fait qu'il n'exigeait pas qu'ils se conforment à un style en particulier. Il ne leur demandait d'ailleurs rien en retour de sa générosité. Comme le souligna un jour Carmichael, il prenait « un vif et sincère plaisir à peindre et à aider les peintres, non dans un geste de charité, mais en leur offrant la possibilité de s'aider eux-mêmes — ce qui est là un soutien authentique ». [48]

Comme les peintres qu'il encourageait, le Dr MacCallum était un personnage fort peu conventionnel. Quelque peu excentrique, il aimait se dépouiller de son rôle de membre de la haute société torontoise pour se transformer en ami à moitié bohème de tous ces artistes et jouer à l'« homme des bois ». On disait de lui qu'il avait du « caractère » et lui-même se flattait d'être cynique.

Dans les années qui suivirent les premières randonnées au parc Algonquin et à la baie Géorgienne, le « culte du Nord » se développa rapidement. L'enthousiasme des peintres se fixa sur les paysages nordiques qui, disaient-ils, n'étaient pas de simples paysages mais le Canada lui-même.

Pour eux, il était clair que le « Canada » ne se trouvait pas dans les villes où l'idéal à atteindre était le matérialisme. Derrière l'optimisme que provoquait la considérable croissance économique du début du siècle, les peintres virent le revers de la médaille de la vie urbaine : froideur, impersonnalité, matérialisme. Les artistes américains de l'École « Ash Can » percevaient aussi ces mêmes éléments à l'intérieur de la ville mais s'intéressaient à eux en tant que visions uniques de la vie américaine et les dépeignaient dans un style réaliste. [49] Le groupe canadien, plus romantique, réagit contre la ville et dirigea son action vers le Nord vierge et pur. Au lieu de faire face aux réalités de la vie et aux citadins, ils négligèrent pour la plupart la présence humaine dans leurs œuvres et cherchèrent des paysages où personne n'avait jamais mis les pieds.

Obligés de vivre en ville durant les mois d'hiver, ces peintres s'isolaient le plus possible de la vie citadine. Ils travaillaient ensemble au Studio Building et se rencontraient à l'Arts and Letters Club qui était « un lieu de réunion étrange et merveilleux ! Une évasion totale de tout ce qui se faisait ailleurs à Toronto ». [50] En 1913, MacDonald s'installa à Thornhill, qui était en bordure de Toronto et à l'époque pratiquement en pleine campagne. Jackson et Thomson passaient tout leur temps dehors sauf quand il faisait trop froid pour y vivre. Même à Toronto, Thomson continuait de vivre comme un coureur des bois dans sa cabane derrière le Studio Building. Harris menait une vie totalement différente dans sa confortable maison de Queen's Park. Il a peint plus de scènes de ville que tout autre membre du Groupe mais leur donnait le même air romantique que dans ses paysages.

Aux premiers signes du dégel printanier, ils tournaient le dos à Toronto pour mettre le cap sur le Nord. Chacun d'entre eux répondait d'une manière différente à l'appel du Nord. Pour MacDonald, c'était le désir de retourner à la nature comme le faisaient Whitman et Thoreau. Jackson se frappait la poitrine et semblait ressentir le besoin romantique de se prouver qu'il menait une vie rude. Harris était en communion spirituelle avec le Nord où il ressentait « une impression profonde d'unicité avec l'esprit de toute la nature ». [51] Thomson aimait le paysage sans détour et ne réagissait devant lui que par instinct. Lismer, qui n'était pas canadien, était bien plus conscient de la raison pour laquelle ils étaient tous obsédés par le Nord. Il y a un passage dans son journal intime qui exprime mieux que tout l'esprit qui animait le Groupe des Sept :

Harris m'a déclaré un jour : « Je ne sais pas ce qui nous motive. » Il voulait dire, je crois, qu'il n'était pas capable de mettre le doigt sur ce quelque chose d'indéfinissable. Je lui dis : « C'est quelque chose dans l'air qui nous motive. L'artiste le sent sans savoir exactement ce que c'est. C'est typiquement canadien. Le Groupe des Sept l'a senti et s'est emparé du nationalisme qui était dans l'air. » Puis j'ai ajouté : « C'est un peuple nordique qui habite un pays nordique et nous devons en tenir compte. » Harris déclara : « Je ne l'avais pas vu de cette manière. » Et moi de conclure : « Non, parce que tu es canadien ! » [52]

36. A. Curtis Williamson
Portrait du Dr J.M. MacCallum, 1917
Huile sur toile 67.3 x 54.6 cm (26½ x 21½ po)
Galerie Nationale du Canada

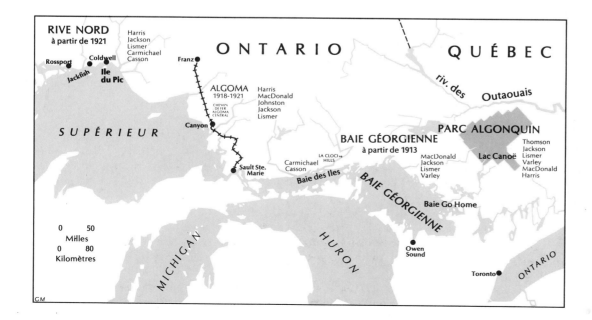

HARRIS

Lorsque Harris revint d'Europe vers 1908, les premières scènes qu'il peignit furent les vieilles maisons du Ward, alors le quartier le plus pauvre de Toronto. Il avait déjà fait des croquis des taudis de Berlin, tandis qu'il était en Europe, mais l'intérêt qu'il portait à ces maisons remontait à son enfance, époque à laquelle il faisait des tableaux de toutes les maisons du quartier. Ces tableaux torontois subirent l'assaut des critiques qui ne comprenaient pas pourquoi il ne peignait pas les belles maisons de Rosedale. Harris continua jusque vers la fin des années 20 à peindre des maisons et, d'une année à l'autre, on peut suivre la progression de son style.

Peint en 1911, *Maisons, rue Richmond* est un tableau typique de ses premières œuvres avec des maisons et des arbres remplissant toute la toile et bloquant toute vision derrière. Harris s'intéresse ici au jeu de la lumière sur les arbres et la façade des maisons. Il étale la couleur en touches épaisses en y ajoutant des taches brillantes de rouge et de vert pour les lignes nettes. À cette époque, il se servait consciemment de la technique impressionniste mais n'en comprenait pas toutes les implications.

La Drave, tableau exécuté en 1912, est l'un de ses premiers paysages canadiens et reflète les impressions qu'il ressentit à son retour d'Europe. «Il voyait la nature avec des yeux neufs et une perception nouvelle... L'impact de ce retour au Canada a été énorme. Pendant quatre ans, il avait été immergé dans le Vieux-Monde... Et voilà qu'il se trouvait confronté à tout un nouveau champ de visions. Il prit conscience de l'extraordinaire force de caractère de ce continent. La qualité et la transparence de la lumière l'enflammèrent.»[53] Dans *La Drave*, Harris montre la lumière qui surgit à travers de sombres nuages et qui fait fondre la neige printanière, de sorte que le train de bois peut être formé. C'est un tableau peint à grands coups de pinceau, aux tonalités encore sombres, excepté les endroits ensoleillés et les chemises rouge vif des draveurs.

37. Lawren Harris *L'usine à gaz,* 1911-12 Huile sur toile 58.5 x 56.3 cm (23¹⁄₆ x 22³⁄₁₆ po) Art Gallery of Ontario

38. Lawren Harris *La Drave,* 1912 Huile sur toile 90.1 x 136.5 cm (35½ x 53¾ po) Galerie Nationale du Canada

39.   Lawren Harris   *Maisons, rue Richmond,*   1911   Huile sur toile   76.2 x 81.2 cm (30 x 32 po)   Arts and Letters Club, Toronto

MacDONALD

MacDonald quitta Grip Ltd en 1911 pour se consacrer entièrement à la peinture. Bien que ses tableaux soient d'esprit canadien, rien n'indique encore vraiment qu'il ait une certaine originalité.[54] Ils subissent l'influence de Constable et de l'École de Barbizon et selon la mode de l'heure, la plupart d'entre eux représentent des scènes de crépuscule ou des clairs de lune. Puis il découvre l'impressionnisme, très probablement grâce aux illustrations reproduites dans le magazine *Studio*. Sa première et plus importante toile de style impressionniste est *Rails et*

circulation datée de 1912, l'un des rares tableaux des Sept dépeignant un environnement industriel. Il représente un réservoir à gaz et des rails de chemin de fer près du bord de l'eau, à l'intersection des rues Bathurst et Front. MacDonald et Harris ont fait des croquis à cet endroit en 1911 ou 1912, probablement à la suggestion de Harris qui aimait les scènes de ville. Harris peignit sa propre version de ce sujet, *L'usine à gaz*, mais nia plus tard l'avoir faite.

Rails et circulation veut résoudre le problème de rendre la luminosité et l'atmosphère. Il fallait à MacDonald trouver le moyen d'harmoniser la vapeur de la locomotive, la fumée des cheminées et la

neige sur le sol. Il le résolut à l'aide de la couleur pour donner une tonalité d'ensemble gris-bleu, soulignée par des taches de rouge et de jaune vif au centre de la composition. La lumière est également centrée à cet endroit et sur le nuage de vapeur qui sort de la locomotive. C'est un tableau fortement structuré et qui donne des lignes horizontales et verticales nettement définies. Même les piles de bois servent à guider l'œil du premier plan jusqu'en profondeur et à ralentir le mouvement de droite à gauche. C'est un tableau très complexe dans lequel MacDonald s'est débattu avec des problèmes qu'il eut à résoudre dans ses œuvres postérieures.

40.   J.E.H. MacDonald   *Rails et circulation,*   1912   Huile sur toile   71.1 x 101.6 cm (28 x 40 po)   Art Gallery of Ontario

De quoi s'était-il inspiré? MacDonald avait certainement vu des reproductions de tableaux d'impressionnistes européens dans des magazines mais il est peu vraisemblable qu'il ait vu des illustrations de tableaux-clé comme la *Gare Saint-Lazare* de Monet.[55] Il connaissait certainement Cullen qui avait peint *Le vieux traversier, bassin Louise*, en 1907, mais il est impossible d'y associer une influence directe malgré de grandes similitudes. Quelle que soit son inspiration, MacDonald travaillait d'une manière différente des impressionnistes. Au lieu de peindre son tableau d'après nature, il faisait de nombreux croquis préparatoires à l'huile et au crayon puis peignait le tableau définitif en atelier.

Le premier paysage de MacDonald à saisir avec succès la force de la nature est *Solitude nordique*, peint à la baie Go Home en 1913. Le ciel domine la toile avec ses lourds nuages sombres qui s'é-lancent de part et d'autre du tableau. Le contraste est fourni par la lumière du soleil sur les falaises qui bordent la berge et les touches de couleur sur l'eau. En de nombreux points, ce tableau rappelle *Nuages du soir dans le Nord* de Beatty que MacDonald a certainement vu. Mais cette œuvre surpasse Beatty par la vigueur de son expression et préfigure l'impressionnante période d'Algoma de MacDonald.

41.   J.E.H. MacDonald   *Solitude nordique,*   1913   Huile sur toile   76.2 x 101.6 cm (30 x 40 po)   Collection Mme David Stratford, Vancouver

THOMSON

42.   John W. Beatty   *Nuages du soir dans le Nord,*   1910
Huile sur toile   97.7 x 141.6 cm (38½ x 55¾ po)
Galerie Nationale du Canada

43.   Tom Thomson   *Lac, rive et ciel,*   1913
Huile sur toile   17.7 x 25.4 cm (7 x 10 po)
Galerie Nationale du Canada

Les débuts de Thomson comme peintre ne sont pas très glorieux. Ses premières compositions à l'aquarelle, comme le *Bénédicité* (dans la Collection McMichael), sont vraiment naïves de la part d'un artiste de 28 ans. Ses premiers croquis du Nord sont sombres et ne donnent aucune idée de ses possibilités. Il en donna un en cadeau à Jackson, intitulé *Lac, rive et ciel.* C'est Jackson qui initia Thomson à une palette aux couleurs plus vives. À ce moment-là, sa peinture ressemblait beaucoup à celle de Beatty qui était revenu d'Europe en 1909. [56] Beatty a été l'un des premiers à peindre le parc Algonquin et Thomson admirait beaucoup son talent. Il s'est beaucoup inspiré de *Nuages du soir dans le Nord* (1910) avec son premier plan dégagé, la basse ligne d'horizon et la coupure en diagonale des nuages. Les tonalités sont des gris et des verts foncés, à l'exception des nuages teintés de rose et du ciel avec des touches de bleu.

Le point tournant dans la carrière de Thomson fut le moment où il peignit *Lac du Nord,* en 1913. C'était sa première grande toile et il ne l'exécuta que sous la pression de ses amis. Il fallut aussi le persuader de la présenter au Salon de l'O.S.A. en 1913. Par contre, il fut très heureux que le gouvernement de l'Ontario l'achetât pour 250 $. [57] Lismer se souvient d'avoir rendu visite à Thomson le jour où il reçut le chèque de cette première vente. Il l'avait converti en billets d'un dollar et, lorsque Lismer arriva, il dansait comme un fou dans la pièce en jetant des liasses de billets en l'air pour ensuite s'écraser par terre en riant, nageant dans l'argent qui retombait sur lui. Ensuite, il les épingla sur la boiserie de façon à bien les voir tout autour de lui. [58]

«*Le Lac du Nord de Tom Thomson est remarquable par sa fidélité au paysage riverain nordique avec ses roches et sa végétation au premier plan, ses eaux brunes qui prennent le bleu profond du ciel sous la brise qui émaille de blanc le petit lac.* »[59]

Telle fut l'impression d'un critique à l'occasion du Salon de l'O.S.A. Dès son premier grand tableau, Thomson réussit à atteindre un surprenant niveau d'habileté technique avec ses coups de pinceau librement appliqués et ses touches épaisses de couleur. Il a également employé une forme de composition nouvelle avec

le premier plan horizontal doté de lignes verticales qui, en même temps, s'unissent à l'eau, aux montagnes et au ciel à l'arrière-plan. Cette forme de composition devint comme une formule qu'on retrouve dans les œuvres postérieures de Thomson et du Groupe des Sept.

44.   Tom Thomson   *Lac du Nord,*   1913   Huile sur toile   76.2 x 91.4 cm (30 x 36 po)   Bureau du Premier ministre,   Queen's Park, Toronto

LISMER

Les berges du Don est un tableau qui donne une idée du style de Lismer à son arrivée au Canada. Il reflète son admiration pour Constable dans la liberté du pinceau et l'équilibre des espaces ouverts et fermés. On retrouve ici de nombreux éléments de ses œuvres postérieures, comme le premier plan très présent et la ligne d'arbres qui unit la mi-distance à l'arrière-plan.

En septembre 1913, Lismer fit sa première excursion à la baie Géorgienne, sur l'invitation du Dr MacCallum. Alors qu'il faisait le voyage en bateau jusqu'à la baie Go Home avec sa femme et leur enfant, le temps se couvrit tellement qu'ils durent s'abriter pour la nuit sur une île. Cette première confrontation avec le Nord inspira à Lismer beaucoup de respect et d'amour pour cette région. Elle lui donna également un sentiment d'identification au Canada qu'il n'avait pu trouver en ville.

Dans la biographie qu'il écrivit sur Lismer, John McLeish décrira la réaction du peintre devant le Nord :

«*Au cours des soirées fraîches et claires de septembre, embaumées de l'odeur de lointains feux de brousse et éclairées par la pleine lune des sagas indiennes, il vint à l'esprit de Lismer qu'ici, presque par hasard, il avait trouvé le chemin qui menait au cœur interne de ce pays, chemin que beaucoup avaient ignoré jusqu'alors et que d'autres avaient peut-être trouvé mais rarement compris.*»[60]

Les croquis qu'il en rapporta sont l'amorce d'une longue série de tableaux sur la baie Géorgienne et qui atteignirent leur point culminant avec *Bourrasque de septembre*, en 1921. Quant à la *Baie Géorgienne*, elle se distingue des autres tableaux de cette époque par son expression vigoureuse et par ses couleurs douces. Lismer étudie déjà les effets du vent, des vagues et de l'eau mais n'a pas encore réussi à trouver le moyen d'exprimer ce qu'il ressent. La plupart de ses premières compositions sont d'exécution sommaire, de couleur terreuse et manquent de structure.

45. Arthur Lismer   *Les berges du Don,*   vers 1912
Huile sur bois   13 x 22.2 cm (5⅛ x 8¾ po)
Galerie Nationale du Canada

46. Arthur Lismer   *Baie Géorgienne,*   1913
Huile sur carton   22.8 x 30.4 cm (9 x 12 po)
Collection particulière, Toronto

JACKSON

Lorsque Jackson arriva à Toronto en mai 1913, il rencontra MacDonald, Varley et Lismer à l'Arts and Letters Club et prit ainsi connaissance du réveil artistique qui se déroulait à Toronto. Il n'y avait que trois mois que MacDonald et Harris avaient vu l'exposition scandinave et tout le monde avait envie d'explorer le Nord. Jackson a raconté par la suite qu'il avait été accueilli par les artistes torontois « comme l'un des leurs. Comme eux, j'avais été un artiste commercial pendant des années. Et voilà que j'avais quitté mon emploi pour me consacrer exclusivement à la peinture et que, pour l'instant, je ne savais comment j'allais vivre tout en peignant ». [61]

Après un bref séjour à Toronto, Jackson alla à Berlin, en Ontario, rendre visite à ses tantes. Là-bas, il reçut la visite de Harris qui vint spécialement le rencontrer. Jackson était dans l'incertitude s'il resterait ou non au Canada et Harris l'influença certainement pour qu'il reste. De Berlin, Jackson se rendit à la baie Géorgienne pour y réfléchir et passa tout l'été « à nager, pagayer, pêcher, explorer et admirer les fleurs sauvages ». [62] À l'automne, une fois tout le monde parti, il se mit sérieusement à peindre mais fut vite confronté au problème de chauffer sa cabane ouverte aux quatre vents. Un jour, alors qu'il essayait de boucher les interstices entre les planches des murs, le Dr MacCallum arriva en canot à moteur. Ce dernier mit pied à terre et se présenta en disant qu'il voulait voir ses tableaux.

« Puis, il examina ma cabane et déclara qu'elle était plutôt pleine de courants d'air; il me demanda combien de temps j'avais l'intention de rester et, lorsque je lui répondis jusqu'à la fin d'octobre, me dit qu'il enverrait quelqu'un pour m'amener chez lui à la baie Go Home où je pourrais au moins vivre dans une maison confortable. Lorsqu'il repartit, je fis avec lui un bout du trajet vers Penetang, avec mon canoë en remorque.

« Où irez-vous lorsque vous quitterez la baie? » me demanda-t-il. Je lui dis que je me rendrais probablement aux États-Unis. « Si vous, les jeunes artistes, grommela-t-il, vous partez tous aux États-Unis, la peinture au Canada n'ira nulle part, elle! »

Puis il me fit une surprenante proposition. Si j'acceptais de m'installer dans un atelier de l'immeuble que Harris et lui étaient en train de faire construire, il paierait mes dépenses pendant un an. Bien sûr, j'acceptai. [63]

47. A.Y. Jackson   *Le soir, baie Géorgienne*,   1913
Huile sur toile   53.3 x 64.7 cm (21 x 25½ po)
Galerie Nationale du Canada

48.   A.Y. Jackson   *Terre sauvage,*   1913   Huile sur toile   127 x 152.4 cm (50 x 60 po) Galerie Nationale du Canada

Lorsque Jackson retourna à Toronto à la fin de l'automne 1913, il peignit *Terre sauvage* dans l'atelier de Harris, situé juste au-dessus d'une banque, à l'intersection des rues Bloor et Yonge. C'est le premier tableau qu'il exécuta à Toronto et les autres peintres en furent très marqués. MacDonald le surnomma le mont Ararat parce qu'«il ressemblait à la première terre qui émergea après le Déluge». [64] Thomson vit cette œuvre en cours d'exécution et rencontra alors Jackson pour la première fois. Ce fut le début d'une amitié brève mais profonde.

On pourrait dire que ce tableau est un échec réussi. Les tons criards des orange, bleu et vert vif ont dû surprendre les autres peintres. On y voit des formes simplifiées et de brillantes juxtapositions de couleurs complémentaires, comme le petit érable rouge à côté des grands arbres verts et voisinant avec le bleu royal du ciel. Mais le résultat final est plutôt compassé et trop travaillé. Jackson considérait lui-même cette toile comme une étude et ne chercha pas à l'exposer. Quelques années plus tard, il la présenta au Salon de l'O.S.A. en 1917 mais elle fut refusée. Puis, en 1918, elle fut acceptée au Salon de l'A.R.A.C., à Montréal, où «les critiques la mirent en pièces». [65] En 1920, Jackson l'exhiba lors de la première exposition du Groupe des Sept et il s'avéra qu'elle était l'une des plus radicales de l'ensemble.

49. A.Y. Jackson *Terre sauvage* (détail)

Dans l'histoire du Groupe des Sept, rien n'a été moins bien compris que la question des relations entre les peintres et leurs critiques. Les artistes eux-mêmes et certains auteurs d'ouvrages récents sur l'art canadien ont soutenu que les Sept avaient été calomniés par la presse dès le début. Ils se sont ainsi bâti une réputation de jeunes rebelles qui défendaient la peinture et le pays contre une bande de Philistins. Ils avaient tout intérêt à alimenter ce climat mais c'est le moment maintenant de considérer les deux côtés de la médaille.

Il y eut de bonnes et de mauvaises critiques, des critiques intelligentes et d'autres idiotes. Leurs amis les critiquaient et leurs adversaires les louaient. D'ailleurs, la plupart des critiques et des éloges ne furent jamais publiées. Malgré les apparences, ils avaient des admirateurs et les connaisseurs étaient généralement sympathiques envers leurs œuvres. Les musées publics et les collectionneurs n'aimaient pas forcément ce qu'ils faisaient mais certains d'entre eux, plus éclairés, comme la Galerie Nationale du Canada, dirigée par Eric Brown, achetèrent de leurs tableaux dès le début.

C'est de Montréal que partirent les attaques. À Montréal, Cullen et Morrice furent critiqués sévèrement dès le moment où ils apportèrent au Canada les couleurs vivantes de l'impressionnisme. En 1913, le Salon du printemps s'ouvrit dans la galerie nouvellement complétée de l'Art Association of Montreal. Le *Witness* de Montréal commenta ainsi dans ses colonnes les tableaux de John Lyman, Randolph Hewton et Jackson en coiffant l'article en question du titre suivant: «Des post-impressionnistes choquent les amateurs montréalais au Salon du printemps — Des couleurs criardes et des compositions atroces soulèvent la dérision.»[66] Dans un autre article, S. Morgan Powell entreprend une véritable croisade contre les modernes en disant: «Le post-impressionnisme est un caprice... un fétichisme sans goût artistique pour le simple amusement de coloristes incompétents qui ne savent pas dessiner et pour d'autres qui n'ont pas les qualifications requises pour peindre un tableau.»[67]

La première grande attaque contre le groupe de Toronto s'est faite en décembre de la même année lorsque H.F. Gadsby écrivit son célèbre «Hot Mush School» dans le *Star*.[68] L'article avait apparemment été rédigé après une exposition à l'Arts and Letters Club, de croquis de Jackson sur la baie Géorgienne. Mais Gadsby en profita pour s'attaquer à tous les autres jeunes artistes. Dans son style coloré, il les accusa d'être «des atomiseurs d'avant-garde qui vaporisaient de la couleur en tube sur une toile pour la baptiser ensuite 'Rayons de soleil sur l'étable' ou quelque chose du genre». Et d'ajouter: «Tous ces tableaux se ressemblent, le résultat étant plus proche du gargarisme ou du porridge en grumeaux que d'une œuvre d'art.»[69] Il se lança ensuite dans un dialogue satirique au cours duquel il se voyait regardant une exposition en compagnie de son ami Peter. C'est le même genre d'attaque dont s'étaient servis les critiques parisiens lorsqu'ils inventèrent le mot «impressionniste» bien des années auparavant.

Plus dévastratrice encore que l'article de Gadsby sur le «Hot Mush School» fut la réponse de MacDonald, publiée le 20 décembre dans le *Star*.[70] Dans le même style facétieux, il attaqua l'article «qui s'en prend à ma chèvre, à mon cheval, à mon âne et à tout ce qui est à moi». Gadsby, dit-il, «aurait dû être un artiste. Son style grandiloquent, très coloré et plein d'épines, qui se contente de situer l'idée générale sans même jeter un regard de commisération sur les faits ou l'évidence, aurait pu le classer parmi les Géants des écrase-toile. Il aurait été le saint patron d'une fabrique de peinture. »[71] Puis sa réplique pince-sans-rire devient si abstruse qu'on a du mal à la comprendre et son but ne devient discernable que lorsqu'il dit: « Et maintenant je m'adresse à Gadsby, à Peter et à nous tous: soutenons un art pictural qui soit distinctivement le nôtre, ne serait-ce que pour la beauté de l'expérience. »[72]

Ainsi, tout en répliquant à Gadsby, il lançait son premier appel pour une forme d'art qui soit typiquement canadienne et plaidait pour que le public éclairé suive la démarche des jeunes artistes.

Cet article sur le « Hot Mush School » devint le cri de ralliement du Groupe et il a été considéré comme la preuve indubitable qu'il fut l'objet d'attaques dès le début. Cependant, on néglige de rapporter les nombreuses critiques favorables qui furent publiées avant et après l'article de Gadsby. En 1912, Augustus Briddle écrira à propos des œuvres du groupe de Toronto, exposées au printemps à l'O.S.A.: « On y trouve une joie de vivre, presque une désinvolture, qui convainc le spectateur moyen de la vitalité de la peinture canadienne qui montrait, il y a quelques années, des signes de sénilité. »[73] Dans une critique du Salon de l'année suivante, on y loua Jackson pour ses couleurs hardies et on le décrivit comme l'un des jeunes peintres les plus originaux.

« *Des tableaux nouveaux pleins de force et de beauté* »
Toronto *Star*, 14 mars 1914

« *Dans les galeries d'art : puissance et poésie* »
Mail and Empire, 13 mars 1915

« *Des peintres ontariens font des œuvres audacieuses* »
Mail and Empire, 11 mars 1916

« *Des peintres ontariens, font des tableaux pleins de vigueur* »
Mail and Empire, 10 mars 1917

Un simple coup d'œil sur ces titres d'articles, dans les années 1914-1917, montre que les critiques étaient plutôt favorables à la nouvelle école d'artistes torontois. Hector Charlesworth dit beaucoup de bien d'eux et les félicita de faire fi des traditions surannées par l'utilisation de couleurs vives. Il admirait leur vitalité, leur « enthousiasme pigmentaire » et leur volonté de faire des tableaux et non des bouilloires.[74] La seule critique négative de cette époque reste donc cet article sur le « Hot Mush School ».

— *Que représente ce tableau, Peter?*, demanda-t-il en pointant du doigt quelque chose en jaune et en vert.

— *Ça, répondit Peter, c'est un plésiosaure en transe, peint par un Japonais ingénieux mais égaré qui traite par le mépris l'avant-plan et la ligne médiane.*

— *Et celle-là? fit Big Bill en désignant un autre tableau plein de rouge lugubre.*

— *Un foie d'ivrogne invétéré, — répondit Peter d'un seul jet, — peint de mémoire par le garçon d'ascenseur de l'Hôpital Général.*

50. Moyer *Ça, une école?*
crayon *Star* de Toronto, 12 décembre 1913

À la fin de 1913, les artistes de Toronto s'étaient formés en un groupe cohérent ayant, pour objectif commun, de peindre le Canada. Ils avaient déjà entrepris leur première exploration du Nord et reçu leur première initiation aux critiques éreintantes. Ils voulaient désormais consacrer tout leur temps à peindre, et le besoin d'avoir un endroit en commun pour travailler se fit sentir. C'est probablement Harris qui eut l'idée du Studio Building car il croyait qu'avec des conditions favorables, il en sortirait d'excellents résultats. Le Studio Building fut conçu comme « un ensemble d'ateliers destinés aux artistes peignant des tableaux distinctivement canadiens ». [76] À cet endroit, les peintres pourraient échanger des idées et travailler sans soucis financiers, et ne paieraient qu'un loyer très modique. On y prévoyait également pour plus tard une galerie d'art et une scène de théâtre mais, malheureusement, la guerre ne le permit pas.

Harris et MacCallum fournirent l'argent, respectivement les trois quarts et le quart du coût. Eden Smith, l'un des membres de l'Arts and Letters Club, fit les plans de l'immeuble, situé dans le quartier Rosedale Ravine, près des rues Yonge et Bloor. À la fin de 1913, la construction en était presque terminée et, en janvier 1914, Jackson et Thomson en furent les premiers locataires quand ils s'installèrent dans l'atelier No 1. Le loyer était de 22 $ par mois. Harris et MacDonald les rejoignirent bientôt pour occuper deux autres ateliers.

D'autres peintres, qui ne faisaient pas partie du Groupe, s'y installèrent aussi, dont Bill Beatty, Curtis Williamson et Arthur Heming. À cette époque, ces trois peintres promettaient d'être des créateurs originaux mais aucun d'eux ne réussit à rompre avec la tradition académique dans laquelle ils avaient été formés. Jackson se souvient que la seule chose qu'ils avaient en commun était l'aversion qu'ils éprouvaient les uns pour les autres. [77]

Parmi les autres membres du Groupe, Lismer avait sa propre maison et Varley préférait travailler seul. Johnston se trouvait à New York et Carmichael en Europe. Lorsque ce dernier revint au Canada à la fin de 1914, il s'installa avec Thomson, remplaçant ainsi Jackson qui était parti à Montréal. Quelques mois plus tard, il écrivit à sa fiancée en lui décrivant le Studio Building comme un endroit de réunion pour tout le monde, où l'on entre sans cesse pour y prendre un repas léger ou bavarder. [78] Jackson racontera: « L'immeuble était un centre plein de vie, d'idées, d'expériences, de discussions, de projets pour l'avenir et de visions d'une peinture inspirée par la nature canadienne. C'était, bien sûr, un mouvement d'inspiration nordique. » [79]

51. Le Studio Building, rue Severn, Toronto

JACKSON À PROPOS DE THOMSON,   1914

« Tom fait des choses étonnantes. Il nous encourage tout le temps. Bien souvent, je me pose la question pour savoir si c'est lui qui mène ou si c'est moi. Il étale sa peinture et obtient d'excellents résultats mais il est parfois dangereux de trop vagabonder le long de cette voie. »[83]

52.   Au parc Algonquin, octobre 1914.
De gauche à droite : Tom Thomson, Fred Varley, A.Y. Jackson, Arthur Lismer, Marjorie Lismer et Mme Lismer.

53.   Arthur Lismer et Tom Thomson, parc Algonquin, 1914

THOMSON À PROPOS DE JACKSON,   1914

« Jackson et moi-même avons fait quelques tableaux dernièrement et j'en enverrai plusieurs lorsque Lismer retournera en ville. Varley et lui sont fascinés par tout ce qu'ils voient ici. Les érables vont bientôt perdre complètement leurs feuilles mais les bouleaux sont richement colorés. Nous travaillons tous au loin mais le mieux que je puisse faire ne rend pas justice à la beauté. »[84]

L'année 1914 s'est avérée le point culminant de tout ce bouillonnement qui avait monté au cours des dernières années. Les activités des différents groupes de Toronto se centrèrent sur le parc Algonquin qui devint leur principal lieu de travail, ce qui leur valut le titre d'École du Parc Algonquin. Aiguillonné par l'enthousiasme de Thomson, Jackson se rendit une première fois au parc en février 1914 alors que la température était de −43°C.[80] Il réussit à survivre jusqu'en mars où il reçut la visite de MacDonald et de Beatty. Peu de temps après, Thomson initia Lismer au canoë. Ce même mois, Jackson et Beatty partirent dans les Rocheuses où ils passèrent presque tout l'été à peindre.

Au cours de l'automne 1914, Thomson, Jackson, Lismer et Varley partirent ensemble faire du camping pour y peindre les changements de couleurs de la saison. Jackson avait rejoint Thomson dans le parc à la fin de septembre où ils firent leur seule randonnée ensemble. Elle dura six semaines et, à un moment donné, Lismer et Varley se joignirent à eux. Pendant une brève période, les quatre peintres travaillèrent et vécurent en commun, échangeant des idées et faisant de grands progrès dans leur travail.

Le parc Algonquin était encore presque inconnu lorsque Thomson et ses amis y peignaient. Ce parc avait été conçu à l'origine comme une réserve provinciale en 1853 et comprenait 3 797 kilomètres carrés de terre vierge, parsemée de lacs et de rivières sans nombre.[81] Il était situé à la lisière sud du Bouclier canadien, entre la rivière des Outaouais et la baie Géorgienne. Au début, on n'y trouvait que quelques compagnies de coupe de bois mais l'achèvement de la voie de chemin de fer, vers 1900, permit à plus de gens de s'y rendre. Il était loin d'être à la mode en 1912 et on le décrivait comme un endroit « où se rendaient surtout les visiteurs américains et quelques excentriques de Toronto, amoureux de la nature ».[82]

L'ÉCOLE DU PARC ALGONQUIN

Cher Dr MacCallum,

Nous venons de vivre une semaine dans la gloire des couleurs. Une gloire qui s'est quelque peu ternie à la suite de l'abondante pluie d'hier et d'aujourd'hui qui nous a laissé un ciel très venteux et la promesse d'un temps plus frais et plus clair, un changement pour le mieux après la température presque torride que nous avons subie. Cependant, le vent a dépouillé les arbres. Les érables sont nus mais tout est encore magnifique. Il m'est très difficile de décrire ce débordement de couleurs tout en ne négligeant pas le paysage. Thomson et Jackson campent de l'autre côté des Fraser et tous deux font de l'excellent travail, chacun ayant une influence déterminante sur les autres. Thomson a peint de superbes sous-bois riches en couleurs. Il choisit avec soin son sujet et se sert d'une palette plus subtile que dans ses précédents tableaux. Jackson a fait un travail superbe, meilleur que ses études des « Rocheuses ». Le paysage est ici plus intime et convient plus à son caractère farouche que je ne le croyais.

Varley et moi-même luttons pour créer quelque chose avec tout ça. J'espère que j'aurai quelque chose à montrer comme résultat de tous nos efforts.

Avec mes meilleurs souhaits,
Très sincèrement,
Arthur Lismer [85]

54. A.Y. Jackson *Lac du Nord, parc Algonquin,* 1914 Huile sur bois 21.5 x 26.6 cm (8½ x 10½ po) Galerie Nationale du Canada

Cher Docteur,

Juste un mot pour vous faire savoir quel bon temps nous vivons ici. La Nature est une révélation pour moi et m'a tout d'abord profondément bouleversé. Nous n'avons pas arrêté de « répandre » de la peinture partout et Tom est en train de devenir un nouveau cubiste et affirme qu'il a de grandes choses à faire ici.

J'aimerais vous dire que vous m'avez donné l'occasion de me réveiller. Je m'étais laissé aller mais je m'y mets à fond maintenant et je fonce, bien décidé l'année prochaine à faire venir ma famille pendant quelques mois et à peindre d'après nature. Une chance merveilleuse. Mes meilleurs souhaits.

Très sincèrement,
F. Horseman Varley[86]

55. Tom Thomson *Feuilles rouges,* 1914 21.5 x 26.6 cm (8½ x 10½ po) Galerie Nationale du Canada

56.   A.Y. Jackson   *L'érable rouge,*   1914   Huile sur toile   79.3 x 97.1 cm (31¼ x 38¼ po)
Galerie Nationale du Canada

JACKSON À PROPOS DE *L'ÉRABLE ROUGE*   « C'est à Toronto que j'ai travaillé sur L'érable rouge. *En même temps,
Lismer peignait la maison du guide. Ces deux tableaux furent exposés à
l'A.R.A.C. et achetés par la Galerie Nationale.* »[87]

57.   Arthur Lismer   *La maison du guide, parc Algonquin,*   1914   100.3 x 113 cm (39½ x 44½ po)   Galerie Nationale du Canada

« *La maison du guide... fut probablement le résultat des discussions animées que nous tenions sur les impressionnistes français. À cette époque, nous faisions tous des expériences avec les couleurs mais c'était une technique trop poussée pour exprimer le mouvement et le caractère complexe de nos paysages sauvages du Nord.* » [88]

JACKSON À PROPOS DE *LA MAISON DU GUIDE*

MacDonald se trouvait également au parc Algonquin au printemps 1914 en compagnie de Bill Beatty. Les deux peintres travaillèrent beaucoup ensemble à ce moment-là et MacDonald apprenait beaucoup de Beatty. Ce dernier avait étudié pendant de nombreuses années en France et avait de solides connaissances techniques que MacDonald s'efforça alors de maîtriser. *Soirée de mars dans le Nord*, peint après leur séjour dans le parc, reflète l'influence des techniques de Beatty par sa surface rapidement structurée et sa vigueur d'exécution.

Colline des Laurentides, octobre est un tableau de MacDonald exécuté d'après des croquis faits durant son voyage avec Harris dans la région de Saint-Jovite, au Québec, en 1913. Dans ce tableau, il découvre les couleurs pures chères aux impressionnistes et se complaît dans la juxtaposition des orange, vert et jaune vif. Les formes sont plus libres et la peinture est appliquée directement sur la toile, sans tout ce labeur qu'on sent dans ses tableaux précédents. Il a fait un pas en avant en rompant avec le rendu atmosphérique de l'espace pour le remplacer par une expression plus bidimensionnelle. Cette nouvelle façon de concevoir la couleur et la composition est probablement due à l'exposition scandinave et à l'arrivée de Jackson à Toronto.

58. J.E.H. MacDonald
Soirée de mars dans le Nord, 1914
Huile sur toile 74.9 x 100.9 cm (29½ x 39¾ po)
Galerie Nationale du Canada

59. J.E.H. MacDonald *Colline des Laurentides, octobre,* 1914 Huile sur toile 76.2 x 101.6 cm (30 x 40 po) Collection W. Howard Wert, Montréal

Les années de guerre et Algoma

« Les érables, les bouleaux et les peupliers épuisèrent leur gamme de couleurs et, pour finir, les mélèzes se recouvrirent d'une parure dorée. La chute des feuilles et les flocons de neige nous firent prendre conscience que le temps de faire des croquis était terminé. Il y avait la guerre aussi ; dans le parc Algonquin, nous n'en entendions pratiquement pas parler et nous espérions qu'elle serait bientôt finie. Mais, lorsque nous revînmes à Toronto, nous nous sommes vite rendu compte que notre optimisme était exagéré, que cette guerre allait certainement durer longtemps et que nos jours sans soucis étaient révolus. » [1]

Lorsque les peintres revinrent à Toronto à l'automne 1914, l'enthousiasme et la bonne humeur des derniers mois fondirent rapidement. La guerre, qui était un fait indéniable, dérangea tous leurs projets d'avenir. À part Jackson, qui s'en alla à Montréal en décembre, les autres peintres continuèrent de travailler durant tout l'hiver sans trop de problèmes. C'est durant cet hiver d'ailleurs que l'influence de l'*Art Nouveau* commença à apparaître dans leurs tableaux. Plus que toute autre chose, cette caractéristique exprime la maturité du style des Sept.

Jackson écrira: « nous avons carrément abandonné toute tentative de faire de la peinture à la lettre et nous avons traité nos sujets avec la liberté d'un décorateur exactement comme les Suédois l'ont fait, eux qui vivent dans un pays dont la topographie et le climat sont semblables aux nôtres ». [2] Le Groupe avait trouvé enfin un moyen de se servir de leur connaissance du dessin ainsi qu'une manière d'interpréter le paysage canadien. Selon Jackson, la technique impressionniste « était une technique trop poussée pour exprimer le mouvement et le caractère complexe de nos paysages sauvages du Nord ». [3] De toute évidence, la prochaine étape allait être d'adapter les motifs décoratifs de l'*Art Nouveau* en fonction du paysage.

L'INFLUENCE DE L'ART NOUVEAU

Pour ces premières expériences, les scènes de neige étaient le sujet idéal par excellence et permettaient au peintre de simplifier son dessin. *La neige d'octobre* de Thomson en est l'un des premiers exemples avec l'utilisation d'un jeu de dentelles entrecroisées dans les plus hautes branches, faisant à-plat. Les troncs foncés des arbres apportent un élément d'équilibre et séparent le haut de la toile du sol recouvert de neige. *Les traces de ski*, tableau de Fjaestad reproduit dans le magazine *Studio* en 1913, a certainement inspiré cette œuvre. [4]

Le tableau de MacDonald intitulé *Enneigé* est moins réussi mais il montre un souci nouveau d'un sujet occupant toute la surface et une autre tentative de s'éloigner de l'impressionnisme. À cette époque, MacDonald avait assimilé l'essentiel des caractéristiques de la peinture scandinave et faisait ses propres études de composition. Il a peint ce tableau à Thornhill en regardant par sa fenêtre des épinettes couvertes de neige. L'épaisse couche de neige est rendue dans des tons de bleu, de mauve et de gris, donnant un effet fantômatique qui est équilibré par quelques taches de couleur dans le coin supérieur gauche.

Harris a peint de nombreuses scènes de neige durant cette période et certaines d'entre elles sont de superbes exercices de composition. Il s'est probablement aussi servi des idées des peintres scandinaves car on perçoit une influence évidente de l'*Art Nouveau* dans un tableau intitulé *Neige* qui fait partie de la Collection McMichael. À l'encontre de Harris, MacDonald adopta un style plus formel tendant à l'abstraction. On s'en rend compte rien que par les titres qu'il donne comme, par exemple, *Neige I, Neige VI,* ce qui évite toute référence à un endroit déterminé.

L'emploi de motifs dans la composition est devenu plus évident encore l'hiver suivant lorsque Thomson, MacDonald et Lismer décorèrent le cottage du Dr MacCallum à la baie Go Home. [55] Ce dernier leur avait commandé des tableaux afin de donner du travail à ces peintres durant la période creuse de la guerre. Ce genre de commandite plutôt exceptionnelle leur permit de s'exprimer en toute liberté et de faire des expériences de décoration. Le résultat fut plus proche du style de leur art commercial et montra jusqu'à quel point ils connaissaient bien les techniques de l'*Art Nouveau*.

60. Tom Thomson *Neige d'octobre,* vers 1915-16
Huile sur toile 81.9 x 86.9 cm (32¼ x 34¼ po)
Galerie Nationale du Canada

61. J.E.H. MacDonald *Enneigé,* 1915
Huile sur toile 49.5 x 74.9 cm (19½ x 29½ po)
Galerie Nationale du Canada

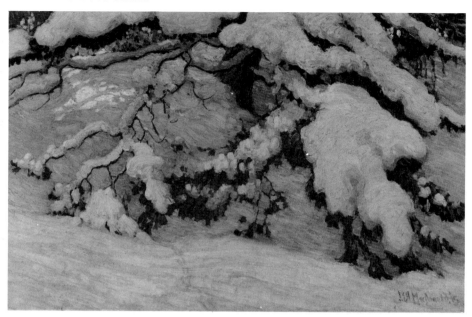

62. Lawren Harris *Neige,* vers 1915-16 Huile sur toile 68.5 x 106.6 cm (27 x 42 po) Collection McMichael

63. Tom Thomson, *Paysage décoratif*, 1916
(Poème d'Ella Wheeler Wilcox)
21.5 x 31.7 cm (8½ x 12½ po)
Collection M. Merkur

64. Tom Thomson *Panneau décoratif (III)*, 1915-16
Huile sur bois 120.6 x 92.7 cm (47½ x 36½ po)
Galerie Nationale du Canada

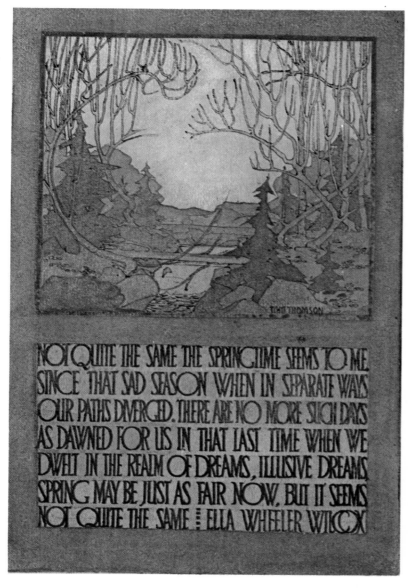

HARRIS
LA PHASE DÉCORATIVE

« À vivre et à pérégriner dans le Nord et à plus ou moins reproduire littéralement une grande variété de ses motifs, on en arrive à un traitement décoratif de sa grande richesse de formes et de motifs colorés qui introduisent dans ses humeurs saisonnières et ses paysages un esprit omniprésent. Il semble que ce soit le seul moyen de donner corps au charme de tant de motifs et à la complexité de ses modèles si riches.

« Les peintres voient partout dans le Nord des compositions décoratives et des exemples pour toute forme possible d'embellissement de notre vie quotidienne, et tout cela attend d'être utilisé pour créer un foyer spirituel à tous ceux qui ouvrent leurs yeux.

« Cette phase décorative englobe tout le glorieux spectacle de la nature et crée des motifs d'à-plat qui réexpriment ses beautés. »[6]

MacDONALD
L'ÉLÉMENT DÉCORATIF EN PEINTURE

« L'élément décoratif n'est peut-être pas en soi une composante comme celle dans laquelle la peinture vit, évolue et existe. C'est un élément qui va plus dans le sens de l'éther universel. »[7]

65. Tom Thomson *La mare,* vers 1915 Huile sur toile 76.2 x 81.9 cm (30 x 32¼ po) Galerie Nationale du Canada

L'éclatement de la Première Guerre mondiale qui marqua la fin de la première période de l'École d'Algonquin, marqua également le début de la phase finale et légendaire de la carrière de Thomson. Il avait alors 37 ans et avait encore moins de trois ans à vivre avant de périr noyé dans le lac Canoe en juillet 1917.

On a beaucoup discuté des réactions de Thomson envers la guerre. Bon nombre de personnes affirment qu'il essaya de s'enrôler mais que, pour une raison quelconque, on le refusa.[8] D'autres insinuent qu'il avait pu « s'impliquer avec l'une ou l'autre des jeunes femmes dont les ombres parsèment sa voie ».[9] La théorie de Jackson est que le Dr MacCallum ne voulut pas qu'il s'engage de peur que le Canada ne risque de perdre son plus grand peintre.[10]

Il ne fait aucun doute que Thomson détestait l'idée même de la guerre et qu'il ne voulait absolument pas se trouver dans une position telle que quelqu'un puisse avoir autorité sur lui. En juillet, il écrira à MacDonald en lui disant : « Comme pour toi, je ne peux m'habituer à la pensée de Jackson engagé dans la machine de guerre et c'est une pourriture qu'à notre époque soi-disant civilisée une telle chose puisse exister. »[11] Cependant, comme aucun des autres peintres, à part Jackson, n'a réellement joué une part active dans la guerre avant 1918, il est inutile de trop faire ressortir la non-participation de Tom Thomson.

Durant l'hiver 1914-15, Thomson partagea l'atelier No 1 avec Frank Carmichael et peignit plusieurs grandes toiles dont la *Rivière du Nord*. Aux premiers signes du printemps, il partit au parc Algonquin et demeura avec les Fraser à Mowat Lodge. Tandis que la neige fondait petit à petit, il fit quelques croquis autour du lac Canoe et, avec la venue de l'été, il travailla à temps partiel comme guide bien que les affaires ne fussent pas bonnes à cause de la guerre. D'une façon générale, ce fut un été de solitude pour Thomson qui fit plusieurs longues randonnées en canoë, seul, dans les coins les plus éloignés du parc. Dans une lettre à MacCallum, il écrira à ce dernier : « Si Lismer ou l'un des autres ont la possibilité de venir, dis-leur de m'écrire à South River. J'aimerais beaucoup avoir un peu de compagnie. »[12]

Lorsqu'il revint à Toronto à la fin de l'automne 1915, il emménagea dans une cabane située derrière le Studio Building. Cette cabane, qui se trouvait là depuis de nombreuses années, était probablement autrefois un atelier d'ébéniste. Harris et MacCallum l'aménagèrent et la lui louèrent au prix d'un dollar par mois. Thomson fabriqua lui-même les planches de sa couchette ainsi qu'une table et « s'y installa, pendit sa canne à pêche au mur, empila ses dessins dans un coin, monta son chevalet et commença sa campagne hivernale de peinture ».[14] Thomson détestait vivre en ville mais ne menait pas la vie solitaire qu'on lui attribua. Lismer partageait avec lui le même studio durant le jour et il y avait de nombreux amis qui arrivaient « fréquemment à l'impromptu dans sa cabane pour manger des haricots secs ou de la ratatouille et pour discuter des nouvelles tout en fumant la pipe ».[15] Il ne se souciait aucunement de la ville autour de lui et vivait comme s'il était dans les bois. Durant les nuits d'hiver, il se promenait souvent dans Rosedale Ravine en raquettes à neige.[16] Thoreau MacDonald se rappelle : « parfois il m'invitait à rester pour manger et je me souviens bien de sa manière d'homme des bois de verser une pincée de thé dans la bouilloire et de la façon dont il écrasait les pommes de terre avec une bouteille vide en y mêlant ce qui ressemblait à une demi-livre de beurre ».[17]

Selon ses bonnes habitudes, il s'en alla dans le Nord au printemps 1916, cette fois pour travailler pendant toute la saison comme garde forestier dans la partie nord-est du parc. Il écrivit ces mots à MacCallum : « Ai fait très peu de croquis cet été parce que les deux genres de travail ne vont pas ensemble. »[18] Il parvint cependant à faire les croquis de ses deux œuvres les plus célèbres, *Le pin* et *Le vent d'ouest*, qu'il peignit à Toronto l'hiver suivant.

On ne connaît pas grand-chose de ses autres activités à Toronto au cours de cet hiver. Mais, en avril, il retourna dans le parc pour travailler à une série de croquis qui reproduiraient le changement des saisons.[19] Cet été-là, il décida de ne pas travailler d'une façon permanente de façon à consacrer plus de temps à la peinture. Mais, à la saison des mouches en mai et en juin, il fit moins de croquis et passa son temps à pêcher, à faire du canoë et à travailler un peu comme guide. Puis arrivèrent juillet, sa dernière lettre au Dr MacCallum et sa mort dans le lac Canoe.

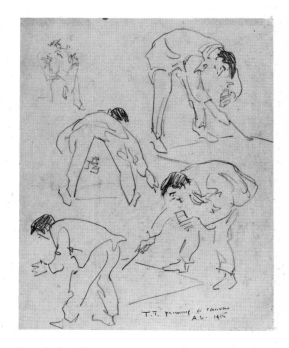

66. Arthur Lismer
Tom Thomson étalant sa couche de fond, 1915
Crayon 25.4 x 19.5 cm (10 x 7¹¹/₁₆ po)
Galerie Nationale du Canada

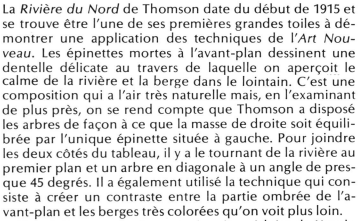

La *Rivière du Nord* de Thomson date du début de 1915 et se trouve être l'une de ses premières grandes toiles à démontrer une application des techniques de l'*Art Nouveau*. Les épinettes mortes à l'avant-plan dessinent une dentelle délicate au travers de laquelle on aperçoit le calme de la rivière et la berge dans le lointain. C'est une composition qui a l'air très naturelle mais, en l'examinant de plus près, on se rend compte que Thomson a disposé les arbres de façon à ce que la masse de droite soit équilibrée par l'unique épinette située à gauche. Pour joindre les deux côtés du tableau, il y a le tournant de la rivière au premier plan et un arbre en diagonale à un angle de presque 45 degrés. Il a également utilisé la technique qui consiste à créer un contraste entre la partie ombrée de l'avant-plan et les berges très colorées qu'on voit plus loin.

Si on jette un coup à une tapisserie suédoise de Krogh, intitulée *Futaie d'épinettes*, reproduite en couleurs dans le magazine *Studio* de 1913, on reconnaît tout de suite la parenté.[20] Krogh s'est servi du motif *Art Nouveau* couramment employé de laisser tomber les branches à l'avant-plan pour donner plus de recul au lac à l'arrière-plan et donner ainsi plus d'importance au motif décoratif. Thomson, qui avait étudié le graphisme et qui se servait de l'*Art Nouveau* en art commercial, a certainement perçu les liens qui le reliaient à la peinture scandinave dont il en voyait des reproductions dans nombre de revues d'art.[21] Consciemment ou non, il en a assimilé l'esprit et il est peu probable qu'il aurait pu peindre *Rivière du Nord* sans avoir vu de ces tableaux. Son emploi de la couleur où il se permet de juxtaposer des couleurs complémentaires pures, bleu et orange, pour ajouter de l'éclat, était alors pratique courante chez les peintres européens; technique qu'il n'aurait pu inventer lui-même.

Beaucoup de gens croient que Thomson en est arrivé à une maturité de style en peignant simplement la nature telle qu'il la voyait. Lismer a soutenu ce point de vue en s'objectant à ceux qui disaient que Thomson avait une «technique impressionniste» ou une «composition et structure très *Art Nouveau*». Il affirme que «s'il les a assimilées, c'est par une profonde observation du paysage canadien».[22] Cependant, Thomson n'en connaissait pas moins les techniques européennes et fut, sans aucun doute, influencé par elles. Elles déterminèrent en partie la manière dont il percevait la nature et lui donnèrent les moyens techniques de transposer sa vision. En pratique, ces techniques n'apportèrent à Thomson qu'un point de départ mais il n'en faut pas moins reconnaître leur importance.

Rivière du Nord fit partie du Salon de l'O.S.A. de 1915 et fut reconnu comme «l'un des tableaux les plus remarquables de toute l'exposition».[23] Même Hector Charlesworth déclara qu'il était «beau, plein de vigueur et brillant. Le traitement donné aux arbres à l'avant-plan offre une composition particulièrement intéressante».[24] Cette toile que Thomson surnomma son «marécage», fut achetée par Eric Brown, cette même année, pour le compte de la Galerie Nationale.

67. Tom Thomson   *Rivière du Nord*   (détail)

«*Les petites études à l'huile de Thomson, exécutées ces dernières années, vibrent et palpitent de vie. Elles sont directes comme un coup de poing sur le nez et leur sens du mouvement a l'élan et la force d'une pagaie entrant dans l'eau. La couleur est jetée et écrasée sur le support comme avec de grands coups de hache. On dirait qu'elle se substitue en bloc aux taillis et buissons, faisant du tableau terminé une véritable fête pour les sens spartiates de Thomson.*»[25]

69. Tom Thomson   *Cèdres givrés, Grand Lac Cauchon,*   1914-15   Huile sur toile   30.4 x 38.1 cm (12 x 15 po)   Galerie Nationale du Canada

Peintre intuitif, Thomson était le plus à son aise quand il croquait ses paysages d'après nature mais, lorsqu'il était confronté à une grande toile, il n'avait pas autant de spontanéité. Le résultat est que ses œuvres exécutées en atelier sont plus guindées et souvent sans élan. Dans nombre de ces tableaux, il revient à des moyens d'expression plus conventionnels alors qu'avec ses croquis, il se dépasse souvent.

Thomson considérait ses croquis comme des tableaux complets en eux-mêmes et non pas seulement des études préparatoires à des œuvres ultérieures. À partir de 1914, il se servit de panneaux de bois d'une grandeur standard de 8½ x 10½ pouces (soit 21.5 x 26.6 cm), méthode qu'il emprunta à Jackson ou à Beatty qui l'avaient ramenée d'Europe. Ces panneaux étaient tous de la même grandeur de sorte qu'on pouvait les placer dans une boîte-chevalet portative spécialement conçue à cet effet et les transporter sans encombre.

Dans bon nombre de ses croquis, Thomson frôle les limites de l'abstraction pure en juxtaposant des taches solides de couleur pure. Dans *Feuillage d'automne* et *Bouleaux à l'automne*, vert, rouge et jaune vif se retrouvent côte à côte pour donner des effets percutants. Il donne à son pinceau une grande liberté de forme et de vie qui est bien proche de la spontanéité. Cependant, en contraste avec les couleurs chantantes de ces deux tableaux, *Cèdres givrés* présente des tons froids et assourdis et ne comprend que trois éléments: les cèdres à l'avant-plan, la surface du lac bleu-noir et les collines au loin. Ces trois plans se différencient seulement par la couleur et le coup de pinceau.

Thomson avait suffisamment de talent pour venir à bout de sujets difficiles comme *Coucher de soleil, Orignaux dans la nuit* et *Aurore boréale*. Il était également capable d'éviter les moyens conventionnels dont pouvait se servir un peintre plus «intellectuel» et de faire face à chaque sujet le plus directement et le plus simplement possible. On n'en finit plus de raconter des histoires sur Thomson s'efforçant de peindre au clair de lune ou se précipitant dehors en plein orage pour essayer de croquer la scène sur le vif. Tout ce qu'il voyait l'émouvait profondément et c'est presque avec «naïveté» qu'il s'efforçait d'en saisir la perception sur son tableau.

70. Tom Thomson *Feuillage d'automne* Huile sur bois 21.5 x 26.6 cm (8½ x 10½ po)
Art Gallery of Ontario

71. Tom Thomson *Bouleaux à l'automne,* 1916 Huile sur bois 21.5 x 26.6 cm (8½ x 10½ po)
Collection McMichael

72.

73.

72.   Tom Thomson   *Aurore boréale,*   1916
Huile sur bois   21.5 x 26.6 cm (8½ x 10½ po)
Collection Alan A. Gibbons

73.   Tom Thomson
Orignaux dans la nuit,   1916
Huile sur bois   21.5 x 26.6 cm (8½ x 10½ po)
Galerie Nationale du Canada

74.   Tom Thomson   *Coucher de soleil,*   1915
Huile sur bois   21.5 x 26.6 cm (8½ x 10½ po)
Galerie Nationale du Canada

« *Thomson ne peignait pas seulement pour peindre mais parce que sa nature le poussait à le faire, parce qu'il avait un message à dire. Le Nord le conquit peu à peu, corps et âme. Il commença à peindre pour exprimer les émotions que la nature lui inspirait. Il ressentait tellement les états d'âme et les passions, les teintes sombres et les couleurs glorieuses, qu'il lui fallait les exprimer en peinture. il ne dit jamais par des mots sa façon de percevoir les richesses de la nature. Les mots n'étaient pas son mode d'expression, la couleur était le seul moyen à sa disposition. De tous les grands peintres canadiens, il était — je crois — le meilleur coloriste. Mais ce n'est pas pour se singulariser ni pour faire du sensationnel qu'il employait la couleur. Son but était la fidélité et la beauté — beauté de la couleur, de la perception et de l'émotion. Et pourtant, à ses yeux, ses plus beaux croquis n'étaient que de la peinture. Il ne leur accordait aucune valeur. Tout ce qu'il voulait, c'était de quoi peindre pour pouvoir faire d'autres tableaux. Il aimait qu'on apprécie sa peinture et accueillait bien les critiques qu'on lui faisait mais l'authenticité de ce qu'il reproduisait était inattaquable car il l'avait vu. Il n'a jamais rien peint qu'il n'ait vu.* »[27]

« *Il ne peignait pas seulement les arbres et les lacs et les couleurs de l'automne ou du printemps. Certes, il s'agissait là de sujets à peindre mais ce n'était que ce qui servait à les identifier. En fait, il semblait vouloir intégrer en un ensemble spatial et expressif tout l'élan et le caractère lyrique et dynamique. On y trouvait aussi bien état d'âme et poésie que sa personnalité propre. Autrement dit, c'était une œuvre d'art, cette perception de la justesse des choses qui ne vient que par l'expérience.*

« *À l'encontre d'autres peintres, plus expérimentés que lui, qui se battaient avec la composition et les techniques de dessin, de tonalité, de couleur et de figuration, quelquefois avec succès, souvent n'arrivant pas à saisir un semblant d'identité, Thomson semblait se laisser porter par l'atmosphère ambiante, se laissant dominer et attendant le moment propice. Puis, son mode d'expression entrait en action, et ses couleurs et sa composition prenaient place ; un autre panneau devenait une unité d'un plan de créativité pour s'ajouter à la pile...*

75. Tom Thomson   *Épinettes rouges,*   1916   Huile sur bois   21.5 x 26.6 cm (8½ x 10½ po)   Galerie Nationale du Canada

«Thomson ressemblait à Whitman, un peu comme un Thoreau plus fruste si vous voulez, mais il faisait les mêmes choses, recherchait la nature sauvage, n'essayant jamais de la dompter mais d'en faire ressortir toute la magie des entrelacs et des saisons, la vision toujours changeante et le calme ou la force de ses états d'âme. Il en transmit la beauté naturelle en révélant la toile d'or du symbolisme esthétique, comme une musique, une symphonie. Il révéla également le contenu et l'origine même de ces régions encore vierges qui, un jour, seraient aménagées par l'industrie, dévastées pour leur bois et leurs métaux, ne laissant que des cicatrices sur le sol du Bouclier précambrien et conduisant les eaux de ses rapides à des centrales qui éclaireront notre vie urbaine et qui feront tourner les roues de l'industrie.

«Thomson dans son canoë, avec sa canne à pêche et sa boîte-chevalet, pagayant le long d'une berge pour chercher quelque chose à peindre, un endroit où camper pour une nuit ou pour une semaine, voilà l'image d'un pionnier qui était aussi un artiste; combinaison plutôt rare dans notre histoire nationale.»[26]

76. Tom Thomson   *Le barrage du lac Tea,*   1915   Huile sur bois   21.5 x 26.6 cm (8½ x 10½ po)   Galerie Nationale du Canada

On se rend compte de la profonde perception de la nature par Thomson dans des œuvres comme *Chute d'eau en forêt* de 1916-17. On a l'impression d'entrer dans un univers secret vu seulement par des animaux sauvages qui viennent boire dans le bassin au bas de la chute. C'est un paysage où la présence de l'homme ne se fait jamais sentir et pourtant la nature n'y est ni menaçante ni effrayante. Avec seulement quelques modifications adroites, Thomson arrive à mettre de l'ordre dans un ensemble fondamentalement sans organisation tout en conservant l'authenticité naturelle du lieu.

La chute d'eau est en quelque sorte une avant-première de l'œuvre des Sept dans les années à venir. Le coup de pinceau hardi des rochers à l'avant-plan et les couleurs riches et épaisses apparaissent à peu près dans le même temps chez Mac-Donald, probablement à la suite d'un échange d'idées entre les deux artistes. Les taches de rouge pur qui forment un arc de cercle dans le bas du tableau reviennent quelques années plus tard dans *Première neige à Algoma* de Jackson et le traitement stylisé de la chute d'eau se retrouve dans *Chute d'eau, Algoma* de Harris, en 1918. La qualité très décorative et la perception du milieu ambiant devenaient la marque de commerce du Groupe des Sept. Ce qui ne veut pas dire que Thomson a été l'inventeur du style du Groupe mais qu'il en a développé l'expression à la suite d'un échange constant d'idées avec les autres peintres. Dans les années qui suivirent sa mort, on a souvent considéré Thomson comme le fondateur du Groupe et Jackson s'est senti obligé d'écrire à Eric Brown pour mettre les choses au point : « Thomson était déjà assez un génie en soi sans avoir à faire de nous ses disciples par simple contraste... Il devait autant à MacDonald que MacDonald lui en dut plus tard, et Thomson n'en est pas moins grand pour être moins mythique. »[28] Cependant, Thomson était un peintre doué d'une grande intuition, bien souvent en avant de ses amis que leur entraînement académique gênait plutôt que n'aidait.

77. Tom Thomson   *La chute d'eau,*   1916   Huile sur bois   21.5 x 26.6 cm (8½ x 10½ po)
Vancouver Art Gallery

78. Tom Thomson   *Chute d'eau en forêt,*   1916   Huile sur toile   121.9 x 132 cm (48 x 52 po)   Collection McMichael, Toronto

« Il voyait un millier de choses : animaux, oiseaux et signes divers, que les autres manquaient. Il savait où trouver des sujets à peindre : un endroit marécageux, une ligne de pins qui lui offrait la possibilité de peindre ce qu'il voulait. Il pouvait lancer sa ligne et attraper des poissons là où des pêcheurs expérimentés restaient bredouille. Il pouvait identifier le chant d'un oiseau et sentir les changements de conditions atmosphériques. Il pouvait trouver son chemin en plein milieu de l'eau vers un portage ou un camp, dans une nuit d'encre. C'est son sens de perception et d'intelligence de simples bruits et points de repère, sa sensibilité mystérieuse qu'il transmettait dans ses peintures et ses croquis, qui donnaient cet air d'authenticité à ses œuvres. »[29]

Le vent d'Ouest et *Le pin* sont des œuvres bien connues qui, pour un grand nombre de personnes, sont le symbole même de la peinture canadienne, si ce n'est du Canada lui-même. Il est difficile de regarder ces tableaux avec une nouvelle perception parce qu'ils ont été exposés et reproduits un peu partout.

Une comparaison entre l'étude et le tableau final du *Vent d'Ouest* fait ressortir les forces et les faiblesses de Thomson. La toile ne reflète en rien la spontanéité du croquis mais retransmet mieux l'état

d'âme de la scène. Les couleurs sont plus profondes et plus sombres mais la majesté des violets et des bleus convient mieux à cette monumentale scène de tempête. La forme abstraite des taches de vert du pin crée un mouvement courbe en forme d'un cercle presque parfait qui part du coin supérieur droit jusqu'au milieu de l'avant-plan et qui s'arrête sur une bosse à la droite de l'arbre. L'effet de tension est créé par le mouvement cyclonal des branches et par l'arbre qui plie sous la tempête. La turbulence du ciel et de l'eau révè-

le une force dynamique allant de droite à gauche en travers de la toile. Si Thomson n'avait pas trouvé un moyen pour arrêter ce mouvement de force, ce tableau aurait été moins facile à lire. Cependant, la courbure de l'arbre observe un cercle qui crée un mouvement dans l'autre direction.

Ce pin solitaire, qui plie sous la force du vent, avec la crête blanche des vagues et les nuages d'orage qui courent au-dessus, est le symbole même du Nord. Une fois de plus, Thomson développe le thème de *Lac du Nord* et préfigure les ta-

79. Tom Thomson *Le vent d'Ouest,* 1917 Huile sur toile 120.6 x 137.4 cm (47½ x 54⅛ po) Art Gallery of Ontario

bleaux ultérieurs de Varley et de Lismer sur la baie Géorgienne.

Le pin est l'un des derniers et des plus connus tableaux de Thomson. Bien qu'il représente presque exactement la même scène que Le vent d'Ouest, il en est bien différent par le caractère. Les deux œuvres représentent le paysage en direction de la rive ouest du lac Grand, au parc Algonquin, et furent croquées d'après nature par Thomson alors qu'il travaillait là-bas comme garde forestier pendant l'été 1916. [30]

À l'encontre de Vent d'Ouest qui reflète un mouvement incessant, Le pin porte en lui la sérénité. C'est le soir. Le ciel et le lac sont complètement immobiles et peints à grands coups de pinceau horizontaux et en à-plats. Même les mauves, roses et verts assourdis contribuent à cet effet. Pour faire contrepoids à la force des lignes horizontales, il y a les vrilles rouges et tombantes des branches nues du pin, les lignes verticales des arbres et l'ondulation des collines.

Une fois de plus, c'est le pin solitaire à l'avant-plan qui domine le tableau et relie entre eux le ciel, la terre et l'eau. Le cheminement de Thomson depuis Lac du Nord (1913) à cette composition simplifiée et efficace s'est déroulé sur trois courtes années. Sur cette toile, il en arrive à de la poésie pure en combinant sa perception intuitive de la nature à un contrôle presque classique de la technique.

80. Tom Thomson Le pin, 1917 Huile sur toile 127.6 x 139.7 cm (50¼ x 55 po) Galerie Nationale du Canada

DERNIÈRE LETTRE DE TOM THOMSON
AU DR MacCALLUM, LE 7 JUILLET

«Je suis encore à proximité des Fraser et je n'ai fait aucun croquis depuis la sortie des mouches. Le temps a été humide et frais, et les mouches et les moustiques sont pires que ce que j'ai vu depuis des années, et les insecticides n'ont aucun effet sur eux. Cependant, c'est le deuxième jour chaud que nous ayons eu cette année ; encore une journée comme celle-là et ils disparaîtront. Enverrai mes croquis de cet hiver dans un jour ou deux et ai la ferme intention d'en faire d'autres bien que ce fut impossible dernièrement. Ai fait beaucoup de pagayage ce printemps et la pêche a été bonne. Ai fait également un peu le guide de pêche et aurai d'autres groupes ce mois-ci et le mois suivant, tout en faisant des croquis entretemps. » [11]

Thomson écrivit cette lettre au Dr MacCallum, la veille de sa mort. Quelques jours plus tôt, Mark Robinson et lui avaient découvert une grosse truite maligne comme tout, dans la rivière en bas du barrage du lac Joe. Ils se livrèrent à un match amical pour attraper le poisson mais il les déjoua tous deux. Finalement, pour continuer la comédie à sa manière, Thomson décida de se rendre à un autre lac, d'y attraper une autre grosse truite et de faire comme si c'était celle qu'ils avaient manquée. Il quitta le quai de Mowat Lodge au début de l'après-midi du 8 juillet et fut aperçu pour la dernière fois en train de pagayer pour contourner le méandre. Le soir, il n'était pas de retour mais personne ne s'en inquiéta car il avait des vivres et une bâche de campement. Le lendemain, on découvrit son canoë renversé et on organisa aussitôt des recherches. Au pire, ses amis pensèrent qu'il s'était cassé une jambe ou qu'il avait eu un accident. Les recherches durèrent une semaine sans qu'il donnât signe de vie. Ce n'est que le 16 juillet qu'on retrouva son corps.

Qui donc Thomson a-t-il rencontré sur ce lac aux eaux grises, loin de tout témoin, en cet après-midi de juillet?
Qui lui a donné un coup à la tempe droite — et l'a-t-on fait avec la tranche de la pagaie? Un coup qui lui a fait sortir le sang de l'oreille...
Qui l'a regardé s'écrouler, tomber sur le rebord de son canoë et couler doucement sans même se débattre? [32]

Thomson a-t-il été assassiné? S'est-il suicidé? Était-ce un accident? Tous les faits mystérieux qui ont entouré sa mort, l'enquête qui suivit et son enterrement ont suscité des spéculations sans fin sur ce qui est réellement arrivé. Des films et des livres récents ont mis en relief chaque détail macabre dans le but, en général, de suggérer qu'il a été assassiné. [33] On ne connaîtra probablement jamais la vérité et, sauf par une curiosité morbide, cela ne concerne en rien son talent. Assassiné ou pas, la carrière de Thomson en tant que peintre s'est terminée d'un seul coup et ce qu'il en reste, ce sont les œuvres qu'il a créées au cours de sa vie.

En mourant, Thomson est devenu le grand héros du Canada, à la fois par ses tableaux et par sa personnalité. Vu à travers sa peinture, il est celui qui a consacré sa vie à peindre son pays dans un style nouveau et viril. Comme il n'avait jamais suivi de cours de peinture et ne s'était jamais rendu en Europe, tout le monde en a conclu avec une pointe d'admiration qu'il était un peintre autodidacte qui partait seul dans les bois pour peindre ce qu'il voyait. Sa mort n'en est que plus poignante parce qu'il commençait enfin à se considérer lui-même comme un peintre.

Pour ajouter à cette image romantique, on sait que Thomson était un timide et un solitaire qui vivait en dehors des autres, travaillant dans sa cabane en hiver et dans le Nord en été. À ceux qui ne le connaissaient pas, il pouvait apparaître comme un homme plein de réserve et d'humeur changeante mais, pour ses amis, c'était un personnage chaleureux et généreux avec un humour de bon aloi. Il recherchait l'amitié et la reconnaissance des autres tout en restant un solitaire.

La personnalité énigmatique de Thomson a intrigué les Canadiens. De tous les peintres du Canada, il se rapproche le plus de ce qu'on appelle le tempérament artistique. Il était un génie créateur toujours en bouillonnement qui, parfois, n'arrivait pas à peindre pendant des semaines ou jetait de rage impuissante ses croquis dans les buissons parce qu'il n'en était pas satisfait.

Par-dessus tout, Thomson est l'antithèse du peintre raffiné et sophistiqué de la ville qui passe son temps enfermé dans son atelier. À l'encontre de ces artistes dans leur tour d'ivoire, Thomson était l'homme du Nord. Son habileté de coureur des bois était légendaire même parmi les guides de profession. Il avait la réputation de réagir comme un Indien, au sein de la nature, et de connaître à fond les mœurs des animaux sauvages et les chants des oiseaux les moins connus. Il aimait raconter cet incident au cours duquel il ramassait des framboises d'un côté d'un tronc d'arbre renversé, tandis qu'un gros ours noir faisait la même chose de l'autre côté. Bon nombre de ses amis connaissaient aussi l'histoire de ce grand loup des bois qui se dirigea vers lui en forêt, le renifla et continua son chemin aussitôt après. [34]

La légende de Thomson en tant que mythe est séduisante, et presque tout ce qu'on a écrit sur lui ne fait qu'en ajouter. [35] Le Canada n'est pas riche en héros romantiques et on fait tout pour conserver cette image de lui. Cependant, n'oublions pas que Thomson fut aussi un être humain et un homme de son temps. Trop romancer ce qu'il a fait, c'est minimiser l'importance de son œuvre et l'impact qu'elle a eu sur son entourage.

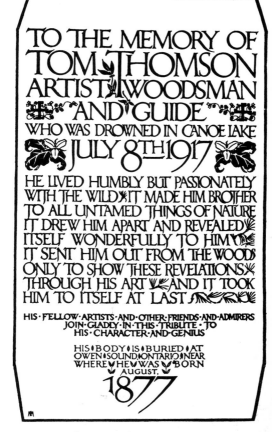

TO THE MEMORY OF TOM THOMSON ARTIST WOODSMAN AND GUIDE WHO WAS DROWNED IN CANOE LAKE JULY 8TH 1917 HE LIVED HUMBLY BUT PASSIONATELY WITH THE WILD IT MADE HIM BROTHER TO ALL UNTAMED THINGS OF NATURE IT DREW HIM APART AND REVEALED ITSELF WONDERFULLY TO HIM IT SENT HIM OUT FROM THE WOODS ONLY TO SHOW THESE REVELATIONS THROUGH HIS ART AND IT TOOK HIM TO ITSELF AT LAST HIS FELLOW ARTISTS AND OTHER FRIENDS AND ADMIRERS JOIN GLADLY IN THIS TRIBUTE TO HIS CHARACTER AND GENIUS HIS BODY IS BURIED AT OWEN SOUND ONTARIO NEAR WHERE HE WAS BORN AUGUST 1877

À LA MÉMOIRE DE TOM THOMSON ARTISTE, COUREUR DES BOIS ET GUIDE

qui s'est noyé dans le lac Canoë le 8 juillet 1917. Il a vécu humblement mais avec passion dans la nature + Elle a fait de lui le frère de tout ce qui y est indompté. Elle a fait de lui un être à part et se révéla à lui dans l'émerveillement + Elle le fit sortir de la forêt pour témoigner de cette révélation à travers sa peinture + Et elle finit par le garder pour elle +++

Ses confrères peintres et autres amis et admirateurs se joignent avec joie à ce témoignage envers sa personnalité et son génie

Son corps est enterré à Owen Sound (Ontario) près de l'endroit où il est né en août

1877

En 1916, année qui précéda la mort de Thomson, MacDonald se surprit à défendre lui-même le nouveau mouvement pictural. Peu après l'ouverture du Salon de l'O.S.A. en mars 1916, une confrontation majeure éclata avec les journaux. Bon nombre des critiques étaient favorables mais Hector Charlesworth y alla de sa première sortie contre MacDonald et le Groupe des Sept dans un article intitulé « Pictures That Can Be Heard (Des tableaux qu'on peut entendre). » [36] Il posait la question à savoir si un peintre devait pouvoir expérimenter en toute liberté et rompre avec toutes les traditions. Bien qu'en général favorable à cette conception nouvelle, il craignait qu'un individualisme incontrôlé n'amène le chaos. Aujourd'hui, il n'est pas facile de comprendre cette attitude alors que tout est permis mais, à cette époque, les Canadiens étaient des gens plus prudents et conservateurs que maintenant.

Une semaine plus tard, MacDonald fit publier sa réponse aux critiques, sous le titre « Bouquets From A Tangled Garden (Bouquet d'un jardin embroussaillé). » [37] Ce qui ouvrit le chemin aux assauts à venir et permit à MacDonald d'imposer son œuvre à l'esprit du public. MacDonald, être timide et sensible, dut alors subir les feux de la rampe et fut considéré comme le membre le plus radical du Groupe, titre qu'il ne recherchait pas (surtout qu'il ne l'avantageait pas pour vendre ses tableaux à une époque où il avait un besoin désespéré d'argent). Il en résulta que MacDonald en vint à jouer le même rôle que Manet avec les impressionnistes. Comme ce dernier, il dut subir l'assaut de la critique et devint un révolté malgré lui. Dans ce rôle involontaire de révolutionnaire, les jeunes artistes le considérèrent comme leur porte-parole.

« Le principal grief qu'on peut porter à ces tableaux expérimentaux est qu'ils détruisent en quelque sorte la présence des œuvres méritoires et sincères accrochées aux cimaises. Le principal coupable semble être J.E.H. MacDonald qui, de toute évidence, lance sa peinture à la face du public. Que M. MacDonald soit un homme talentueux et capable de faire quelque chose de bien quand il s'y décide, on le voit bien avec son Village des Laurentides, octobre, bien composé et avec des tonalités douces et riches. Cependant, de l'autre côté de la galerie, il y a son Jardin embroussaillé qu'un spectateur averti a essayé de louanger en disant qu'il n'était pas à moitié aussi mauvais qu'il le paraissait. En premier lieu, la surface de la toile est bien trop grande pour l'importance relative du sujet, et la hardiesse des tons plutôt que la dentelle délicate de la végétation semble avoir fasciné le peintre. Mais c'est un chef-d'œuvre à comparer aux Éléments et à Rocher et érable qu'on aurait pu tout aussi bien appeler Goulash hongroise et Ventre d'ivrogne. La force impulsive de M. MacDonald a également contaminé d'autres jeunes artistes de talent qui semblent croire que la hardiesse dans les couleurs et le coup de pinceau signifient force et expression de soi-même. » [38]

«Personne ne prétend que le Jardin embroussaillé et autres tableaux in-justement condamnés par les critiques soient des œuvres d'art authenti-ques simplement à cause de leur effet sur soi, mais soyez assurés qu'ils ont été peints avec honnêteté et sincérité. Leurs concepteurs savent ce que sont des «idées farfelues». S'ils ont projeté de «frapper» quiconque quelque part, c'est au cœur et à l'esprit. Ils s'attendent à ce que les critiques canadiens connaissent le caractère distinctif de leur propre pays et qu'au moins ils approuvent l'effort du peintre de communiquer la connaissance qu'il a de ce caractère. On est également justifié de répondre qu'il y a aussi des «idées farfelues» dans la critique d'art journalistique. Le travail des critiques n'est pas sans rappeler la tarte à la crème et la canne de Charlie Chaplin. Ils disent «entendre» des tableaux, les «sentir» et les goûter, mais on doit se rendre à l'évidence qu'ils ne disent pas avoir vu les tableaux qu'ils critiquent négativement, leur sensibilité étant apparem-ment trop bouleversée pour réagir normalement. Et n'ont-ils pas non plus passé par-dessus des considérations d'éthique? On ne plaide pas que les tableaux ne doivent pas subir la critique mais la justice voudrait qu'elle se tienne dans certaines limites fréquemment dépassées de nos jours. Une condamnation grossière et cinglante sans analyse justificatrice de tout ta-bleau accepté et exposé par un comité d'artistes est rarement, si même ja-mais, d'intérêt public. On n'impose pas au critique l'exposition d'un ta-bleau. On l'invite à y participer. L'artiste n'est pas payé pour exposer son œuvre. C'est en quelque sorte son fonds de commerce et il n'est pas de son intérêt de le déprécier aux yeux du public. C'est pourtant ce que font régulièrement les critiques. Des hommes pour qui un jardin embroussail-lé est aussi étranger qu'une jungle de l'Inde; qui connaissent mieux les feux de la rampe que la lumière du soleil... un matin d'octobre; qui étaient peut-être au spectacle «Dancing Around With Al Jolson», pen-dant que l'artiste expérimentait l'élémentalisme de la baie Géorgienne; qui s'en donneront à cœur joie sur le peintre avec leurs vessies pleines de vent et leurs mots creux sur «la passion sincère de la beauté», «la har-diesse des couleurs» et les «tableaux expérimentaux», «confortables» et «d'interprétation».

«Le Jardin embroussaillé, Les éléments et bien d'autres encore ne sont que des pièces d'une idée bien plus grande, l'esprit de la vraie nature de notre pays. Les artistes espèrent bien continuer d'approfondir leur pro-pre perception de cet esprit.»[39]

MacDONALD —
«BOUQUET D'UN JARDIN EMBROUSSAILLÉ»

En accusant MacDonald de lancer de la peinture au public, les critiques se sont servis de la même accusation que Ruskin avait employée contre Whistler bien des années auparavant. Cependant, *Le jardin embroussaillé* n'est pas de la peinture qu'on a étalée au hasard sur la toile. C'est le résultat d'une étude poussée et bien faite. MacDonald avait pendant des années fait des croquis de fleurs, surtout après avoir déménagé à Thornhill en 1913. Il fit des études préparatoires très fouillées au crayon et à l'huile pour *Le Jardin embroussaillé* qu'il peignit dans le jardin à l'arrière de sa maison. Malgré le désordre apparent du sujet, la composition est soigneusement structurée avec les arbres et les tournesols formant un élément triangulaire d'encadrement pour mieux ouvrir l'espace au centre. Les zones d'ombre et de lumière servent à rendre le même effet et ajoutent plus de cohésion à l'ensemble.

L'une des sources d'inspiration de MacDonald a peut-être été les tapisseries qu'il avait vues à l'exposition scandinave et dans des magazines car il s'intéressait beaucoup au traitement décoratif et à l'à-plat de l'espace qu'exigeait la technique de la tapisserie. [40] Thomson avait expérimenté cette idée un an plus tôt dans *Rivière du Nord* et il a pu influencer MacDonald du fait que les deux peintres étaient des amis intimes.

Comme les tapisseries en question, *Le Jardin embroussaillé* n'offre pas la traditionnelle dimension de la profondeur mais un mouvement qui part du bas jusqu'en haut du tableau. L'avant-plan, posé à plat et dans des tonalités plus sombres, fait l'effet d'être plus proche du spectateur. Derrière, on voit le sol et de nombreuses plantes et fleurs et, un peu plus loin, le mur de la grange qui semble pressé contre le feuillage dense. La vision de l'œil doit suivre vers le haut les grands tournesols qui relient les trois éléments. Le tournesol du centre est baigné dans la douce lumière du soir et ceux de droite et de gauche sont dans l'ombre. Ensemble, ils se dressent comme un écran au travers duquel on aperçoit le restant de la composition, et ils servent à donner le même effet que les épinettes dans la *Rivière du Nord* de Thomson.

Le Jardin embroussaillé a été dépeint comme un tableau révolutionnaire parce qu'il rompait avec le style académique dont on peignait les fleurs à cette époque. Charlesworth protesta que «la surface de la toile est bien trop grande pour l'importance relative du sujet et la hardiesse des tons plutôt que la dentelle délicate de la végétation semble avoir fasciné le peintre». [41] MacDonald lui-même est passé à côté du véritable débat lorsqu'il répondit que «chacun de ses tableaux est bien structuré. Les couleurs sont bonnes et, dans certains cas, mieux que bonnes. Aucun d'entre eux n'est trop grand». [42] À l'époque, personne ne reconnut l'importance de ce tableau à cause de la rupture avec les formules conventionnelles ou la menace qu'il posait à la tradition.

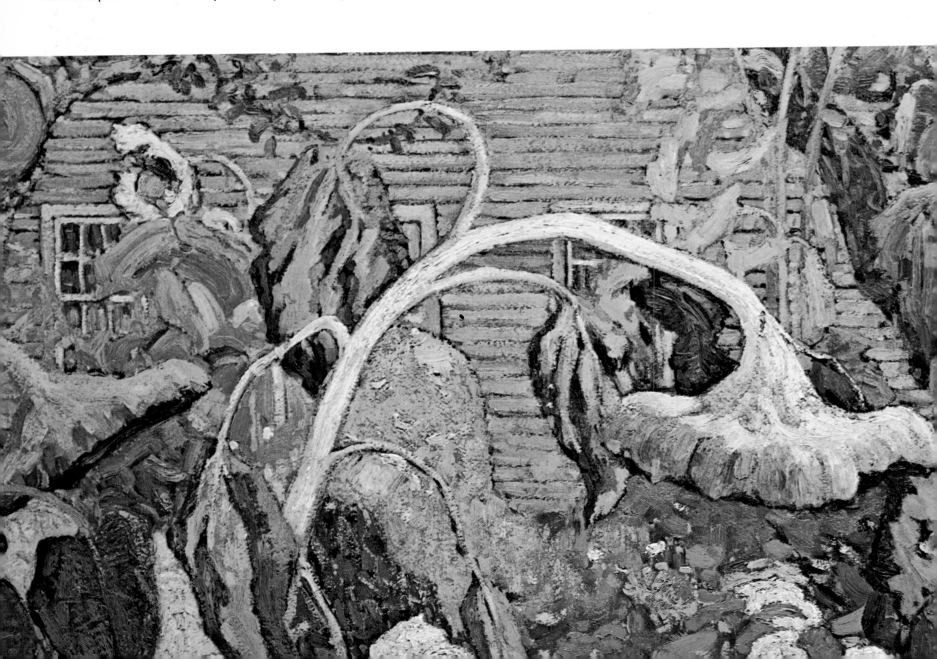

85.   J.E.H. MacDonald   *Le Jardin embroussaillé,* 1916   Huile sur carton   121.9 x 152.4 cm (48 x 60 po)   Galerie Nationale du Canada

84.   J.E.H. MacDonald   *Le Jardin embroussaillé*   (détail)

LES ÉLÉMENTS   «*Dans* Les éléments, *le peintre donne encore une fois libre cours à des formes chaotiques où les nuages ressemblent à des rochers et où les rochers, la végétation et les hommes se trouvent dans un tourbillon convulsif qui veut certainement exprimer l'agitation de ces mêmes éléments.*»

Toronto Star, 11 mars 1916

«*M. J.E.H. MacDonald a exposé un tableau intitulé* Les éléments *qui est presque post-impressionniste par son manque de réalisme. Il représente deux hommes, ou du moins ce qui ressemble à deux hommes, qui ont allumé un feu parmi des rochers, un jour de grand vent. Toutes les lignes sont grotesques, l'artiste ayant selon toute vraisemblance peiné pour obtenir cet effet et les couleurs des différents éléments sont un véritable défi à la raison. Bien que ce tableau ne soit pas réaliste, il n'en suggère pas moins une forte bourrasque.*»

Mail and Empire, 11 mars 1916

Les éléments fit partie du Salon de l'O.S.A. en 1916 avec *Le Jardin embroussaillé* et fut également mal reçu par la critique. Fondamentalement, c'est la suite des premières expériences de MacDonald dans *Solitude nordique*, exécuté en 1913. La preuve en est dans le ciel des *Éléments* qui remonte à un croquis antérieur de 1913, intitulé *Les éléments, Laurentides* (maintenant dans la Collection McMichael). La scène des *Éléments* se situe à la baie Géorgienne et regarde l'île Jack Knife, au nord de Split Rock. Sur ce tableau, l'attention est centrée sur les nuages noirs d'orage qui courent dans la partie supérieure et sur les pins qui plient sous le vent. Près du centre de la composition, on voit deux figures qui se pressent autour d'un feu pour se réchauffer. À l'encontre du mouvement qui fait fureur dans la partie supérieure du tableau, les rochers et le chenal dans le bas présentent une zone de calme et de paix.

On ne sait pas grand-chose des activités de MacDonald, pendant la guerre, après le Salon de l'O.S.A. en 1916. À l'époque, il était très lié à Thomson et, de tous les artistes du Groupe, il fut certainement le plus affecté par la mort tragique de ce dernier. À l'automne 1917, il participa à l'inventaire des 400 tableaux que Thomson avait en sa possession au moment de sa mort, et il aida à construire le cairn à la mémoire de son ami, au lac Canoë. Alors qu'il y travaillait, il souffrit d'épuisement et eut probablement une crise cardiaque qui le tint au lit pendant plusieurs mois. Pendant sa convalescence, il écrivit des poèmes, encouragé par Barker Fairley, devenu un ami intime du groupe des peintres torontois. Après une longue convalescence, MacDonald se sentit suffisamment bien, à l'automne 1918, pour suivre Harris et Johnston dans leur premier voyage en fourgon jusqu'à Algoma.

86.   J.E.H. MacDonald   *Les éléments,*   1916   Huile sur carton   71.1 x 91.7 cm (28 x 36⅛ po)   Art Gallery of Ontario

Tandis que Thomson vivait ses dernières années au parc Algonquin et que MacDonald continuait la lutte à Toronto, les activités des autres peintres s'éparpillèrent du fait de la guerre. La bataille d'Ypres en avril et mai 1915 avait fait prévoir qu'il n'y aurait pas de victoire rapide et les nombreux soldats canadiens morts au champ d'honneur déclenchèrent un appel aux armes. Jackson s'engagea en juin comme simple soldat au 60ème Bataillon et partit outre-mer en novembre. Harris s'enrôla à l'été 1915 et enseigna le tir au camp Borden. Victime d'un collapsus en 1917, après que son frère eût été tué, il fut réformé peu après. Varley travailla pour Rous & Mann jusqu'au moment où il partit lui aussi outre-mer pour faire des tableaux destinés aux Archives militaires. Lismer déménagea à Halifax en 1916 pour devenir directeur d'une école d'art et ne prit aucune part aux hostilités jusqu'à ce qu'il travaille pour les Archives militaires en 1918.

Les Archives militaires canadiennes furent fondées en 1917 pour faire un tableau général du rôle du Canada pendant la guerre. [43] Elle fut l'œuvre de sir Max Aitken, plus tard lord Beaverbrook, qui était déjà à la tête de la Commission des archives militaires. Les premiers peintres qui y travaillèrent furent tous des Britanniques dont des artistes connus comme Paul Nash et Wyndham Lewis. Il faut présumer qu'on ne considérait pas les peintres canadiens comme convenant à ce genre de travail parce qu'aucun d'eux ne participa à ce projet que bien plus tard. Parmi les peintres qui se rendirent outre-mer pour les Archives militaires, citons Cullen, Morrice, David Milne et Bill Beatty. Les deux seuls membres des Sept qui firent des tableaux sur le front des opérations sont Jackson et Varley. Les autres, c'est-à-dire Lismer et Johnston, restèrent au Canada.

On espérait que ces tableaux de guerre relèveraient le moral déprimé des Canadiens et serviraient de témoignages aux générations futures. Cependant, tout le monde n'était pas en faveur de ce plan d'action qui semblait frivole dans cette affaire de vie ou de mort. En plus des dépenses encourues, l'armée n'était pas pressée d'avoir des artistes dans les jambes sur le lieu des combats. Beaucoup de gens ont pensé que c'était un échec parce qu'après la guerre, la plupart des 850 tableaux ainsi peints furent entreposés dans un sous-sol et complètement oubliés au cours des années suivantes.

JACKSON Jackson est le seul membre du Groupe à avoir combattu comme soldat. Il fut blessé peu après son arrivée au front en juin 1916 et renvoyé en Angleterre pour y faire sa convalescence. En 1917, il allait repartir de nouveau lorsqu'il reçut l'ordre de se présenter à Lord Beaverbrook, à Londres. Beaverbrook le nomma aux Archives militaires et le promut lieutenant. Peu après, il partait en France afin de faire des croquis de futurs tableaux.

« *Le problème était quoi peindre. Il n'y avait rien pour nous guider. La guerre s'était enterrée. Il y avait peu à voir. L'héroïsme d'autrefois, la gloire, la mort, étaient dépassés. Plus de « Thin Red Line » ni de « Scotland Forever«. La technique de l'impressionnisme que j'avais adoptée pour peindre ne m'était d'aucune utilité, les impressions visuelles n'étaient plus suffisantes. Je n'étais pas intéressé à peindre les horreurs de la guerre et j'ai gâché bien des toiles.* » [44]

Les grandes scènes de bataille d'autrefois représentant des faits d'armes héroïques comme la mort de Wolfe aux plaines d'Abraham, Napoléon à la tête de ses armées ou une furieuse charge de cavalerie. La Première Guerre mondiale a changé tout ça parce que c'était un conflit d'un genre différent, dont le front de bataille s'étirait sur 650 km. Les soldats passaient de longs mois dans des tranchées avec pour toute compagnie la pluie, la boue et la mort. Certains artistes continuèrent de peindre des scènes héroïques avec des titres ronflants mais elles étaient presque vides de sens et n'avaient que peu de valeur artistique.

Jackson ne voulait pas peindre ce qui se passait sur le front et ses premiers tableaux reflètent bien ses réactions face à l'horreur de la guerre. L'un de ses tableaux préférés de cette époque est *Printemps en Picardie* qui montre un pêcher en fleurs dans la cour d'une maison de ferme détruite. L'emploi de couleurs vives, les coups de pinceau rapides et le rythme des formes rappellent Van Gogh et les post-impressionnistes. Malgré la présence des deux soldats et du bâtiment en ruine, l'atmosphère qui s'en dégage est celle d'un beau jour de printemps.

87. A.Y. Jackson *Printemps en Picardie,* 1918 Huile sur toile 65 x 77.4 cm (25⅝ x 30½ po) Art Gallery of Ontario

Beaucoup de gens ont critiqué Jackson et les autres peintres canadiens d'avoir ignoré les dures réalités de la guerre. Il est vrai que plusieurs d'entre eux n'ont pas fait grand-chose d'autre que peindre de plaisants paysages avec quelques ruines en adaptant leurs propres techniques à un décor européen. Malgré le bain de sang et les souffrances qui les entouraient, ils n'avaient aucune envie de les peindre ou de montrer qu'ils en étaient affectés d'une manière quelconque.

Mais il ne faut pas faire fi du travail des peintres canadiens sans leur donner un jugement équitable. Plusieurs de leurs tableaux présentent un autre aspect de la guerre, certes moins héroïque mais aussi réel. *Futaie, le soir* de Jackson en est un exemple qui reflète une déclaration postérieure qu'il fit à propos de la guerre:

Sur la ligne du front, on prend conscience de beaucoup plus que des impressions visuelles. Hell Blast Corner pouvait paraître un endroit serein et vivant par un beau jour de printemps et on pouvait discerner des harmonies de couleurs dans le Crassier vert, mais ce n'était que vérités mineures qui troublaient celui qui s'effor-

çait d'obtenir une équivalence à quelque chose qui assaillait tous les sens. [45]

Dans *Futaie, le soir*, le paysage n'est qu'une simple succession de monticules avec des troncs d'arbre dénudés, quelques silhouettes de soldats et des faisceaux de lumière qui fouillent le ciel dans l'obscurité. Il se dégage de cette scène une beauté fantômatique et phosphorescente que rehausse encore son horreur intrinsèque. Voilà l'un des aspects de la réalité de la guerre, réalité dans laquelle «ce n'est pas la mort qui leur fait peur. Elle était même parfois bienvenue. C'est la mutilation de l'esprit». [46]

Varley ne monta au front que bien tard en 1918 mais fut profondément affecté par ce qu'il vit de la guerre. Personnage d'une extrême sensibilité, il réagit d'une manière directe au côté tragique du conflit. Avec à peu près aucune expérience dans l'exécution d'une œuvre fouillée, il peignit sa première grande toile, intitulée *Pour quoi?* Elle représente une corvée d'enterrement préparant des fosses pour une nouvelle charrettée de cadavres, empilés les uns sur les autres. L'un des fos-

soyeurs s'est arrêté dans son travail et regarde la charrette. L'air dégage une impression d'immobilisme et de mort. Les tons tristes des vert-olive ajoutent à l'atmosphère dramatique. C'est un tableau narratif à l'ancienne mode, de lecture facile, même sans titre. Et pourtant, cette approche quelque peu naïve est parfaitement appropriée à la scène et donne une œuvre puissante où les émotions, les techniques et les intentions sont en parfaite harmonie. [47]

«*J'étais à Ypres l'autre jour, à Maple Copse et à Sanctuary Wood... On traverse des endroits qui s'appellent Picadilly ou Hell Fire Corner et on suit un chemin de planches puis on coupe à travers un champ en putréfaction, en marchant au bord de trous d'obus pleins d'une eau noirâtre nauséabonde. On passe par-dessus des marécages sur des caillebotis pourrissants, le long de carcasses de chevaux rongées jusqu'à l'os et portant encore leur harnachement, le long de croix grossières seules dans leur coin et qui se dressent hors de cette gadoue, le tout recouvert d'une odeur de décomposition. Il y avait là autrefois un joli bois avec une rivière qui le traversait mais maintenant les arbres sont réduits en poussière et se sont mélangés à la terre. Il ne reste qu'un ou deux troncs, fantômes dérisoires de ce qu'ils furent...*

«*Je t'assure, Arthur, que tes pires cauchemars pâlissent devant la réalité. Comment diable est-ce possible de peindre pour exprimer cette réalité? Cela me dépasse. La guerre, c'est l'histoire de mille et une choses qui se mélangent à la terre: matériel, morceaux de vêtements à peine reconnaissables, une vieille botte qui dépasse d'un tas d'immondices avec encore une chaussette à l'intérieur, et encore à l'intérieur... eh bien, j'ai légèrement tiré sur la botte et elle a cédé dans mes mains et des os sont tombés de la chaussette trempée comme si c'était du sable fin. Cendres contre cendres, poussière contre poussière. Et me voilà en train de m'émerveiller sur la métamorphose de la chrysalide en papillon mais je ne suis pas allé plus loin...*» [48]

88. A.Y. Jackson   *Futaie, le soir,*   1918
Huile sur toile   86.3 x 111.7 cm (34 x 44 po)
Galerie Nationale du Canada

89.   F.H. Varley   *Pour quoi?*   vers 1918
Huile sur toile   147.9 x 183.5 cm (58¼ x 72¼ po)
Galerie Nationale du Canada

Varley a peint trois autres grands tableaux de guerre. *Un jour, les gens reviendront* traite de la vie civile. Cette peinture d'un cimetière de Belgique qui a été soufflé par des obus, est un commentaire brutal sur l'horreur de la guerre qui n'épargne rien, même pas les morts. Mais les fleurs qui poussent à travers les ruines indiquent qu'il reste de l'espoir en l'avenir. Encore une fois, cette œuvre de Varley est toute en sous-entendus et un document d'une grande simplicité.

Les prisonniers allemands est un peu moins direct que ses autres tableaux mais n'en présente pas moins la même désolation de paysage avec ses arbres déchirés par les obus, ses roues abandonnées et ses cadavres. L'hébétude des prisonniers, la roue cassée et le moment de la journée expriment la nature effrayante et sans fin de la guerre.

À l'époque où il peignit *La route affaissée*, Varley avait cheminé de sorte qu'il pouvait aborder dans un style moderne le thème tragique de la mort qu'on trouve dans *Pour quoi?* La scène est centrée sur les cadavres étendus par terre, ce qui est d'autant plus émotionnant qu'ils sont anonymes. Dans le coin supérieur gauche, on voit le pied d'un arc-en-ciel qui suggère la résurrection ou la renaissance. Contrairement aux couleurs tristes de *Pour quoi?*, Varley a peint *La route affaissée* avec un ciel d'un bleu vif et des tons presque couleur crème pour la terre qui font contraste avec des touches de rouge sur les cadavres. Malgré la technique généralement impressionniste et l'impersonnalité des corps gisant dans un paysage ensoleillé, la scène est très chargée d'émotivité.

Jusqu'à maintenant, il ne fait aucun doute que Varley a réellement vécu cette scène et qu'il l'a peinte comme il l'a vue. Pour cette raison, il est surprenant d'apprendre que le document qu'il a utilisé pour ce tableau soit une photo. Cette photo montre avec exactitude une même disposition des corps et il est hors de tout doute qu'il s'en est servi pour son tableau. Cela n'enlève rien au mérite de l'œuvre mais démontre que Varley était capable d'aller au-delà d'une simple photo pour peindre un tableau de grande envergure sur la guerre. Ainsi que l'a souligné un critique: «Il n'est pas question ici de sentiments, ni d'émotions personnelles. Nous nous trouvons devant une puissante objectivité, un sens profond de la tragédie, de la volonté de l'homme dépassée par le Destin.» [49]

90.

91.

90. F.H. Varley
Un jour, les gens reviendront,   1918
Huile sur toile   182.8 x 228.6 cm (72 x 90 po)
Galerie Nationale du Canada

91. F.H. Varley
Prisonniers allemands,   vers 1918
Huile sur toile   127 x 183.8 cm (50 x 72³/₈ po)
Galerie Nationale du Canada

92. Photo de soldats tués, vers 1918,
ayant servi de document pour
La route affaissée

93.   F.H. Varley   *La route affaissée,*   vers 1919   Huile sur toile   132 x 163.8 cm (52 x 64½ po) Galerie Nationale du Canada

94. Frank Johnston   *Beamsville*   Huile sur toile   182.8 x 137.2 cm (72 x 54 po) Galerie Nationale du Canada
1918-19

Au Canada, d'autres peintres participè-
rent à l'effort de guerre. Certains peignirent des bateaux qu'on construisait dans
les chantiers et d'autres, comme MacDonald, créèrent des affiches de guerre. On
demanda à Frank Johnston de contribuer
aux Archives militaires par une toile représentant les activités de l'Aviation royale canadienne à son camp d'entraînement. Il fit de nombreux croquis du haut
des airs et il peignit notamment un grand
tableau intitulé *Beamsville*. C'est une scène d'une grande intensité où, à travers
des nuages, on aperçoit plusieurs avions
en plein vol, avec en bas la rive du lac Ontario qui suit une ligne presque verticale
jusqu'en haut de la toile. Routes et
champs sont disposés de telle manière
qu'ils présentent un point de fuite en direction du haut de la toile, accroissant
encore plus l'effet de la hauteur.

Lismer passa presque tout le temps de la
guerre à Halifax et, après avoir été nommé
aux Archives militaires en 1918, peignit
plusieurs scènes de bateaux dans le port
de Halifax. Il fit aussi de nombreuses litho-
graphies représentant des mouilleurs de
mines, des sous-marins chasseurs de mines et des convois de troupes. Son tableau
le plus connu de cette période est *L'O-
lympic ramenant des soldats rapatriés*,
surtout apprécié à cause de ce qu'il représente. À première vue, des tableaux
comme *Camouflage d'hiver* semblent
ne concerner en rien la guerre car on ne
distingue les navires camouflés qu'en les
regardant de très près ; une manière comme une autre d'éviter le thème même de
la guerre. En fait, cette toile est un agréa-
ble paysage d'hiver dans la manière impressionniste avec des tons de pastel.

Jackson a également peint à Halifax
où il fut dépêché au début de 1919 pour
faire des tableaux sur le retour des troupes. Par la suite, il peignit *L'entrée du port
de Halifax* que la Tate Gallery acheta après
l'exposition de Wembley, en 1924.

95. Arthur Lismer   *Le port de Halifax, en temps de guerre,*   1916
Huile sur toile   106.6 x 132 cm (42 x 52 po)   Dalhousie Art Museum

96. Arthur Lismer   *L'Olympic ramenant des soldats rapatriés,*   1918
Huile sur toile   121.9 x 162.5 cm (48 x 64 po)   Galerie Nationale du Canada

97. Arthur Lismer   *Convoi dans le bassin de Bedford,*   1918-19   Huile sur toile   91.4 x 259 cm (36 x 102 po)   Galerie Nationale du Canada

98. Arthur Lismer   *Camouflage d'hiver,*   1918   Huile sur toile   71.1 x 91.4 cm (28 x 36 po)   Galerie Nationale du Canada

99.   A.Y. Jackson   *L'entrée du port de Halifax,*   1919   Huile sur toile   64.7 x 80.6 cm (25½ x 31¼ po)   Tate Gallery, Londres

La guerre enfin terminée, les peintres s'assemblèrent encore une fois et petit à petit en un groupe cohérent. La guerre avait eu des implications pour chacun d'entre eux. Varley avait découvert son talent de peintre. Jackson et lui ne reçurent que des éloges lors de l'exposition des Archives militaires canadiennes à Londres, New York et Montréal. La guerre mit également fin à la prédominance de l'art commercial et, comme le dit Varley, «la corruption du commercial est enterrée et, bon sang, je patauge dans les mille et une possibilités de ce médium ». [50] Mais plus important encore est le fait que le Canada est sorti de la guerre avec une maturité nouvelle et une grande confiance en lui-même. Elle a unifié le pays et donné aux Canadiens le sentiment de leur identité, aussi bien chez eux qu'ailleurs dans le monde. Cette conscience nationale fut l'un des principaux facteurs qui amena la fondation du Groupe des Sept en 1920.

«Peux-tu trouver le temps de venir avec moi pour une excursion de deux semaines afin de faire des croquis, du 20 septembre au 4 octobre? C'est une invitation, c'est-à-dire que j'aurai le plaisir de me charger de toutes les questions matérielles. » [51] C'est ainsi que commença à prendre forme le premier voyage en fourgon couvert jusqu'à Algoma. Harris, cet organisateur infatigable et plein d'entrain, avait une fois de plus mis sur pied un nouveau projet lorsqu'il envoya son invitation à MacDonald, à la fin de l'été 1918.

Après avoir été réformé, Harris était parti à la baie Géorgienne et à l'île Manitoulin en compagnie du Dr MacCallum au printemps 1918. [52] De là, ils avaient pris le train jusqu'à Sault-Sainte-Marie et, de là, l'Algoma Central jusqu'à l'arrêt No 123 où le paysage les impressionna vivement. Impatient d'y retourner, Harris projeta un autre voyage et demanda à MacDonald de se joindre à lui. Peu de temps après, il avait des nouvelles encore plus intéressantes à envoyer à MacDonald: «Eh bien, James, mon garçon, mets-toi à genoux et envoie des tas de remerciements à Allah! Chante Ses louanges, lance de tonitruants alléluias. Ils atteindront peut-être Ses oreilles... un fourgon de l'Algoma Central nous attend!!!» [53] D'une façon ou de l'autre, il avait réussi à persuader la compagnie de chemin de fer de lui prêter un fourgon qu'on pouvait garer sur voie d'évitement pendant qu'ils peignaient. Ce fourgon devenu célèbre était peint en rouge vif et portant sur le côté, inscrit en grandes lettres noires, le No A.C.R. 10557. «Ce chiffre, dit MacDonald, est devenu notre numéro civique tout au long de notre randonnée, le lien qui nous reliait à l'œuvre de la compagnie. » [54]

Le fourgon était haut en couleurs à l'intérieur comme à l'extérieur. Il y avait un petit arbre de Noël au-dessus de l'entrée principale et un crâne d'orignal sous la fenêtre et au-dessus, des plantes vertes et la devise: *Arts Longa Vita Brevis*. En pratique, le fourgon était un véritable atelier sur roues, meublé avec des couchettes, des tables, des chaises, un poêle, des rayons pour les livres et tout l'attirail pour peindre. Il y avait également un canoë et une plate-forme à trois roues pour de courts trajets le long de la voie.

Lors de ce premier voyage, Harris et MacDonald étaient accompagnés du Dr MacCallum et de Frank Johnston. À la mi-septembre, ils se rendirent jusqu'à Sault-Sainte-Marie puis se dirigèrent vers le nord le long de la ligne de l'Algoma Central jusqu'au Mille 113 où ils établirent leur première étape à Canyon. Ils y passèrent plusieurs jours à faire des croquis du paysage sauvage de la rivière Agawa où des falaises abruptes s'élevaient à la verticale. Ils se levaient de bonne heure, prenaient leur petit déjeuner puis partaient pour la journée faire de l'exploration et des croquis. Deux d'entre eux prenaient le canoë et remontaient la rivière, tandis que les deux autres prenaient la voie terrestre avec leur matériel de peinture. De Canyon, ils descendirent jusqu'à Hubert, près des chutes de la rivière Montréal et de là jusqu'à Batchewana où ils peignirent les rapides. Ils furent témoins du changement de couleur qui envahissait graduellement le paysage, du vert à l'orange au rouge jusqu'au blanc de la nature couverte de neige. À la fin de septembre, ils retournèrent à Toronto avec une pile imposante de croquis, tout ragaillardis par ce qu'ils avaient vu et fait.

100.   MacDonald et Johnston à Algoma.

«Chaque jour transformait la couleur des feuilles et, bientôt, nos peintres durent partir en quête de l'endroit idéal de couleur rouge. Les collines qui avaient revêtu le cramoisi de l'écarlate des érables étaient devenues gris-pourpre. Les feuilles jaunes suivirent rapidement. Une nuit, ils aperçurent dans l'échancrure des nuages la lune qui croissait et ils regardèrent leurs vieilles amies les étoiles depuis le pas de la porte... la Grande Ourse qui s'étendait à plat au milieu des têtes d'épinette et même, spectacle rare, Capella occultée en partie par une aurore boréale. Après une telle vision nocturne, les arbres ne purent résister plus longtemps et nos peintres virent plus d'un d'entre eux perdre toutes leurs feuilles dans un élan désespéré. Les bois de bouleaux d'un jaune profond le matin étaient gris le soir. Mais les feuilles des cerisiers sauvages tenaient encore comme autant de fifres et de violons prêts à entamer les dernières notes de cette symphonie de couleurs. Elles faisaient figure de petites perles suspendues avec grâce dans tous les tons allant du jaune le plus pâle au cramoisi le plus profond se détachant sur le fond bleu-or des grandes collines de la vallée de Montréal. »[55]

101.   J.E.H. MacDonald   *Des feuilles dans le ruisseau,*   1919   Huile sur bois   21.5 x 26.6 cm (8½ x 10½ po)   Collection McMichael

En mai 1919, MacDonald, Harris et Johnston firent une exposition de leurs peintures d'Algoma à la Toronto Art Gallery. [56] À trois, ils présentèrent 144 tableaux dont 16 grandes toiles, une production plutôt prolifique en seulement quelques mois. Une courte préface à cette exposition décrivait leur vie dans le fourgon et leur désir de faire des croquis sur le changement saisonnier des couleurs. On y mentionnait également que les tableaux exécutés en atelier étaient «peints à la manière de résumés pleins d'imagination sur les impressions laissées par la nature dans l'esprit du peintre». [57] Dans une déclaration qui préfigurait la première exposition du Groupe des Sept, les peintres déclarèrent qu'ils étaient intéressés à aller à la découverte de leur propre pays mais qu'on les avait ridiculisés et critiqués pour n'avoir pas de lien apparent avec la nature. Cependant, nombre de critiques firent l'éloge de l'exposition et même Hector Charlesworth dira d'elle que c'était une «exposition qui, pour le moins, était vivante et expérimentale». [58]

L'un des tableaux exposés par MacDonald était *La rivière sauvage*, peint en bas des chutes de la rivière Montréal. C'était la première toile de MacDonald dans la région d'Algoma et, bien qu'elle n'ait pas l'assurance ni la libre expression des toiles ultérieures, c'est une œuvre marquante. Elle fait le lien entre des tableaux antérieurs comme *Le Jardin embroussaillé* et ceux à venir comme *La terre solennelle*. Comme pour ses premières œuvres, la surface ressemble à une tapisserie dont MacDonald s'est servie pour donner du rythme et de la vie à la scène. Mais, dans *La rivière sauvage*, on trouve une puissance d'expression jusqu'ici inégalée.

Ce tableau avait été exposé quelques semaines plus tôt au Salon du printemps de l'O.S.A. où il fut sévèrement critiqué. Un an plus tard, lorsqu'il fit partie de la première exposition du Groupe des Sept, on le descendit parce qu'il représentait une rivière qui coulait vers l'amont : «M. MacDonald a commis un tableau tellement loin de la réalité, de la «photographie», de la nature même — les rivières ne coulent pas vers l'amont et ne passent même pas par-dessus une simple bosse — qu'on se demande si la peinture canadienne pourra jamais atteindre un radicalisme tel que *La Rivière sauvage* paraîtra aussi conventionnelle que *Le Jardin embroussaillé*.» [59]

Augustus Bridle décrira comme suit *La Rivière sauvage* dans son article intitulé «Are These New Canadian Painters Crazy? (Les nouveaux peintres canadiens sont-ils fous?)» : «Nous avons ici des roches caméléon et des feuillages écarlates, des épinettes tordues qui plongent dans des rochers et des eaux couleur de miel hésitant entre des ronds concentriques et de l'écume.» [60] Et pourtant ses commentaires voulaient être des compliments, pas des insultes.

«*J.E.H. MacDonald ne doit pas s'attendre à échapper à la critique avec sa Rivière sauvage mais, devant son universalité et son talent bien connus, la critique pourrait peut-être se montrer plus compréhensive ou plus portée à réviser son jugement. Quant à moi, je considère qu'il est difficile de concilier les à-plats de ce tableau avec sa texture peu reposante. Il y a une certaine force dans cette tapisserie embarrassante grâce aux deux pins géants qui la traversent; mais on n'y trouve guère ce réalisme auquel s'attendent les admirateurs de MacDonald. Non pas, évidemment, cette réalité photographique littérale que certains voudraient y voir mais la réalité plus profonde de sa propre expérience d'où sort ce tableau. Un peintre qui imbibe ses tableaux d'éléments climatiques comme le fait MacDonald, qui les fait vibrer avec des courants d'air, qui les noie dans des rayons de lune ou qui les arrose de rayons brûlants du soleil, crée un climat d'impatience, ce qui est en soi-même un hommage à ses capacités, lorsqu'il travaille selon une séquence tronquée et une plus grande rapidité.*» [61]

102.   J.E.H. MacDonald   *La Rivière sauvage,*   1919   Huile sur toile   134.6 x 162.5 cm (53 x 64 po)   The Faculty Club, Université de Toronto

SECOND VOYAGE EN FOURGON À ALGOMA Le premier voyage en fourgon avait été un tel succès que Harris en organisa un autre pour l'automne 1919. Cette fois-ci, Jackson remplaça MacCallum et se joignit à Harris, MacDonald et Johnston à titre de quatrième membre du groupe. Une fois de plus, ils passèrent leurs journées à faire des croquis et à explorer les paysages rudes d'Algoma. Chaque semaine ou à peu près, ils menaient leur fourgon sur une autre voie d'évitement, ce qui leur permettait de vivre dans des endroits bien différents.

103.   Lawren Harris   *Chute d'eau, Algoma,*   vers 1918   Huile sur toile   119.3 x 137.1 cm (47 x 54 po)   Hamilton Art Gallery

«*Les nuits étaient glaciales mais, à l'intérieur du fourgon, avec le poêle allumé, nous étions bien au chaud. Nous discutions jusque tard dans la nuit, de Platon à Picasso jusqu'à Mme Blavatsky et Mary Baker Eddy. Harris, de confession baptiste et converti à la théosophie, et MacDonald, un presbytérien qui s'intéressait à l'Église scientifique, étaient à la source de la plupart de ces débats. Au dehors, l'aurore boréale dansait dans le ciel et le murmure des rapides ou d'une chute d'eau dans le lointain se mêlait au silence de la nuit. Au bout de quelques jours, nous faisions rouler notre fourgon jusqu'à une autre voie d'évitement.*»[62]

JACKSON À PROPOS D'ALGOMA

104. J.E.H. MacDonald   *Chute d'eau, Algoma,*   1920   Huile sur toile   76.2 x 88.9 cm (30 x 35 po)   Collection McMichael

106.   A.Y. Jackson   *Première neige, Algoma,*   1919-20   Huile sur toile   106.6 x 127 cm (42 x 50)   Collection McMichael

JACKSON À PROPOS DES CROQUIS D'ALGOMA

« *Rarement avait-on vu un sujet tout prêt et qui attendait d'être peint. Dans la multitude des scènes, il fallait d'abord choisir. Faire un croquis ici exigeait de prendre une décision rapide en matière de composition, l'obligation d'ignorer ou de simplifier un détail, la recherche de la forme proprement dite et une analyse des couleurs qui ne devait jamais s'égarer dans la timidité. Il faut connaître à fond le Nord pour en apprécier la diversité des formes. La monotonie qui s'en dégage à partir d'un train est vite dissipée quand on s'enfonce dans les taillis. Il est pratiquement impossible d'utiliser une forme donnée pour l'interpréter. Depuis les rayons du soleil dans les futaies avec ses troncs d'arbre baignés de blanc-violet contre un fond rouge et orange, nous passions aux bois d'épinettes et de pins plus sombres où le soleil passait au travers — taches d'or et d'argent — en jouant avec l'éclat d'un tronc de bouleau ou d'une plaque de mousse verte. Une telle scène change d'aspect toutes les dix minutes et, à moins que la première impression ne soit très forte, le croquis se termine dans le désordre. Si on s'en écarte pour se tourner vers les différences subtiles d'une frise de pins, d'épinettes et de cèdres ou vers les formes plus gracieuses des bouleaux, on doit changer sa manière de voir dans chaque cas. En premier, il faut des couleurs pleines et brillantes et, en second, de la profondeur et de la chaleur, beaucoup de subtilité dans le dessin et la couleur. Ces extrêmes, nous les trouvons combinés partout.* »[63]

«*Étant donné que cette région se trouve en altitude, on y trouve des douzaines de lacs dont beaucoup ne sont pas sur la carte. Pour les identifier, nous leur avons donné des noms. Les beaux lacs, nous les avons baptisés en l'honneur de personnes que nous admirions comme Thomson et MacCallum. Ceux qui étaient maréca-geux, tout bourbeux par suite des pistes d'orignal, nous leur avons donné le nom des critiques qui nous dénigraient. C'est au cours de ce voyage que MacDonald fit des études pour Rayon au milieu d'une averse d'octobre et que j'exécutai le cro-quis d'Octobre à Algoma qui devint par la suite une grande toile. Ces deux ta-bleaux furent acquis par Hart House, Uni-versité de Toronto.*»[64]

107.   J.E.H. MacDonald   *Rayon au milieu d'une averse d'octobre,*   1920   Croquis —
Huile sur bois   21.5 x 26.6 cm (8½ x 10½ po)   Collection McCurry, Ottawa

108.   A.Y. Jackson   *Le lac Wartz, Algoma,*   1920   Huile sur bois   20.9 x 26.5 cm (8¼ 10⁷⁄₁₆ po)
Vancouver Art Gallery

À ce moment-là, Frank Johnston participait avec ardeur aux activités du groupe de Toronto. Membre de l'Arts and Letters Club, il se lia d'amitié avec MacDonald et Harris et se joignit à eux dans leurs voyages à Algoma, sauf au dernier. Peintre débordant d'énergie et d'entrain, il faisait des tableaux à un rythme surprenant. Dans l'exposition des tableaux d'Algoma, en 1919, il présenta soixante peintures et, à la première exposition du Groupe des Sept, il en avait plus que n'importe quel autre peintre.

Incendié, Algoma est l'une des premières œuvres d'un membre du groupe à présenter ensemble un panorama schématisé et une scène dramatique. On y voit un avant-plan plutôt inhabituel d'arbres brûlés sur une pente qui s'efface brusquement pour laisser voir l'abondante végétation des collines dans le lointain. Ces dernières s'élèvent jusqu'à une haute ligne d'horizon qui court à quelques centimètres du bord supérieur du tableau. Johnston a posé sa couleur par petits coups réguliers, donnant ainsi aux collines entre la profondeur de l'espace et cette surface plane crée une tension qui rend l'œuvre encore plus intéressante.

109.   Frank Johnston   *Incendié, Algoma,*   1920   Huile sur toile   127.6 x 167.6 cm (50¼ x 66 po)   Galerie Nationale du Canada

AILLEURS QU'À ALGOMA Bien qu'il y ait prédominance des scènes d'Algoma dans toutes les expositions jusqu'en 1922, plusieurs des peintres du groupe torontois n'en continuaient pas moins de peindre d'autres choses ailleurs. Harris poursuivait sa série de «portraits de maisons», Carmichael peignait en d'autres lieux de l'Ontario et Varley travaillait à Toronto même.

Un tableau de Harris, datant de cette période, intitulé *En banlieue de Toronto*, est à mi-chemin entre la technique im-

110. Lawren Harris *Maison rouge et traîneau jaune,* 1919
Huile sur carton 266.6 x 33.6 cm (10½ x 13¼ po) Art Gallery of Ontario

pressionniste employée dans *Maisons, rue Richmond*, et le style plus sévère du milieu des années 20. La couleur est étalée au couteau avec des jaunes, mauves et rouges vifs. Ces tons chauds et lumineux semble n'avoir aucun lien avec le sujet et présentent la conception romantique de Harris sur l'habitat urbain. Au lieu de transposer la laideur des taudis, il en fait ressortir la beauté.

On trouve ce même traitement de la couleur dans des croquis comme *Maison rouge et traîneau jaune*, qui représente le bas de l'avenue Spadina, à Toronto. Les branches couvertes de neige forment un motif décoratif et donnent du recul à la maison située derrière. Les bleus et les verts froids contrastent avec la chaleur des rouges et des jaunes de la maison et du traîneau. Quelques années plus tard, ce style décoratif d'une grande richesse allait céder la place à une plus grande sobriété.

111.   Lawren Harris   *En banlieue de Toronto,*   1918   Huile sur toile   81.2 x 93.9 cm (32 x 37 po)   Collection M. Merkur, Toronto

Carmichael admirait Thomson et apprit certainement beaucoup de lui au cours de l'hiver 1914 alors que les deux peintres partageaient le même atelier. La guerre restreignit l'activité de Carmichael en tant qu'artiste commercial pendant une brève période au cours de laquelle il travailla à Bolton comme démouleur pendant quatre mois. Puis, au début de 1916, il déménagea à Thornhill et commença à travailler pour Rous et Mann. Mais sa liberté de peindre fut grandement handicapée par la nécessité d'entretenir sa famille. Il ne pouvait se permettre de consacrer du temps à ces randonnées jusqu'à Algoma et ne réussit qu'à disposer de quelques semaines, chaque automne, pour camper et faire des croquis. Ce n'est pas avant ses voyages au lac Supérieur en 1923 et 1924 qu'il put entreprendre de grandes randonnées avec ses aînés du Groupe.

Flanc de colline en automne, tableau qu'il accrocha à la première exposition du Groupe des Sept, représente un paysage des environs de Bolton, Ontario. Il montre jusqu'à quel point Carmichael était capable de dresser une tapisserie surprenante par sa composition et ses couleurs. Les volumes sont bien équilibrés l'un par rapport à l'autre, comme dans cette masse d'arbres fermée à droite et le panorama ouvert à gauche. Les couleurs ont une riche texture et sont appliquées en épaisseur. Le contrôle est parfait. Les verts solides utilisés pour les conifères forment contraste avec les touches légères de jaune, d'orange et de vert à l'avant-plan. Le rythme musical du jeu des couleurs reflète l'intérêt que Carmichael portait à la musique. Musicien amateur, il jouait de la flûte, du violoncelle et du basson.

Certains croquis comme *Sommet de colline écarlate* illustrent cette juxtaposition de couleurs dont Carmichael se servit souvent durant cette période. Plus tard, il s'éloignera de ce traitement décoratif et en à-plat pour insister sur l'espace tridimensionnel avec effet de profondeur, surtout dans les nombreuses scènes panoramiques de La Cloche.

112.   Frank Carmichael   *Sommet de colline écarlate,*   1922   Huile sur bois   24.7 x 30.4 cm (9¾ x 12 po)   Collection McMichael

113.   Frank Carmichael   *Flanc de colline en automne,*   1920   Huile sur toile   76.2 x 91.4 cm (30 x 36 po)
Ontario Heritage Foundation, Art Gallery of Ontario

Varley revint de la guerre ayant mûri tant comme peintre que sur le plan personnel. Il s'intéressa à peindre des portraits et devint le seul membre du Groupe à ne pas dépendre exclusivement du paysage. Il était plutôt introverti et se préoccupait de l'univers des sentiments et des émotions. Son *Autoportrait* de 1919 révèle son caractère sensible et introspectif; il regarde directement le spectateur avec une attitude de défi, assombrie de tristesse. Il n'existe pas d'autres véritables autoportraits des membres du Groupe, ce qui montre bien leur manque d'intérêt envers la représentation humaine en peinture. [65]

En 1919, Varley fit un étonnant portrait, celui d'une fière paysanne, qu'il intitula *Tête de gitane*. Le fond rouge-orange forme un vibrant contraste avec les cheveux noirs et la robe couleur de terre de la femme. Varley étendit ses couleurs au couteau puis les gratta en certains endroits, technique qui convient très bien pour rendre le modelé du visage du sujet. Il y a beaucoup de force d'expression dans ce portrait qui saisit parfaitement la noble prestance de la gitane. Malgré l'originalité apparente de ce tableau, il n'est pas sans référence à l'Europe. Il est dans la tradition du portraitiste anglais Augustus John que Varley connaissait et admirait. Cependant, il a certainement surpassé Augustus John par le traitement simple et rustique qu'il a donné à ce tableau.

114.   F.H. Varley   *Autoportrait,*   1919   Huile sur toile   60.9 x 50.8 cm (24 x 20 po)
Galerie Nationale du Canada

115. F.H. Varley *Tête de gitane,* 1919 Huile sur toile 61.5 x 50.8 cm (24¼ x 20 po) Galerie Nationale du Canada

116. F.H. Varley *Portrait de Vincent Massey,* 1920 Huile sur toile 119.3 x 142.2 cm (47 x 56 po)
Hart House, Université de Toronto

Le tableau qui attira le plus de commentaires lors de la première exposition du Groupe est le *Portrait de Vincent Massey,* peint par Varley. Barker Fairley, ami intime de Varley, s'était battu pendant des semaines pour lui obtenir cette commande en dépit de la volonté des membres conservateurs de la haute société torontoise qui ne voulaient pas d'un «moderniste» comme Varley pour faire ce portrait. [66] Le tableau comme tel devait servir à commémorer le rôle de Massey dans l'érection de Hart House qui fut ouverte en 1919 et qui allait bientôt jouer un rôle important de soutien envers le Groupe des Sept. [67]

Ce tableau démontre bien que Varley était capable de faire des portraits d'un genre différent d'*Autoportrait* et de *Tête de gitane.* C'est l'un des premiers portraits officiels à ne pas exhiber la raideur et le style guindé de l'époque victorienne. Varley a peint Massey en costume de ville, assis confortablement sur un fauteuil. Il a mis tout en œuvre pour en faire ressortir une certaine ambiance. «M. Varley a nettement cherché à propager cette ambiance sur tout le tableau de sorte que chaque centimètre carré de toile parle et respire avec le modèle assis, et est en relation picturale avec le visage et le corps.» [68] Le fond bleu-gris froid isole le modèle de son environnement et renforce l'expression hautaine et presque morose du visage.

En peignant ce portrait, Varley est devenu le portraitiste à la mode de la haute société de Toronto. Ce qui lui donna des revenus dont il avait grandement besoin, mais il n'aimait pas peindre sur commande et ses manières bohèmes lui aliénèrent bientôt ses clients. Même l'exécution du portrait de Massey ne se fit pas sans heurts. Massey arriva avec une heure de retard à l'une des séances de pose. Une fois ce dernier assis dans le fauteuil, on vit Varley poser ses pinceaux et quitter la pièce en disant: «Attendez ici. C'est à moi maintenant d'être absent pendant une heure.» Un autre incident eut lieu lorsqu'il fit le portrait de Chester Massey. Chaque fois que Mme Massey assistait aux séances, Varley était dans tous ses états parce qu'«on ne lui offrait même pas un verre de sherry». À la fin d'une de ces séances, une domestique apporta deux verres qu'elle présenta aux Massey. Lorsqu'on demanda à Varley s'il voulait boire quelque chose, il répondit oui avec empressement. On lui apporta donc un verre et, à sa grande surprise, c'était de l'eau chaude. «Nous buvons toujours un verre d'eau chaude avant le repas», d'expliquer Mme Massey. [69]

«*Son portrait de Vincent Massey, tracé remarquable, dénote le même fatalisme sévère atténué par son intérêt pour le sujet; un homme d'action, d'une grande force morale et naturellement enjoué, assis calme et réfléchi, représenté par Varley presque morose, avec une touche plutôt insolente de bleu et de rouge derrière la tête et ce, probablement pour contrebalancer la couleur claire de la pochette rouge et la nudité grise de l'arrière-plan. Exemple remarquable d'une grande sensibilité de l'artiste se répercutant sur le sujet.*» [70]

DEUXIÈME PARTIE

117.   J.E.H. MacDonald   *Rayon au milieu d'une averse d'octobre,*   1922   Huile sur toile   106.6 x 121.9 cm (40 x 48 po)
Hart House, Université de Toronto

5

Expositions et nationalisme du Groupe des Sept

La guerre terminée et tout le monde de retour à Toronto, le fruit était mûr pour fonder le Groupe des Sept. Tant les artistes que le public étaient conscients de partager les mêmes goûts. C'est Jackson qui dira: «Si ce n'avait été de la guerre, le Groupe aurait été fondé plusieurs années plus tôt et Thomson en aurait fait partie.»[7] Jusqu'à ce moment-là, on les considérait simplement comme un groupe de jeunes radicaux qui essayaient d'insuffler de l'air frais dans les cercles artistiques torontois devenus sclérosés. Ils formaient un groupe à part à tous les salons annuels de l'O.S.A. et subissaient toujours ensemble les railleries de la critique. En 1919, l'exposition des tableaux d'Algoma, œuvres de MacDonald, Harris et Johnston, fut la première que ces artistes montèrent à leur compte et c'est probablement à ce moment-là que naquit l'idée d'un groupe plus étoffé. En se réunissant dans ce que MacDonald appela «une association amicale de défense», ils pourraient faire leurs propres expositions et se défendre avec plus de succès contre leurs détracteurs.[2]

Personne ne connaît exactement la date de la fondation du Groupe. La décision en fut probablement prise en février ou en mars 1920 à l'époque où Jackson, absent, faisait des croquis à Penetang. Lorsqu'il retourna à Toronto à la fin d'avril, il écrira que «la première chose que j'ai entendue... était que le Groupe des Sept avait été fondé et que j'en faisais partie».[3] Il semble que plusieurs peintres se soient réunis un soir chez Lawren Harris, à Queen's Park. La discussion aurait porté sur les critiques qu'ils avaient reçues à la suite de leur exposition d'Algoma en 1919 et quelqu'un proposa qu'ils montent eux-mêmes une autre exposition. Mais le problème était comment ils allaient s'appeler. Des noms comme «L'école d'Algonquin» ou «L'école d'Algoma» étaient bien trop restrictifs, et «La nouvelle école canadienne» bien trop prétentieuse. Et puisqu'ils étaient sept peintres à partager les mêmes idées, pourquoi ne pas s'appeler le Groupe des Sept?[4]

C'est de cette manière que le Groupe vit le jour et prépara une première exposition. Comme l'écrira Jackson plus tard, «c'était une association plutôt vague; elle avait un nom et un but mais pas d'officiers élus, pas de règlements ni de cotisations».[5] Ils se rencontraient officiellement seulement quelques fois par an pour préparer expositions et randonnées ou pour étudier la candidature d'un nouveau membre. De toute façon, ils se retrouvaient entre amis au club pour le déjeuner et partaient ensemble faire des croquis une ou deux fois par an. Il régnait parmi eux une franche camaraderie mais qui perdit un peu de son importance parce que, durant les années 20, chacun s'en alla de son côté. On oublie souvent que les «jeunes révolutionnaires» n'étaient plus jeunes à l'époque. Lors de la fondation du Groupe, MacDonald était le plus vieux à 47 ans et Carmichael le plus jeune à 30 ans. Tous les autres étaient dans la bonne trentaine.

118.   Photo de la première exposition
       du Groupe des Sept, mai 1920.

La première exposition eut lieu à l'Art Gallery of Toronto, du 7 au 27 mai 1920. Chaque peintre y présentait quelques grandes toiles et des croquis. En plus des Sept, il y avait trois peintres de Montréal qu'on avait invités: Randolph Hewton, Robert Pilot et Albert Robinson. Nous avons déjà parlé de plusieurs des œuvres exposées: Harris présenta la *Chute d'eau*; Jackson, la *Terre sauvage* de 1913; MacDonald, la *Rivière sauvage* de 1919; Varley, la *Route affaissée*; Lismer, *Le port de Halifax, en temps de guerre*; Johnston, *Incendié, Algoma*; et Carmichael, *Flanc de colline en automne*.

L'avant-propos du catalogue était avant tout une sorte de justification affirmant que les artistes avaient essayé de peindre le Canada avec des yeux neufs et de peindre quelque chose qui soit distinctif. Ils comprenaient qu'ils allaient affronter le « ridicule, l'outrage ou l'indifférence », mais ils espéraient que certaines personnes comprendraient la nécessité d'avoir un art pictural interprétant l'esprit de la croissance nationale. Ce qu'ils craignaient le plus, c'était l'indifférence et, par un phénomène d'autodéfense, ils recherchaient l'hostilité de la critique plutôt que son approbation.

Il est étonnant que la réaction de la critique à l'exposition de 1920 soit à l'opposé même de ce que le Groupe prétendit. A.Y. Jackson se souviendra que ceux qui virent l'exposition furent indignés ou stupéfaits et que certains menacèrent de démissionner de l'Art Gallery. « Il y eut beaucoup de critiques hostiles, dira-t-il, mais peu qui soient intelligentes. »[8] Lawren Harris écrira: « Les peintres et leurs œuvres furent assaillis de tous les côtés. Les journaux et les périodiques y consacrèrent des pages entières. »[8] Arthur Lismer, qui prétendra également que « les critiques ont eu leur jour de gloire », dira: « Ce fut la journée des grands mots pathologiques, culinaires et des ordures ménagères. »[9] En pratique, tous les journaux de Toronto publièrent des articles en faveur du Groupe dont ils considéraient les membres comme des peintres reconnus de longue date. Le seul article douteux s'intitulait « Are These New Canadian Painters Crazy? (Les nouveaux peintres canadiens sont-ils fous?) »[10] En fait, il s'agit d'un éloge du Groupe, écrit par Augustus Bridle.

Comment donc expliquer les déclarations ultérieures des membres les plus respectables du Groupe? Eurent-ils des défaillances de mémoire ou essayaient-ils d'obtenir encore plus de publicité en se faisant passer pour des martyrs? Le fait demeure que le Groupe et ses admirateurs ont soigneusement entretenu la croyance populaire à l'effet qu'ils rencontrèrent une violente opposition de la part des journaux et du public, dans les premières années.[11] Ils cultivèrent une image d'eux-mêmes les montrant comme des héros succombant sous les coups de Philistins d'une ignorance crasse.

C'est ainsi que, dans les années qui suivirent, ils semblèrent se rappeler toutes les mauvaises critiques et peu des bonnes. Lismer, pour sa part, confondit le « Hot Mush School » et le « Drunkard's Stomach (Ventre d'ivrogne) » de 1913 et de 1916 avec les critiques sur la première exposition du Groupe.[12] D'autres se rappelleront des critiques encore plus sévères qui suivirent l'exposition de Wembley et les associeront par erreur aux premières expositions.

On peut expliquer leur comportement par une hypersensibilité à la critique. Le tout a commencé avec leurs premières réactions à l'article sur le « Hot Mush School » et on le sent dans le ton défensif des préfaces et avant-propos des catalogues. On peut se demander pourquoi ils prenaient d'une façon aussi dramatique les quelques critiques sévères qu'on leur faisait, surtout qu'elles étaient presque toutes idiotes et informes, écrites par des gens qui n'y connaissaient rien en peinture.

L'une des explications à cette attitude est que la critique dans les journaux n'est qu'une faible partie de la réaction générale face à leur peinture. À l'Arts and Letters Club, il y avait confrontation quotidienne entre la « table des artistes » et la « table des hargneux » où s'asseyaient Charlesworth et autres traditionalistes.[13] Il y eut aussi un nombre incalculable de gens qui attaquèrent verbalement le Groupe sans que ce soit publié. Ce qui explique peut-être l'image déformée qu'ont eue les peintres face aux réactions à la première exposition du Groupe.

119.   Arthur Lismer
Croquis de Harris, le soir de la fondation du Groupe des Sept
Crayon   20.3 x 25.4 cm (8 x 10 po)
Bibliothèque de l'Art Gallery of Ontario

«*Notre première exposition fut mal accueillie... Certaines personnes qui la virent furent stupéfaites et parfois indignées. Plusieurs membres de l'Art Gallery of Ontario menacèrent de démissionner... Il y eut beaucoup de critiques hostiles, mais peu qui soient intelligentes. Nombre de celles-ci étaient outrageantes, la plupart venant de gens qui n'avaient même pas vu l'exposition. Elles provenaient non seulement de profanes mais aussi de peintres : 'Produits d'un esprit dérangé', 'la peinture en folie', 'le culte de la laideur', voilà quelques-unes des expressions employées pour décrire des tableaux qui, malgré leurs défauts, essayaient de dépeindre honnêtement et avec sincérité le Canada.*»[14] (Jackson)

«*... l'impact de ces tableaux nouveaux sur le public et la critique fut surprenant. Qu'un véritable mouvement artistique inspiré directement par le pays puisse naître au Canada était plus que n'en pouvaient supporter cette critique et ce public. Les peintres et leurs œuvres furent assaillis de tous les côtés. Les journaux et les périodiques y consacrèrent des pages entières. Un tel déploiement de colère, d'outrance et d'esprit vil n'avait encore jamais existé au Canada.*»[15] (Harris)

« *Au printemps 1920, le Groupe tint sa première exposition à l'Art Gallery of Toronto et les critiques eurent leur jour de gloire. Les critiques, eux, firent autant preuve d'esprit d'invention que les peintres. Ce fut la journée des grands mots pathologiques, culinaires et des ordures ménagères — c'est-à-dire «Hot Mush»... Drunkard's Stomach'.*»[16] (Lismer)

120.   Le Groupe des Sept assis à une table de l'Arts and Letters Club.
De gauche à droite : Varley, Jackson, Harris, Barker Fairley (qui n'était pas membre),
Johnston, Lismer, MacDonald (Carmichael, absent).

Sept peintres exposent d'excellents tableaux

On y trouve de beaux portraits, des paysages du Nord et des scènes d'hiver.
Toronto *Star*, 7 mai 1920.

Sept peintres en appellent à la critique

Un groupe de peintres locaux qui font une œuvre distinctive. Exposition unique. Des jeunes qui cherchent à interpréter le Canada d'une manière originale.
Mail and empire, 10 mai 1920.

Peintres et peinture

Les tableaux de ces artistes montrent la profondeur et la direction qui caractérisent les tendances de l'école moderne.
Globe, 11 mai 1920.

Les nouveaux peintres canadiens sont-ils fous?

Ils ne sont pas décadents mais novateurs. Ils s'adressent directement à la nature. Leur but en peinture est une plus grande vitalité et ils y parviennent.
Canadian Courrier, 22 mai 1920.

121.   Arthur Lismer   *La table des hargneux,*   1922   Crayon   46.3 x 76.2 cm (18¼ x 30 po)   Collection McMichael

L'avant-propos de la deuxième exposition du Groupe, en mai 1921, n'était pas aussi justificateur que la première fois. Il parle du bel accueil qu'avait reçu l'exposition itinérante du Groupe tant aux États-Unis qu'ailleurs au Canada. [17] Il contenait aussi un plaidoyer pour que le spectateur voit l'exposition avec un esprit ouvert en le rassurant que « nous n'avons pas plus l'envie d'être révolutionnaires que démodés ».   Le tout suivi de l'argument désormais familier que les tableaux exposés étaient l'expression d'une expérience canadienne à laquelle tous les autres Canadiens devraient pouvoir se joindre. En conclusion, les peintres espéraient qu'on finirait par les accepter comme « un authentique facteur de civilisation de la vie nationale », et non pas comme un fléau ou un luxe.

Seuls les membres fondateurs du Groupe, moins Frank Johnston, présentèrent des toiles à cette exposition que visitèrent plus de 2 500 personnes pendant les 24 jours qu'elle dura. En plus des ventes à des particuliers, la Galerie Nationale acheta quatre tableaux pour la somme globale de 1 600 $: (deux de Jackson, un de Varley et un de Carmichael). [19] Ce n'était pas si mal mais le plus surprenant est qu'il n'y eut aucune controverse.

La réaction de la critique à cette exposition ne fut pas aussi favorable que l'année précédente mais, par contre, elle se fit d'une manière intelligente. Un critique écrira que « leurs tableaux sont pour la plupart exécutés par de jeunes peintres qui n'ont pas encore atteint le sommet de la gloire, mais c'est l'expression authentique et pleine de vigueur de la vie canadienne et de l'art canadien, attachée à la nature tout en suivant les grandes traditions humanistes de l'Europe. »[20]

Un autre critique dira dans le *Globe* que les croquis étaient meilleurs que les toiles proprement dites qui n'étaient que de simples agrandissements des tableaux plus petits. « Bon nombre des petits tableaux révèlent une atmosphère et une inspiration poétiques, et donnent l'impression d'avoir été peints à un moment où la nature et l'artiste étaient en relation étroite, tandis que les grandes toiles évoquent une imagination qui prend le mors aux dents dans un atelier de la ville et loin de la saine ambiance du plein air. »[21]

AVANT-PROPOS

DE nouveaux sujets exigent de nouvelles méthodes et les nouvelles méthodes lancent un défi aux vieilles conventions. Il est aussi impossible de décrire la splendeur automnale de nos forêts du Nord avec un crayon que de museler notre jeune peinture avec des conventions et des méthodes d'un autre climat et d'un autre âge. On ne peut exprimer la pensée d'aujourd'hui avec les mots d'hier. Les Victoriens semblent ternes et les Élisabétains froids à cette génération aux prises avec ses propres problèmes. L'expression artistique est un état d'esprit, pas une méthode; un but à atteindre, pas un but déjà atteint; un instinct, pas un ensemble de règles. Sur le chemin des découvertes et du progrès, des vastes horizons et de l'avenir qui nous appelle, l'Art doit prendre la route et tout risquer pour la gloire d'une grande aventure.

La troisième exposition du Groupe commença avec ce court avant-propos. Finis les appels à la patience et à la compréhension du public! Le ton militant et de défi qu'on y trouve laisse supposer que le Groupe était l'objet d'attaques constantes. Leur vie même semblait être en jeu lorsqu'ils concluent que l'art «doit prendre la route et tout risquer pour la gloire d'une grande aventure». À partir de cette déclaration, on peut penser qu'ils s'attendaient à une réaction dévastatrice de la part des journaux.

Le Groupe des Sept, pas si radical

Les peintres radicaux se rapprochent du public dans cette dernière exposition d'études canadiennes. Intéressant déploiement de tableaux à l'Art Gallery.
Mail and Empire, 13 mai 1922.

Le Salon du « Groupe des Sept » reflète le désir des Canadiens de regarder plus loin que la ligne d'horizon

Le refus des conventions artistiques et l'utilisation osée des couleurs tirées de la palette des forêts du Nord marquent cette exposition de peintres locaux.
Globe, 10 mai 1922.

L'exposition de tableaux du Groupe des Sept : « L'art doit prendre la route »

Cette exposition montre que ces coureurs de grands chemins se sont remis de leur sentiment d'être des hors-la-loi et qu'ils deviennent l'avant-garde de la peinture.
Toronto Star, 20 mai 1922.

Tels furent les titres des articles parus dans les trois principaux journaux torontois. Augustus Bridle, qui écrivit celui publié dans le *Star*, déclarera que l'obsession du Groupe à « prendre la route » ressemblait à une quête du « Saint-Graal de l'Art » et se demandera où ils espéraient se rendre. [23] Bridle appréciait leurs tableaux mais pensait qu'en ce moment, ils commençaient à se ressembler les uns les autres, à l'exception de ceux de Varley. Il fit une excellente analyse de leurs œuvres et leur envoyait des éloges quand il les croyait mérités. Il concluera en commentant la réaction du Groupe à la critique :

Les gens sont en général conservateurs. Aucun groupe ne peut rien y faire. Aucune tendance nouvelle ne peut se développer sans l'appui du public. Il ne peut survivre avec la seule hostilité des peintres traditionalistes. Si ce Groupe semble déroutant au spectateur moyen, c'est le prix qu'ils doivent payer pour être à l'avant-garde. S'ils aiment dérouter les autres et hausser les épaules devant notre stupidité, c'est — bien sûr — leur responsabilité. Et s'ils croient que cette nouvelle approche et cette nouvelle aventure sont à eux seuls parce qu'ils ont formé un groupe protestataire, alors nous devrions les considérer comme des parvenus.

Mais je ne crois pas que le Groupe en général ait une telle arrogance de conception, sinon je ne me serais soucié d'écrire autant sur les choses qu'ils font. [24]

Il n'y eut aucune autre exposition du Groupe jusqu'en 1925 mais, entre 1922 et 1925, plusieurs événements portèrent encore plus les Sept à l'attention du public. Le premier fut l'attaque de Charlesworth contre la Galerie Nationale à l'automne 1922 et le second concerne la controverse qui fit rage autour de l'exposition de Wembley en 1924. Les deux incidents amenèrent une confrontation entre la Galerie Nationale et l'Académie royale des arts, la Galerie Nationale se mettant du côté du Groupe des Sept. Son directeur, Eric Brown, était un fervent défenseur du Groupe depuis sa nomination en 1913 et, par suite de son influence, la Galerie Nationale avait régulièrement acheté des œuvres de ses membres. [25] En 1920, elle possédait dix-huit de leurs toiles les plus importantes et vingt-sept tableaux de Tom Thomson. À la première exposition des Sept, la Galerie Nationale avait acquis les trois œuvres les plus chères et, en 1921 et 1922, elle continua d'acheter des toiles importantes.

Ces tableaux étaient accrochés aux murs de la Galerie Nationale lorsque Charlesworth y fit une visite en 1922. Inquiet de ne pas y voir des tableaux d'académiciens respectés, il écrivit un article dans le *Saturday Night* sous le titre « The National Gallery a National Reproach (La Galerie Nationale, une honte nationale) ». [26] Dans son style coloré, il accusa Eric Brown de favoritisme envers le Groupe au détriment des membres éminents de l'Académie, sir Edmund Walker, président du conseil d'administration, bondit immédiatement à la défense de Brown et du Groupe dans une lettre à l'éditeur du journal. [27] Pour leur part, Jackson et plusieurs autres peintres rédigèrent une réplique cinglante qu'ils publièrent dans *Mail and Empire*, critiquant Charlesworth et l'accusant de juger de choses qu'il ne connaissait pas. Avec tout l'esprit satirique dont ils étaient capables, ils suggéreront ce qui suit :

« *Après que M. Charlesworth aura remis de l'ordre à la Galerie Nationale à Ottawa, pourquoi ne le prêterions-nous pas à New York pour qu'il en fasse autant au Metropolitan Museum? Ils ont là-bas un tas de tableaux affreux de Cézanne, Rockwell Kent, Prendergast et autres novateurs qu'il pourrait mettre à la cave.* » [28]

Mais l'incident le plus important auquel fut mêlé le Groupe, est leur participation à l'exposition de Wembley en 1924. C'est cet événement plus que tout autre qui leur permit d'acquérir un statut international et, en fin de compte, d'être reconnus dans leur propre pays. Cette histoire de l'exposition de Wembley commença en 1923 lorsque Eric Brown apprit que l'Exposition de l'Empire britannique aurait lieu à Wembley, tout près de Londres, et qu'elle comprendrait une importante section consacrée aux beaux-arts. Craignant que la sélection des œuvres canadiennes ne soit laissée entre les mains de l'Académie royale, il fit en sorte que la responsabilité du choix du jury soit confiée aux fiduciaires de la Galerie Nationale. [29] Comme concession à l'Académie royale, on invita son président, G. Horne Russell, à faire partie du jury mais celui-ci déclina l'invitation. On forma alors un jury de huit personnes, tous membres ou correspondants de l'Académie royale. La plupart étaient favorables aux « modernistes » mais seuls Lismer et Randolph Hewton pouvaient être considérés comme membres de leur clan. Le jury choisit près de 300 œuvres d'artistes de tout le Canada.

Lorsque l'exposition ouvrit ses portes à Wembley au printemps 1924, la réaction de la presse britannique fut débordante d'enthousiasme, principalement à propos de la « nouvelle école de peinture paysagiste ». [30] La Tate Gallery envisagea l'achat de plusieurs tableaux canadiens et décida finalement d'acquérir *L'entrée du port de Halifax* de Jackson. [31]

Wembley était un véritable triomphe pour le Groupe des Sept et l'art moderne du Canada car, enfin, la peinture canadienne venait d'acquérir un renom international. Mais le plus important était que ces éloges venaient des Britanniques car on portait encore beaucoup d'admiration envers cette mère-patrie dont l'approbation était le summum de ce qu'ils pouvaient en attendre. Les comptes rendus du Groupe à propos de cette exposition indiquent bien qu'il s'agit d'un succès personnel. Cependant, bien que la presse britannique ait fait l'éloge de chaque membre du Groupe, elle fut particulièrement impressionnée par Morrice et Tom Thomson. [32] Les critiques consacrèrent autant d'espace à Gagnon, Horatio Walker et à de nombreux autres peintres. Ils s'accordèrent tous à souligner que le Canada développait son propre style national et ne pouvait plus être accusé d'utiliser des « techniques inspirées de l'étranger ». [33]

122.   Arthur Lismer   Caricature de
Hector Charlesworth, critique musical
et théâtral au *Saturday Night*

Mais la véritable bataille commença au Canada alors que les académiciens ulcérés protestè-
rent d'être mis sur une voie de garage au profit des jeunes peintres modernes. Les membres de
l'Académie prétendirent n'avoir pas été convenablement représentés à l'exposition et que
l'Académie aurait dû avoir la responsabilité du choix du jury. Ils affirmèrent également que les
modernes ne représentaient pas véritablement le Canada et déclarèrent que leurs tableaux
auraient même reçu plus de critiques favorables. On lira dans un article que:

*« Si les murs de la section canadienne de l'Exposition de l'Empire britannique devaient être
recouverts des grossières études de paysages vierges, sans perspective, ni atmosphère et texture,
ce serait une mauvaise publicité pour notre pays. Nous devrions demander au ministère de l'Immigration et de la Colonisation d'intervenir pour éviter une telle catastrophe. »* [34]

Pour l'Académie royale, les jeunes « modernes » n'étaient rien de plus que des gens avides de
publicité qui peignaient les régions les moins intéressantes et les moins civilisées du pays dans
des couleurs criardes. Ils s'objectaient particulièrement à ce que le Groupe des Sept cherche
à imposer son point de vue sur le reste du Canada, rejetant à l'avance tout ce qui ne s'y con-
formait pas. Le principal porte-parole de l'Académie royale fut l'ultra-conservateur *Saturday
Night* qui publia des éditoriaux avec des titres comme « **Freak Pictures at Wembley** » (Des
tableaux monstrueux à Wembley) ou « **Canada and her Paint Slingers**" (Le Canada et ses
peintres barbouilleurs). Charlesworth écrira la plupart d'entre eux et sa ligne d'attaque est en
réaction inverse des critiques favorables de la presse anglaise:

« *De la grandiloquence jusqu'au bout et sans aucun doute une grandiloquence sincère, se basant sur la conviction que c'est du canadianisme pure laine et que les autres styles de paysages qui offrent de belles scènes pastorales de ce pays sont fausses et manquent de sincérité. C'est du moins la théorie que les avocats de la « peinture emphatique » ont essayé de faire avaler au public canadien... Cette école de peinture n'en est pas une de terroir mais de rochers. Ces régions du Canada que leurs adorateurs se plaisent à peindre dans un style grossier et autoritaire (ce qui en soit est étranger au caractère canadien), existent sans aucun doute. Malheureusement, devra-t-on ajouter, car ces régions de pins et de rochers des premiers âges représentent le plus important problème du Canada sur le plan économique et la plus sérieuse barrière à son unité politique et sociale. Nous ne pouvons pas les renier mais ce n'est pas là tout le Canada comme voudraient le faire croire au monde les profanes qui portent aux nues cette école comme seule représentante authentique et sincère de la peinture canadienne. Elle ne représente même pas ce qui se fait de mieux au Canada en fait de paysages et de métier dans le domaine purement technique.* »[35]

123. Le jury de Wembley. De gauche à droite, assis : Clarence Gagnon, Florence Wyle, F.S. Challener, Horatio Walker, Franklin Brownell, sir Wyly Grier : debout : R.S. Hewton, Eric Brown, Arthur Lismer, Harry McCurry.

L'exposition de Wembley obligea les peintres et les critiques à prendre position et, à partir de ce moment-là, les réactions devinrent plus vives et plus sectaires. Au cours des deux années suivantes, se déroulèrent les plus violentes batailles que dut mener le Groupe des Sept. Lors de la quatrième exposition du Groupe en janvier 1925, les commentaires n'étaient plus porteurs d'indifférence ou d'éloges plutôt tièdes. Le *Star Weekly* coiffa son article du titre suivant: « School of Seven Exhibit is Riot of Impressions (L'exposition de l'École des Sept, un délire d'impressions). »[36] Cette critique, comme bien d'autres, était rédigée dans un style sarcastique tel qu'il était souvent difficile de dire si le Groupe y était ridiculisé ou louangé. Harris, avec ses paysages de montagnes audacieusement simplifiés, jouait le rôle de souffre-douleur et se vit accusé de vouloir lancer « des montagnes entières à la face des critiques ».[37]

Hector Charlesworth écrira une critique de l'exposition dans le *Saturday Night* sous le titre « The Group System in Art (Le système de groupe en peinture). »[38] Il critiquait et louait à la fois le Groupe des Sept. Son opinion reposait presque entièrement sur la prémisse que la norme de jugement en matière d'art était une technique académique éprouvée. Plus un tableau approchait de cette norme, plus il le critiquait favorablement. Certains de ses commentaires avaient un fond de vérité comme son agacement devant l'attitude des membres du Groupe qui « aspirent à dominer l'expression picturale de ce pays ». Il fera remarquer que « tout groupe ou toute école qui adhère à des principes et à des méthodes arrêtées devient un un obstacle aux progrès de l'art ».[39] Le Groupe se défendait de tomber dans cette catégorie mais, quand on examine la situation d'un œil objectif, on s'aperçoit qu'ils y tombèrent bien plus qu'ils ne voulaient l'admettre. Une autre critique de Charlesworth était que leurs tableaux se ressemblaient d'une façon monotone même s'ils étaient un « véritable délire de couleurs primaires ». Pour conclure, il dira que, même si la plupart des tableaux étaient superficiellement audacieux, ils n'en étaient pas moins « essentiellement timorés comme si chacun des membres (du Groupe) avait peur de violer son serment de fraternité ».[40] Charlesworth marquait là un point sur le Groupe des Sept et, quand on regarde les œuvres présentées à cette exposition, on se rend compte que ses commentaires étaient quelque peu justifiés.

Un autre genre de critique de cette époque et qu'on oublie trop souvent fut d'abord publié dans *The Rebel*, puis repris dans le *Canadian Forum* et le *Canadian Bookman*.[41] L'un de ces articles, de loin le plus intelligent et le plus profond, fut celui que rédigea Barker Fairley, un ami intime et un admirateur du Groupe. Tout en défendant les Sept et en appréciant leurs tableaux, il eut le courage de montrer du doigt leurs défauts aussi bien que leurs points forts. En 1925, il publia un article dans le *Canadian Forum* à propos de la quatrième exposition du Groupe:

« En ce moment, il doit bien y avoir deux cents personnes à Toronto qui s'intéressent vraiment à eux. Dans le domaine de la peinture, c'est déjà un succès et l'air vibre de leur approbation. L'opinion générale est que cette exposition éclipse les précédentes et que le Groupe s'est fait connaître.

Pour ma part, tout en me réjouissant, je n'irai pas aussi loin. Peut-être que, cette fois-ci, les tableaux sont faits avec plus de soins mais renferment-ils la même force d'aventure intérieure? Combien sont-ils parmi ces cinquante tableaux qui ont en eux cette force supplémentaire qui fait d'une toile une œuvre importante et extraordinaire et nouvelle chaque fois qu'on la regarde »?[42]

Il passe ainsi en revue les tableaux de chaque artiste, louangeant particulièrement Lismer pour *Iles heureuses* et *Baie MacGregor*. Ce qui le dérangeait le plus à propos des nombreux paysages de montagnes était que les peintres essayaient de décrire un sujet qu'ils connaissaient mal: « Toute liberté face à la nature doit reposer sur la connaissance de cette nature, sinon il est préférable de s'en tenir purement et simplement au cubisme. »[43] C'était là une critique valable devant les premières tentatives du Groupe de peindre l'Ouest canadien.

Après l'exposition de 1925, la confrontation suivante eut lieu lorsque Jackson participa à un débat avec Wyly Grier à l'Empire Club. Le *Star* de Toronto rapporta le débat sous la manchette « If Cow Can Stay in Parlour, Then Why Can't Bull Moose? (Si les vaches peuvent rester au salon, pourquoi pas les orignaux?). »[44]

Wyly Grier, qui était en termes amicaux avec Jackson et avait fait partie du jury de l'exposition de Wembley, prit fait et cause pour l'académisme, tandis que Jackson défendit les « modernes » et le Groupe des Sept. Grier prit le premier la parole et déclara qu'il y avait eu des peintres avant ceux du Groupe, tels que Cullen, Morrice et Gagnon et qu'on pouvait les qualifier de Canadiens. Il dit aussi son inquiétude sur le regroupement de peintres qui doivent tous adhérer à une même doctrine ou à un même dogme, ayant comme résultat qu'ils finissent tous par peindre de la même manière. En conclusion, il fit un plaidoyer pour que les artistes s'intéressent au portrait en soutenant que c'était dans ce domaine que résidait la grande faiblesse de la peinture canadienne.

Sa critique n'était pas sans fondement mais elle fut rapidement submergée par la défense passionnée et émotive que présenta Jackson. Il commença par parler des premiers peintres bucoliques du Canada qui suivirent les tendances européennes et qui ne se soucièrent nullement de développer un art typiquement canadien. Puis, dans un style vivant et combatif, il attaqua les collectionneurs montréalais de tableaux de l'École hollandaise, qui amassaient les tableaux comme ces vignettes qu'on trouvait alors dans les paquets de cigarettes. Jackson affirma que le Groupe des Sept, avec son esprit pionnier typiquement canadien, avait rompu avec toute dépendance des styles européens et trouvé sa voie en créant une forme d'art qui tirait sa force du pays même. Ce qui, ajouta-t-il, fut très apprécié par les Britanniques à Wembley mais pas chez nous. Il proposa que les Canadiens se mettent à encourager cette peinture nationaliste et termina son exposé avec honnêteté quant à l'avenir. « Maintenant, un dernier mot, car demain nous serons tous académiques. Et lorsque la dernière vache sera retirée des salons et que les murs vibreront d'érables rouges, de bouleaux jaunes, de lacs bleus et de paysages de neige étincelants, j'entends déjà ce jeune peintre moderne qui, dans le Nord, dit à son copain : 'Tiens, voilà la piste de ces vieux peintres académiques, le Groupe des Sept, ils sont dépassés !' »[45]

D'autres batailles allaient avoir lieu car, en 1925, il y eut une autre exposition à Wembley et la sélection en fut faite par le même jury, ce qui déclencha une fois de plus l'ire de l'Académie royale. En 1916, les académiciens tentèrent un combat de dernière heure pour prendre le contrôle de la Galerie Nationale en essayant d'en déloger son directeur, Eric Brown. Dans le *Star* de Toronto, on put lire : « Painters Demand the Head of Art Dictator of Canada (Des peintres exigent la tête du dictateur artistique du Canada). »[46] Mais, cette fois-ci, les « révolutionnaires » étaient suffisamment bien retranchés dans leurs positions pour clouer le bec à la critique. Un an plus tard, une sélection des tableaux présentés à Wembley partit pour Paris où avait lieu, au Musée du Jeu de Paume, une exposition d'art canadien contemporain. Il y avait également une participation rétrospective d'œuvres de Thomson et de Morrice ainsi que des pièces d'art indien de la côte du Pacifique. Le succès de cette exposition permit à l'école moderne canadienne de s'implanter solidement chez elle.

124.   Moyer   *Le débat Jackson-Grier*
Crayon   *Toronto Daily Star*   27 février 1925

Le Groupe continua de monter des expositions à Toronto; expositions qui furent parfois présentées à Montréal et ailleurs au Canada.[17] Il y eut de telles expositions du Groupe en 1926, 1928, 1930 et la dernière en 1931. Toutes comprenaient une importante liste d'artistes invités de sorte que le Groupe ne donnait plus l'impression de combattre pour lui seul. La presse continua de fustiger le manque de repentir du Groupe des Sept mais, d'une façon générale, on sentait qu'il était là pour rester et qu'il avait gagné la partie. Certaines critiques tombèrent dans le sensationnel en faisant appel aux réactions des chauffeurs de camion, des cow-boys de l'Ouest et de l'homme de la rue face au Groupe des Sept mais elles étaient généralement trop insipides pour qu'on les prenne au sérieux.[48]

D'autres prises de bec prirent place lorsque les expositions itinérantes atteignirent pour la première fois des villes comme Vancouver, soulevant des tempêtes de protestation de la part d'un public non encore initié.[49] Malgré la réaction choquée de l'Ouest envers le Groupe des Sept, les obstacles ne furent pas bien grands à surmonter et on leur réserva, en fin de compte, un accueil favorable.

Une autre preuve de l'acceptation définitive du Groupe a été la publication en 1926 de l'ouvrage de Fred Housser sur *A Canadian Art Movement: the Story of the Group of Seven* (Un mouvement artistique canadien: l'histoire du Groupe des Sept).[50] Encore aujourd'hui, c'est le plus important ouvrage de référence sur le Groupe car il contient un récit détaillé et fidèle de ses années de formation. Ami du Groupe et rédacteur financier du *Star* de Toronto, Housser rédigea son livre dans un esprit de dévouement sincère à la cause et avec l'idée d'amener le public à une meilleure compréhension de ces peintres. Dans un style objectif et lucide, il retrace la croissance du mouvement en appuyant son texte sur des extraits de lettres et des articles de journaux et en l'agrémentant de quelques anecdotes amusantes. Il relate d'une façon détaillée les premières années et en particulier l'exposition scandinave, le rôle de Tom Thomson, les années de guerre et celles d'après. En plus, il analyse chaque peinture en particulier, tandis que les idées de chaque peintre et du Groupe en général y sont exposées avec clarté. Cet ouvrage a certes des défauts — trop d'insistance sur le nationalisme, une sélection biaisée des critiques et une compréhension erronée des influences européennes — mais ils sont mineurs. En outre, si on considère la formation de Housser et la faiblesse de la critique à l'époque où cet ouvrage vit le jour, on peut dire que c'est une remarquable réussite. Grâce à lui, le Groupe des Sept est entré dans l'histoire.

THE ARTIST HAVING AN ISOLATION PEEK

125.   Arthur Lismer
L'artiste et son pic Isolation,   vers 1931
Fusain   27.9 x 38.1 cm (11 x 15 po)
Collection McMichael

*« O Canada ! Terre de nos aïeux !
Un fidèle amour patriotique dirige
tes Fils. Transportés d'amour, nous
voyons surgir le Nord, immense et
insaisissable ; Garde l'honneur de
ton drapeau, O Canada ! Nous
garderons l'honneur de ton
drapeau. »* [51]

Dès qu'ils commencèrent à se rencontrer à Toronto avant la Première Guerre mondiale, les membres du Groupe se sentirent motivés par un fort sentiment national. Leur enthousiasme à explorer « Tout le pays à la recherche de ses possibilités d'expression et de création en peinture » grandit encore à la suite d'événements comme l'exposition scandinave. [55] Bien que la guerre ait ralenti leur activité, le désir qu'ils avaient de se lancer dans une grande aventure s'accentua dès qu'elle fut terminée. Le Canada était sorti de cette guerre avec une conscience toute neuve de son indépendance et la volonté d'acquérir une identité distincte. En 1919, MacDonald écrira que « l'esprit canadien en art ne fait qu'entrer en possession de son héritage. Il ouvre la porte à un monde nouveau et l'âme du peintre y répond avec le sentiment que c'est une excellente chose... Son but est de mettre de l'air pur et du soleil dans ses paysages en suivant fidèlement le rythme et le caractère de chaque saison ». [53]

Ce nationalisme avait plusieurs significations pour le Groupe. En premier lieu, c'était la quête d'un sentiment commun envers le Canada qu'ils pourraient interpréter dans leurs tableaux. En second lieu, il impliquait la création d'une forme qui donnerait au Canada une nouvelle image de lui-même. Par-dessus tout, cela signifiait que le Canada aurait sa propre expression picturale comme s'il s'agissait d'un grand pays.

Les membres du Groupe étaient fermement convaincus que les paysages du Nord faisaient du Canada un pays différent et unique en son genre. Si le Canada était en droit d'acquérir son identité propre, ce ne pouvait être que par la découverte et par l'interprétation de ses terres nordiques. Lawren Harris écrira que le Groupe en vint « à constater combien le Canada différait par son caractère. son atmosphère, son état d'âme et son esprit, de l'Europe et de la mère patrie... Il fallait le voir, vivre avec et peindre avec amour ses propres particularités, sa vie et son esprit avant qu'il ne livre ses secrets ». [54]

C'est pour cette raison que les membres du Groupe s'enfoncèrent dans des régions vierges et sauvages pour saisir « l'état d'âme » du Canada. Leur but n'était pas de peindre d'une façon réaliste rochers, lacs et pins, mais plutôt de les utiliser comme symboles de la beauté et de la grandeur du pays.

Leur choix du paysage plutôt que du portrait pour symboliser la grandeur du Canada est en relation directe avec le culte du Nord. Ils pensaient que c'était le milieu nordique qui avait façonné les Canadiens et non l'inverse. Hugh Kenner dira de l'œuvre des Sept : « Aucun personnage n'apparaissait dans leurs tableaux, aucune figure humaine si ce n'est occasionnellement un minuscule porteur de canoë caché par son monstrueux fardeau. Il n'y avait besoin de personne. Le visage du Canada était là sur place : rocher sur rocher, buisson après buisson. » [55]

Cette idée d'utiliser le paysage pour exprimer un sentiment national n'était pas l'apanage du Groupe des Sept. Les peintres américains avaient suivi le même cheminement de découvrir leurs horizons et ses possibilités d'exprimer la grandeur nationale. Cependant, le Groupe ne s'intéressa pas à leur démarche et à la place, ses membres lisaient des poètes transcendantaux comme Whitman et Thoreau [56] qui les confirmèrent dans leur idée que les paysages du Nord reflétaient le caractère national du Canada.

Pour transposer leurs idées en peinture, les Sept sentirent la nécessité de créer un style qui leur soit propre, un style qu'on ne pourrait accuser de dépendre de techniques venant de l'étranger. Ils acceptaient la célèbre déclaration que fit Wyly Grier, en 1913, à l'effet que « notre peinture ne sera jamais en position de force... tant que nous ne serons pas porteurs de grandes émotions issues de nos paysages, ni revigorés par notre climat, ni soutenus par l'esprit pionnier qui animait les premiers explorateurs et soldats du Canada ». [57] Ils affirmaient vouloir tourner le dos à l'Europe et demander directement leur inspiration aux paysages de leur pays.

Les réactions enthousiastes à l'exposition de Wembley leur prouvèrent qu'ils avaient vraiment créé une forme de peinture qui leur était propre. Au lieu d'être catalogués comme des imitateurs des styles européens, ils firent dire aux critiques: « il ne fait aucun doute que le Canada développe actuellement une école de peintres paysagistes qui est profondément enracinée à son sol ». [58] Il semblait que le Groupe avait réussi à atteindre son but.

Cependant, tant par la technique que par le choix des sujets, on peut se demander si le Groupe a créé une forme de peinture qui soit distinctivement canadienne. Au début, ils s'appuyaient sur des techniques qui leur donnaient le moyen d'exprimer leurs sentiments face à la nature. Même lorsqu'ils nièrent ce précédent, ils fondaient leur manière d'approcher la nature sur des concepts de la fin du XIXe siècle. Dans leur évasion vers le Nord et dans leurs tentatives de saisir l'état d'âme des paysages, ils suivaient de très près la première démarche des post-impressionnistes français. Dans les années 1880, Gauguin et Van Gogh avaient fui la ville pour rechercher des paysages primitifs dans le but d'y redécouvrir des valeurs spirituelles. Eux aussi avaient transposé des éléments de la nature en symboles et les avaient unifiés par la couleur et le trait linéaire pour obtenir une atmosphère globale.

La prétention du Groupe à « peindre canadien » était d'une façon ou de l'autre un mythe à moins que le Bouclier précambrien ne soit tout le Canada. [59] Certains, comme Casson et Carmichael, ne s'aventurèrent pas en dehors de l'Ontario pendant les années d'activité du Groupe. D'autres peignirent à différentes époques dans d'autres régions mais Jackson fut le seul à vouloir en toute conscience peindre le Canada d'un océan à l'autre. Plus que tout autre peintre, il traversa et retraversa le Canada mais se sentait rarement à son aise quand il faisait des croquis hors du Québec et de l'Ontario, et ses tableaux le prouvent. Il avouera un jour à Emily Carr qu'il n'aimait pas l'Ouest parce qu'il était difficile à peindre à cause de sa végétation trop luxuriante et trop abondante. [60] De ce point de vue, on peut considérer le Groupe des Sept comme une école régionale de par son caractère même.

Malgré de nombreuses déclarations pour prouver le contraire, le Groupe des Sept est sans contredit un mouvement torontois. Presque tous ses membres vécurent à Toronto de 1913 jusqu'à ce que le Groupe se dissolve. Toutes les expositions se déroulèrent en premier lieu à Toronto et quelques-unes seulement d'entre elles voyagèrent au Canada. Le Groupe invita des peintres de Montréal à participer à ses premières expositions mais, après Wembley, il y eut beaucoup de frictions entre ces deux villes, encore aggravées par le fait que Jackson dit de Montréal qu'elle était la ville la plus bigote du Canada. [61] La seule véritable extension du groupe torontois fut la Galerie Nationale à Ottawa. C'est son directeur, Eric Brown, qui fit plus que tout autre pour faire connaître le Groupe en organisant des expositions itinérantes et des conférences à travers le Canada. Les Canadiens de l'Ouest virent souvent d'un mauvais œil qu'on présentât le Groupe des Sept comme le seul représentatif de tout le Canada. Mais avec le temps, on en vint à l'accepter comme fondateur d'un mouvement national en peinture.

L'une des principales implications du nationalisme du Groupe des Sept fut leur effort de convaincre les Canadiens que s'ils voulaient un grand pays, ils devaient avoir leur propre forme d'expression picturale. L'avant-propos de la première exposition des Sept affirme que tous les peintres étaient « imbus de l'idée que l'Art doit grandir et fleurir dans un pays avant que celui-ci ne devienne véritablement un foyer pour ses habitants ». [62] Cette idée, empruntée aux écrivains nationalistes irlandais, comme AE (George Russell), devint l'argument de défense du Groupe comme si ses membres disaient « acceptez-nous parce que nous peignons canadien et parce que, pour être un grand-pays, le Canada a besoin d'une peinture qui lui soit distinctive ».

Le Groupe des Sept chercha à créer une tradition en peinture qui illustrerait le Canada et serait exclusivement canadienne. Avec un zèle sans relâche, ils luttèrent contre l'indifférence des Canadiens qui pensaient qu'il n'existait pas de véritable identité canadienne et, par conséquent, pas de véritable peinture canadienne. Ils réussirent à donner au Canada une forme d'expression picturale maintenant acceptée comme canadienne et qui s'est ancrée dans la conscience nationale d'une façon si indélibile que c'en est presque devenu un cliché.

SELON UN CRITIQUE AMÉRICAIN, 1867

« Chaque nation croit qu'elle peut peindre des paysages mieux que sa voisine mais ce n'est pas chaque nation qui le fait d'une manière qui lui soit propre. Personne ne confondra un paysage américain avec celui d'un autre pays. Il porte sur son visage et dans son sourire sa propre nationalité. » [63]

L'art prend la route

«*Nous avions commencé notre grande aventure. Nous vivions dans un perpétuel élan d'enthousiasme. À certains moments, nous étions sérieux et préoccupés et, à d'autres, joyeux et insouciants. Par-dessus tout, nous aimions ce pays et nous aimions l'explorer et le peindre.*»[1]

Le catalogue de l'exposition du Groupe en 1922 déclarait en conclusion que «l'Art devait prendre la route et tout risquer pour la gloire de l'aventure».[2] Dans les années qui suivirent la fondation du Groupe, ces peintres commencèrent à se promener à travers le Canada, depuis la Nouvelle-Écosse jusqu'aux Rocheuses et dans l'Arctique, pour en faire des croquis. Leur activité en tant que Groupe se dilua et leur travail devint de plus en plus individuel. Ils étaient presque tout le temps en voyage; certains dans un but précis mais d'autres, comme Varley, à la recherche d'eux-mêmes. Au cours de l'année, ils se rendaient généralement dans plusieurs régions et chaque peintre finit par trouver son terrain favori auquel il s'attacha profondément. MacDonald exécuta quelques-uns de ses plus beaux tableaux à Algoma qu'on appela «le pays de MacDonald». Jackson se fit connaître par ses scènes du Québec, Harris par ses tableaux du lac Supérieur et Lismer par ses toiles de la baie Géorgienne.

HARRIS DANS LES MARITIMES

En 1921, Harris visita Halifax et fit connaissance avec ses taudis cafardeux. Les tableaux qu'il peignit lors de ce voyage contrastent fortement avec les maisons torontoises, qui leur sont antérieures et où dominent des couleurs gaies et très décoratives. Les gris et les bleus sombres ont remplacé les rouges et les jaunes vifs; pour la première fois, le sens du drame pénètre les œuvres de Harris.

On a longtemps considéré ses tableaux de Halifax comme un commentaire social de Harris sur les taudis. Cependant, rien dans ses œuvres précédentes ne permet de penser qu'il ait voulu transmettre un message moral. Les scènes du «Ward» de Toronto subirent une vive critique parce qu'elles dépeignaient d'affreuses maisons plutôt que les belles résidences des gens riches, et non pas parce qu'elles symbolisaient la pauvreté et la souffrance. Mais, dans *Arrière-cour, Halifax*, avec ses maisons tristes, la cour boueuse et les visages vides des enfants de ces taudis, Harris semble vouloir dire quelque chose de plus. En effet, on retrouve cette attitude dans cet extrait d'un poème de son recueil, *Contrasts*, publié en 1922:

Êtes-vous comme eux?
Êtes-vous triste en marchant dans
*   les rues,*
Des rues dures comme l'acier,
Froides, repoussantes et cruelles?

Êtes-vous triste d'y voir des gens,
Loin de toute beauté,
Effrayés même par la beauté,
Ne la connaissant pas?

Êtes-vous triste quand vous regardez
*   les ruelles,*

Des ruelles pleines de cendres, de caisses,
*   de boîtes vides, de vieux chiffons;*
Des ruelles sales, moisies et puantes
Derrière les façades noires de suie
*   des maisons carrées,*
Des cours humides et des
*   clôtures défoncées?*

Cependant, quand on examine plus attentivement ce tableau, on finit par se rendre compte que Harris ne se soucie pas de montrer des taudis infects ou la misère des pauvres. Bien au contraire, il recherche la beauté intrinsèque de cette scène, tandis que les gens — sans visage — se fondent à l'arrière-plan.

Quant à cet autre tableau de l'époque de Halifax, *Groupe de monte-charges, Halifax*, on peut encore moins affirmer qu'il s'agisse d'une œuvre à contenu social. Les bâtiments sont propres et nets et aucun personnage ne vient distraire l'attention du spectateur de la froide réalité du sujet. Cette œuvre marque une étape radicale dans le style de Harris. On voit qu'il quitte le traitement en à-plats de la surface pour un espace tridimentionnel dominant. Il utilise l'espace, la forme et la couleur pour créer une atmosphère de mystère et de permanence. Toutes les grandes lignes de sa composition s'éloignent dans une perspective forcée vers un point de fuite situé à la droite de la cheminée d'usine. De ce point partent les rayons du soleil couchant, créant ainsi un contraste très fort d'ombre et de lumière sur les bâtiments, le ciel et la cheminée. L'effet qui en résulte inspire le rêve et la contemplation et frôle même le surréel.[4]

126.   Lawren Harris   *Arrière-cour, Halifax*   1921
Huile sur toile   96.5 x 111.7 cm (38 x 44 po)
Galerie Nationale du Canada

127.   Lawren Harris   *Groupe de monte-charges, Halifax,*   1921
Huile sur toile   96.5 x 112.3 cm (38 x 44⅛ po)
Art Gallery of Ontario

MacDONALD DANS LES MARITIMES

Un an après la visite de Harris en Nouvelle-Écosse, MacDonald entreprit son unique voyage sur la côte Atlantique pour y faire des croquis. Il passa six semaines près de Petite-Rivière, en Nouvelle-Écosse, s'y imprégnant de l'atmosphère ambiante.

Il parut surtout intéressé par les gens et les bateaux, prit des notes et des mesures détaillées sur les doris et autres embarcations ainsi que sur la fabrication des paniers et des canoës indiens. C'était sa manie et il avait de nombreux carnets de notes dans lesquels il transcrivait ses conversations avec les gens de l'endroit, leur manière de voir les choses, la topographie et l'histoire naturelle. [5]

Il exécuta un certain nombre de croquis mais n'en transposa que quelques-uns sur toile quand il retourna à Toronto. L'un de ces croquis, *Église au bord de la mer*, montre que MacDonald se dirigeait vers une plus grande simplicité en même temps que Harris, peut-être parce que l'environnement plutôt austère exigeait plus de discipline dans le traitement. Il se sert de larges bandes horizontales de couleur au lieu des coups de pinceau rapides de la période d'Algoma. L'à-plat qui en résulte ressemble par sa qualité bidimensionnelle au style de Gauguin et des peintres symbolistes français.

LISMER DANS LES MARITIMES

À partir de 1930, Lismer se rendit fréquemment dans les Maritimes. Durant la guerre, il avait passé trois ans à Halifax et s'était senti attiré par la mer, les gens et la simplicité de leur mode de vie. Dans les années 40, l'une de ses retraites favorites était l'île du Cap-Breton où il peignait les petits villages, le matériel de pêche et la côte de l'île. Son *Village de pêcheurs en Nouvelle-Écosse*, probablement peint lors de son premier voyage en 1930, représente le port de Blue Rocks. Ce tableau révèle l'amour de Lismer pour les objets,

depuis les bateaux et les cabanes des pêcheurs jusqu'à tout cet attirail d'ancres, flotteurs et cages à homards. Il disait que ces objets symbolisaient l'essence même de la vie de ceux qui les avaient fabriqués. Leurs couleurs vives et leurs formes bizarres l'attiraient. «Ce sont de réelles abstractions, déclarera-t-il, qui prennent des positions naturelles.» Les remettre dans un arrangement de nature morte serait les tuer. J'aime trop la nature de ces choses pour vouloir les changer en quelque chose d'autre.» [6]

128.   Arthur Lismer
Village de pêcheurs en Nouvelle-Écosse,   1930
Huile sur toile   91.4 x 106.6 cm (36 x 42 po)
Galerie Nationale du Canada

129. J.E.H. MacDonald *Église au bord de la mer,* 1922 Huile sur carton 10.1 x 12.7 cm (4 x 5 po) Collection M. et Mme R. MacDonald, Toronto

Au printemps 1921, Jackson entreprit le premier de ses nombreux voyages sur la rive sud du Saint-Laurent. Il séjourna à Cacouna, village situé près de Rivière-du-Loup, où il prit d'abord pension dans une famille canadienne-française pour ensuite s'installer dans un petit hôtel de l'endroit. Après avoir fait des croquis seul pendant quelques semaines, il eut envie d'avoir de la compagnie et demanda à Albert Robinson de venir le rejoindre. L'arrivée de Robinson causa presque une commotion dans le petit village et bientôt, les deux peintres devinrent des figures légendaires dans la région. [7]

C'est au cours de ce voyage que Jackson fit des croquis pour *La route d'hiver* et Robinson pour *Le retour de la messe de Pâques* (aujourd'hui à l'Art Gallery of Ontario). Ce tableau de Jackson montre le même traitement abstrait et formel que ses tableaux d'Algoma de la même période. Cependant, l'atmosphère y est plus remarquable par le ton gris-mauve sombre. Les traces du traîneau s'élèvent à la verticale au centre du tableau, passent par une clôture démolie et suivent les buttes couvertes de neige jusqu'en direction du village. Les maisons sont en quelque sorte encadrées par les montants de la clôture et s'imposent sous la forme de triangles de couleurs différentes. Le rythme courbe de la première butte se répète à mi-distance et encore une fois à l'horizon, soulignant une composition axée sur le centre qu'on retrouve dans la plupart des tableaux de Jackson. Il en résulte dans l'ensemble un mélange inhabituel d'éléments contradictoires : la quiétude de l'atmosphère fait contraste avec le rythme courbe des buttes et l'à-plat des maisons avec le recul à travers une succession de plans.

En comparant *Neige fondante, Laurentides* de Robinson et *Début de printemps, Québec* de Jackson, on reconnaît une parenté dans la perception des deux peintres. D'une certaine manière, la façon dont Robinson traite son tableau est plus forte que celle de Jackson avec son utilisation de motifs abstraits et de couleurs riches. La chaleur des jaunes et des oranges vibrent contre la froideur des verts et des bleus, tandis que les touches de pinceau à plat donnent à l'ensemble une structure géométrique solide.

Jackson et Robinson revinrent sur la rive sud l'année suivante et demeurèrent à Bienville, juste en aval de Québec. L'année d'après, Jackson se rendit à Baie-Saint-Paul où venaient travailler un certain nombre de peintres montréalais. En 1914, il écrira à MacDonald : « M. et Mme Newton, Mabel May et Holgate sont attendus ici la semaine prochaine et, avec les Gagnon, Baie-Saint-Paul va devenir le plus vivant centre d'art du Canada. » [8]

En trente ans de visites au Québec, Jackson ne manquera d'y venir qu'une seule fois, au printemps 1925, parce qu'il enseignait alors à l'Ontario College of Art. L'année suivante, il revenait y faire des croquis en compagnie de Robinson. Chaque année, ses nombreux amis l'accueillaient et ses visites devinrent si régulières qu'on pouvait prédire le temps qu'il ferait rien qu'en connaissant la date de son arrivée. S'il venait plus tard, c'était la preuve indubitable que le printemps durerait longtemps. En 1927, il se rendit pour la première fois à Québec même avec le Dr Banting, le célèbre découvreur de l'insuline. Jackson se rappellera plus tard avec ravissement la vision de son ami Banting accroupi derrière une clôture, essayant de faire des croquis par un temps glacial et lui disant : « Et moi qui croyais que c'était une partie de plaisir ! » [9] Ce furent des années heureuses pour Jackson et son autobiographie est pleine d'anecdotes amusantes sur la vie qu'il y mena.

130. A.Y. Jackson *La route d'hiver, Québec,* 1921 Huile sur toile 53.3 x 63.5 cm (21 x 25 po) Collection Band, Toronto

131. A.Y. Jackson   *Début du printemps, Québec*
1923   Huile sur toile
53.9 x 66.6 cm (21¼ x 26¼ po)
Galerie Nationale du Canada

132.   Albert Robinson
Neige fondante, Laurentides,   1922
Huile sur toile 68.8 x 84.4 cm (27⅛ x 33¼ po)
Galerie Nationale du Canada

« *Jackson n'est pas un peintre moderne. Il ne professe aucun credo ni aucune parenté avec une école ou un « isme » quelconque. Il n'est pas un peintre citadin et ne propose aucune introspection d'atelier, ni ne décide soudainement de faire un tableau en fonction d'un réflexe mécanique, psychologique ou abstrait envers quelque chose de théorique ou un commentaire social donné. On ne trouve chez lui aucun reflet de la vitalité et de la signification de la peinture contemporaine. Ce qui veut dire que A.Y. Jackson n'est pas de ce type de peintre. Il est un œil qui voit à l'extérieur et non un esprit qui regarde à l'intérieur. Il peint au contact visuel de la nature et son champ de sélection et sa technique simplificatrice sont étonnamment vifs et pleins de vigueur. Cela vient d'une extraordinaire expérience d'analyse et de rejet et de l'utilisation des pigments ou des couleurs comme instrument en soi d'émotivité pour exprimer les textures, les formes plastiques et le caractère ambiant des choses vues. Il résoud la plupart des problèmes sur-le-champ grâce à son expérience et non pas au moyen d'une théorie ou d'une mode.* » [10]

133. A.Y. Jackson *Village québécois,* 1921 Huile sur toile 53.9 x 66 cm (21¼ x 26 po) Galerie Nationale du Canada

LES GRANGES DE JACKSON

Jackson exécuta un grand nombre de dessins, de croquis à l'huile et de toiles du Québec dans les années 20 et 30. Il se sentait plus à l'aise quand il peignait les paysages familiers du Québec avec ses collines moutonnantes et ses vieux bâtiments de ferme. On perçoit dans ces tableaux un naturel qu'on ne retrouve que rarement dans ceux qu'il a faits dans les autres régions du Canada. C'est Lismer qui dira : «Les tableaux de Jackson ne présentent aucun problème. Ils sont faciles à regarder et désarment tout de suite par leur simplicité.»[11] Cette facilité déconcertante cache sa force d'observation. C'est un peintre qui voit à l'extérieur et sa préoccupation est d'enregistrer le paysage en face de lui. Il simplifie, résume et instille à la scène son sens caractéristique du rythme.

D'ordinaire, il commençait par faire un croquis à l'huile afin de saisir la lumière et les tonalités du sujet. Puis, à l'inverse de la pratique habituelle, il faisait un dessin pour relever les principaux détails de la forme et de la composition, et qu'il annotait pour les couleurs. Ce dessin ne servait que de mémento pour la toile finale mais présentait souvent une plus grande liberté d'expression que le tableau terminé. À la fin de la saison, Jackson ramenait son cahier de croquis et ses études sur bois à Toronto et choisissait parmi eux ceux qu'il allait peindre. C'est ainsi que *Granges* (aujourd'hui dans la Collection McMichael) est le croquis à l'huile d'une toile bien connue qui se trouve à l'Art Gallery of Ontario.

Jackson transpose une grande diversité d'états d'âme dans ses tableaux malgré la similitude de ses sujets. Dans *Granges*, la douce ondulation des collines, des bâtiments et du ciel crée un rythme qui est léger et musical ; ce que renforce encore le contraste entre les couleurs chaudes et froides qui saisit bien l'effet donné par le soleil couchant en cette fin d'après-midi de printemps. On trouve un état d'âme complètement différent dans *Jour gris, Laurentides* où le rythme est heurté et les couleurs foncées et sombres. Les granges, avec leurs lignes irrégulières et leurs toits à angles, donnent une note de menace à l'ensemble.

JACKSON, LE VULGARISATEUR

Jackson s'acquit une très grande renommée à la fois par ses œuvres et par sa personnalité. On appréciait beaucoup ses tableaux parce qu'ils étaient de lecture directe et facile. En tant qu'être humain, on l'appréciait pour les mêmes raisons. Sa bonté et sa bonne humeur mettaient les gens à l'aise. Individualiste, il n'avait aucun des maniérismes du peintre citadin et pas le temps de s'occuper de problèmes philosophiques. Par-dessus tout, il aimait profondément le Canada et le plein air et n'était jamais aussi heureux que lorsqu'il partait dans les bois, montait en canoë ou sautait d'un rocher à l'autre le long du rivage de la baie Géorgienne. Il supportait toutes sortes de privations et l'inconfort de la mauvaise température mais prétendait en souriant qu'il était invincible pour autant qu'il pouvait goûter à la cuisine italienne qu'aimait préparer Harris.

La mission de Jackson fut de révéler le Canada aux Canadiens et, pendant un certain temps, il assuma le rôle de propagandiste du Groupe des Sept. Il voyagea partout au Canada pour y donner des entrevues et faire des déclarations fracassantes à l'intention des journaux. Il écrivit également de nombreux articles et plus tard publia son autobiographie sous le titre *A Painter's Country* (Un peintre et son pays). Même s'il a beaucoup contribué à nous faire connaître le Groupe des Sept, il n'en a pas moins répandu sans le vouloir bon nombre des idées fausses qu'on se fit sur ces peintres. Plus grave encore, bien qu'il en soit moins responsable, est le fait qu'il a fait croire aux gens que tous les membres du Groupe partageaient sa perception simplifiée de la peinture et de la vie.

134. A.Y. Jackson *Jour gris, Laurentides,* 1928 Huile sur toile 53.3 x 66 cm (21 x 26 po) Collection McMichael

135. A.Y. Jackson *Granges,* 1926 Huile sur bois 21.5 x 26.6 cm (8½ x 10½ po) Collection McMichael

136. A.Y. Jackson *Ferme à Tobin, près de Trois-Pistoles, Québec,* 1926 Crayon 21.2 x 26.3 cm (8⅜ x 10⅜ po) Galerie Nationale du Canada

134.

135.

136.

À l'automne 1929, Harris visita le Québec en compagnie de Jackson et les deux peintres firent des croquis sur la rive sud du Saint-Laurent. Impressionné par le phare de Pointe-au-Père, près de Rimouski, il en fit une étude qu'il peignit sur toile plus tard à Toronto. Le choix de son sujet et son exécution diffèrent grandement des toiles québécoises de Jackson car, à cette époque-là, Harris essayait d'exprimer des valeurs spirituelles dans sa peinture tout en se dirigeant vers une plus grande abstraction.

137. Lawren Harris
Le phare de Pointe-au-Père, 1930
Huile sur toile 106.6 x 127 cm (42 x 50 po)
Galerie Nationale du Canada

BAIE GÉORGIENNE La baie Géorgienne fut l'un des premiers paysages dont les Sept firent des croquis et où la plupart d'entre eux continuèrent de se rendre à partir de 1913. Dans les années 20, Jackson, Varley et Lismer travaillèrent beaucoup dans cette région. Ils avaient autour d'eux un paysage sauvage et primitif qui offrait d'infinies possibilités. On y trouvait de paisibles lagunes, des baies cachées et des milliers d'îles de toutes les grandeurs et de toutes les formes. Nombre d'entre elles n'étaient que de la roche dénudée avec quelques arbres battus par les vents. Ce genre de paysage offrait aux peintres un milieu idéal tant pour eux-mêmes que pour leurs tableaux. Ils y vivaient comme d'intrépides coureurs des bois qui exploraient le Nord tout en bravant la rigueur de son climat. De cette manière, ils pouvaient en saisir tous les éléments dramatiques qui leur permettaient de transposer la terre canadienne dans leurs tableaux.

138. A.Y. Jackson *La nuit, île des Pins,* 1921 Huile sur toile 64.1 x 81.2 cm (25¼ x 32 po)
Collection McCurry

« *Une fascination indéniable se dégageait de ces îles dénudées, probablement inhérente à la lutte manifeste des lignes entre elles, peut-être par leur éloignement et leur sourde résistance à l'empiètement de l'homme... Le calme serein du matin pouvait se changer en des eaux agitées, dans l'après-midi. C'est une région d'une grande beauté et de contrastes frappants ; elle peut être émouvante ou romantique ; elle est toujours provocante... Il semble naturel que cette région attire ceux qui aiment l'aventure.* » [12]

139.   A.Y. Jackson   *Début du printemps, baie Géorgienne,*   1920
Huile sur toile   53.9 x 66 cm (21¼ x 26 po)   Galerie Nationale du Canada

140.   A.Y. Jackson   *Baie Géorgienne, novembre,*   vers 1921
Huile sur toile   66 x 81.2 cm (26 x 32 po)   Hart House, Université de Toronto

JACKSON

Après la guerre, Jackson retourna à la baie Géorgienne pendant l'hiver 1920 pour voir comment elle était quand il n'y avait personne. *Début du printemps, baie Géorgienne* est un tableau peint après ce voyage. Il révèle l'intérêt que Jackson portait alors aux motifs décoratifs en à-plat. Les bleus froids font contraste avec les orange chauds et les vert-olive foncés. Bien que la profondeur donne une impression de recul, le résultat obtenu est bidimensionnel et ornemental. L'eau, l'île, les arbres et le ciel forment de grandes bandes horizontales et en à-plat que relient les jeunes pousses et les pins. Jackson utilise souvent cette technique dont on trouve l'origine chez les symbolistes comme Gauguin, Émile Bernard et Maurice Denis. [13]

Jackson a fréquenté la baie Géorgienne presque autant que le Québec car, toute sa vie, il s'y rendit d'innombrables fois. Comme au Québec, il s'efforçait principalement de saisir les nombreux états d'âme de la baie, depuis les belles nuits d'été jusqu'aux fougueuses tempêtes de printemps. Dans *Tempête de mars, baie Géorgienne*, le ciel tourmenté dégage une atmosphère menaçante qui est accentuée par les pins pliant sous le vent, à la ligne d'horizon, et par les eaux agitées d'un vert foncé. Ce tableau est l'un de ceux où il a utilisé des tons foncés pour exprimer un état d'âme mais, dans *Jour de vent, baie Géorgienne*, il s'est servi de traits de crayon dans le même but. Ici, le mouvement cyclonal est déterminé par la forme ramassée et tendue du pin et par la souche qu'on voit au centre de la composition. Le tracé du crayon devient ensuite plus libre et suggère une impression de mouvement sur toute la surface du dessin.

141. A.Y. Jackson   *Jour de vent, baie Géorgienne*,   vers 1925
Crayon   18.4 x 27.9 cm (7¼ x 11 po)   Collection McMichael

142. A.Y. Jackson   *Première neige, baie Géorgienne*,   1920
Huile sur toile   53.3 x 66 cm (21 x 26 po)   Collection Canada Packers

«*Il a peint la baie Géorgienne en toutes saisons et sous presque tous ses aspects; depuis ses grands espaces ébouriffés par un bon vent jusqu'à ses chenaux les plus reculés avec leur délicate dentelle de printemps. Dans les rochers doucement arrondis, il voyait des couleurs, du rythme, de la lumière et de l'ombre qu'il ne se lassait jamais de découvrir. Il campait sur des îles loin du rivage, partait en quête de silhouettes de pins et les environnait de sorcellerie nocturne.*»[14]

143. A.Y. Jackson *Tempête de mars, baie Géorgienne,* 1920 Huile sur toile 63.5 x 81.2 cm (25 x 32 po)
Galerie Nationale du Canada

JACKSON À PROPOS DE LA BAIE GÉORGIENNE

«*Chaque vent amenait son propre changement de couleur: le vent du nord qui aiguise le contour des formes et qui apporte à l'horizon des mirages d'îles; le vent du sud qui transmute les bleus en gris et en bruns et qui pousse l'eau sur les battures; le vent d'ouest qui est le plus beau de tous, plein de vie et de mouvement; seul le vent d'est semble tuer toute envie de peindre, mais jamais pour longtemps.*» [15]

La fascination qu'exerçait la baie Géorgienne sur Lismer remontait à la première visite qu'il rendit au Dr MacCallum en septembre 1913. Lors de ses premiers essais pour la peindre, comme dans son croquis *Baie Géorgienne* (aujourd'hui à la Galerie Nationale du Canada) qu'il fit en 1913, il chercha à transposer les effets du soleil brillant à travers les nuages et se reflétant sur l'eau. Les masses du sol sont pauvrement exécutées et on n'y trouve à l'avant-plan aucun élément de contraste.

Trois ans plus tard, lorsqu'il peignit *Une rafale d'ouest, baie Géorgienne,* il avait fait de grands progrès techniques. Dans ce tableau, il part d'une basse ligne d'horizon à une autre beaucoup plus haute et dépeint un avant-plan bien défini avec des pins tordus et des rochers. La rafale souffle de gauche à droite à travers le tableau et ce mouvement est contrecarré par la contre-poussée du pin à gauche. On trouve dans ce tableau tous les futurs éléments de *Bourrasque de septembre* mais aucun d'entre eux n'y est développé avec sa pleine force d'expression.

En 1921, Lismer peignit plusieurs tableaux qui préfiguraient *Bourrasque de septembre.* Dans l'un d'eux, un croquis intitulé *Pluie dans le Nord,* il réussit à saisir toute la puissance de la bourrasque au moyen de coups de pinceau vigoureusement appliqués, de couleurs dramatiques et de formes structurées. Sur la gauche, le pin qui plie sous le vent et la pluie battante forment une diagonale qui part d'en bas à droite jusqu'au coin supérieur gauche. Si on relie cette ligne aux coups de pinceau appliqués en diagonale dans l'autre direction, on voit qu'il se forme un «X». Lismer a utilisé cette technique avec encore plus de succès dans *Bourrasque de septembre.*

144. Arthur Lismer   *Pluie dans le Nord,*   vers 1920
Huile sur bois   22.2 x 30.7 cm (8¾ x 12⅛ po)   Collection McMichael

145. Arthur Lismer   *Une rafale d'ouest, baie Géorgienne,*   1916
Huile sur toile   64.7 x 80 cm (25½ x 31½ po)   Galerie Nationale du Canada

On ne connaît pas grand-chose des randonnées que fit Varley à la baie Géorgienne ni de son cheminement pour en arriver à son célèbre *Temps d'orage, baie Géorgienne* (aujourd'hui à la Galerie Nationale). Cependant, un tableau comme *Vent et soleil* montre qu'il eut beaucoup de difficulté à transposer les effets de vent et d'eaux agitées. Un autre croquis, intitulé *Temps d'orage, baie Géorgienne* (aujourd'hui dans la Collection McMichael), est bien mieux réussi. Il se sert de la même technique que Lismer à l'aide de diagonales fortement marquées pour créer un mouvement de force qui va de gauche à droite sur le croquis. Les couleurs de terre et les coups de pinceau vigoureux ajoutent à cette atmosphère de tempête.

146.   F.H. Varley   *Temps d'orage, baie Géorgienne,*   vers 1920
Huile sur bois   21.5 x 26.6 cm (8½ x 10½ po)   Collection McMichael

147.   F.H. Varley   *Vent et soleil,*   vers 1920
Huile sur carton   27.9 x 34.6 cm (11 x 13⅝ po)   Galerie Nationale du Canada

À l'automne 1920, Lismer et Varley faisaient des croquis dans les environs du cottage du Dr MacCallum, à la baie Go Home. Un jour, en fin d'après-midi, ils se disputèrent sur le choix du meilleur endroit à peindre. Varley se rendit à un autre bout de l'île pour faire son croquis.[16] De retour à Toronto, ils peignirent chacun une toile de ses croquis. Ce furent *Temps d'orage* de Varley et *Bourrasque de septembre* de Lismer. Ces deux tableaux traitent du même thème qu'on retrouve dans *Vent d'ouest* de Thomson mais chaque peintre y a ajouté sa touche personnelle. Ces trois œuvres sont parmi les plus célèbres de la peinture canadienne et sont devenus le symbole du Nord. Selon Jackson, elles sont «les trois plus beaux tableaux jamais peints au Canada».[17]

Le *Temps d'orage* de Varley est plus spontané que le tableau de Lismer. Sa composition est plus simple avec une vue plongeante depuis le pin sur la grande étendue de la baie. Le rythme libre des vagues à droite se continue dans les branches de l'arbre pliant sous le vent. Varley a très bien réussi le traitement de la baie qui fait contraste avec les touches épaisses de peinture à l'endroit où l'eau est agitée par rapport à l'eau calme plus loin. Dans le lointain, le soleil couchant brille à travers les nuages sombres, tandis que l'orage passe. L'impression qui s'en dégage est lyrique mais pleine de force et

148. F.H. Varley *Temps d'orage,* 1920 Huile sur toile 132 x 162.5 cm (52 x 64 po) Galerie Nationale du Canada

c'est un résultat remarquable pour quelqu'un qui ne se considérait pas comme un paysagiste.

Bourrasque de septembre est une scène rapprochée de la tempête battant son plein. Au lieu d'une vision dans le lointain de la fin de l'orage, Lismer nous amène devant les vagues pour nous faire sentir toute la force des éléments. À l'inverse de Varley, Lismer contrôle beaucoup son pinceau et ses lignes. Les couleurs sont plus encadrées par des formes bien définies qui suggèrent toute la violence de l'orage. Chaque élément de la composition contribue au dynamisme de l'ensemble. Les arbres et l'herbe au premier plan plient sous la force du vent et les formations rocheuses répètent le même motif. Les vagues ont un rythme puissant et délibéré, allant de droite à gauche, que renforcent les arbres épars sur l'île et dont la silhouette se détache contre le ciel plein de turbulences. Cependant, c'est le « V » que forment les pousses d'herbe et les branches du grand arbre qui expriment toute l'intensité de la tempête, dirigeant l'œil comme une flèche vers la gauche du tableau. Lismer a contrarié ce mouvement avec habileté en donnant à la partie supérieure de l'arbre une autre direction et en dotant d'une forme angulaire les rochers à fleur d'eau. Le jeu de ces forces opposées donne cette tension qui rend ce tableau si vivant.

149.   Arthur Lismer   *Bourrasque de septembre, baie Géorgienne,*   1921
Huile sur toile   121.9 x 162.5 cm (48 x 64 po)   Galerie Nationale du Canada

DÉBRIS DE PINS, BAIE McGREGOR

Lismer retourna bien des fois à la baie Géorgienne dans les années qui suivirent et on peut suivre le cheminement de son style au travers de ses tableaux sur cette région. À l'époque de *Débris de pins, baie McGregor*, son style se dirigeait vers un traitement encore plus audacieux de la couleur et de la forme. Le motif du premier plan devient le point central avec une grande insistance sur les rochers massifs, les arbres tordus et la végétation. Les couleurs vivement appliquées sont contenues à l'intérieur de formes bien délimitées. C'est un tableau plein de force, sans beaucoup de légèreté du pinceau, contrairement à ses dessins et croquis de la même période qui sont plus subtils et plus raffinés.

150. Arthur Lismer *Silhouette du soir,* 1916
Huile sur bois 32.3 x 40.6 cm (12¾ x 16 po)
Collection McMichael

151. Arthur Lismer *Pins, baie Géorgienne,* 1933
Encre 27.9 x 38.1 cm (11 x 15 po)
Art Gallery of Ontario

152.   Arthur Lismer   *Débris de pins, baie McGregor,*   1929   Huile sur toile   82.5 x 107.9 cm (32½ x 42½ po)
Art Gallery of Ontario

Durant cette période, Lismer consacra de plus en plus de temps à l'enseignement de la peinture. Nommé directeur adjoint de l'Ontario College of Art en 1919, il occupa ce poste pendant huit ans malgré un désaccord constant avec George Reid qui en était le directeur. L'enthousiasme qui était la caractéristique de Lismer l'entraîna dans des luttes continuelles avec la vieille garde qui s'efforçait de freiner ou d'ignorer les changements et les réformes qu'il tentait d'instituer. Il avait une conscience aiguë du but qu'il poursuivait et ne pouvait supporter de voir la perte de potentiel humain provoquée par un enseignement terne et le manque de discipline.

Après des années de frustrations, Lismer démissionna en 1927 de l'Ontario College of Art pour devenir directeur de l'enseignement à l'Art Gallery of Toronto où il resta onze ans. C'est à ce poste qu'on reconnut enfin la valeur de ses innovations dans l'enseignement de l'art aux enfants. Il s'y était intéressé surtout depuis une exposition de peintures d'enfants qu'il avait fait venir à Toronto en 1927. Franz Cizek, célèbre éducateur autrichien, qui avait déjà monté de nombreuses expositions itinérantes en Europe, avait mis sur pied cette exposition. Cizek avait obtenu du succès en faisant reconnaître la peinture d'enfants comme forme d'art pictural valable. Pour sa part, Lismer allait pousser cette idée encore plus loin. Il pensait que le but d'enseigner la peinture aux enfants n'était pas d'en faire des artistes mais de leur apprendre à se servir de leurs yeux et de prendre conscience de la beauté qui les entourait. Peindre devait être l'art dans la joie, un moyen d'expression et la découverte de nouvelles expériences. Lismer dira à propos de l'exposition Cizek : « elle a frappé l'imagination du public *et la mienne* et nous a fait une démonstration éblouissante de ce que les enfants peuvent faire *si on les guide* ». [18] Il fonda son propre centre d'art pour enfants à l'Art Gallery of Toronto, et obtint beaucoup de succès alors que 500 jeunes en suivirent les premiers cours.

La préoccupation de Lismer, quant à l'enseignement de la peinture, se portait tout autant sur les adultes que sur les enfants et il s'y consacra avec un zèle presque missionnaire. Pendant les années 20, il donna des conférences à de nombreux groupements en Ontario et, en 1932, reçut une invitation pour faire une tournée dans l'Ouest, pour le compte de la Galerie Nationale du Canada. C'était l'idée de son ami Eric Brown qui avait essayé, sans succès, de faire nommer Lismer au poste de conservateur de l'art canadien à la Galerie Nationale. Lismer rédigea un certain nombre de conférences traitant sur des sujets comme « The necessity of Art (Nécessité de l'art) », « Canadian Painting of Today (La peinture canadienne d'aujourd'hui) » et « Art in Canada (L'art au Canada) ». Il les donna devant des publics nombreux depuis Winnipeg jusqu'à Victoria et les complétait par des entrevues d'information avec des groupes, centres d'art et quiconque voulait bien l'écouter. Cette tournée obtint un succès surprenant et permit à de nombreux Canadiens de l'Ouest de faire, pour la première fois, connaissance avec l'art moderne.

L'infatigable Lismer était parti en croisade à la défense de la peinture afin de convaincre les gens que l'art et la beauté avaient le pouvoir de transformer et de magnifier la vision de l'homme. Il pensait que les Canadiens étaient pris dans « l'étreinte glacée de l'acquisivité » et il était bien résolu à vaincre leur apathie et leur ignorance. [19] Tel qu'il le voyait, le Canada ne pourrait devenir un pays vraiment civilisé que s'il développait sa pensée artistique et sa culture. En tant que pays jeune, il lui fallait partir en quête d'idéaux plus élevés s'il voulait devenir un jour une nation forte et indépendante.

Par-dessus tout, Lismer était un personnage au caractère indépendant, qui avait des idées bien arrêtées et beaucoup d'humour pour les soutenir. Harris, qui était son ami intime, le décrira comme « un homme très sensible, d'une grande force et très actif, avec un esprit très vif ». [20] Généralement, il aimait les gens, mais il ne supportait pas la prétention, la paresse et l'étroitesse d'esprit et pouvait être très dur envers ceux qui possédaient ces défauts. L'art, affirmait-il, a le pouvoir d'amener une plus grande compréhension entre les hommes.

L'art est un dénominateur commun d'entente entre les hommes bien plus fort que la race, la religion, l'histoire ou la personnalité. L'art nous unit plus que toute autre activité humaine. [21]

153. B.B. (Bertram Brooker ?)
Croquis d'Arthur Lismer, vers 1925
Crayon Collection McMichael

154. Arthur Lismer   *Iles aux épinettes,*   1922   Huile sur toile   119.3 x 162.5 cm (47 x 64 po)   Hart House, Université de Toronto

ALGOMA, DERNIÈRE PHASE

Le premier voyage du Groupe à Algoma en 1918 fut suivi d'autres tous les ans jusqu'en 1921. Harris fut le seul à y participer à chaque fois. MacDonald et Johnston ne s'y rendirent pas la dernière année et Jackson manqua seulement la première randonnée. Lismer alla à Algoma pendant quelques semaines avec Jackson et Harris à l'automne 1921 mais en revint assez rapidement pour commencer à enseigner à l'Ontario College of Art. En plus de ces randonnées d'automne, il y eut aussi quelques excursions effectuées par Jackson, Harris et Lismer au printemps 1920 et 1921 après les vernissages des expositions du Groupe.

Pendant les deux ou trois premières années, les peintres eurent à leur disposition le célèbre fourgon mais, par la suite, ils vécurent dans des cabanes en rondins ou campaient dehors. À la fin de la randonnée de 1921, ils sentirent qu'ils avaient épuisé leur sujet et partirent en quête de nouvelles régions à peindre. C'est après ce dernier voyage que Harris et Jackson s'en allèrent sur la rive nord du lac Supérieur qui allait remplacer Algoma comme leur endroit favori pour y faire des croquis.

À l'époque où Johnston faisait son dernier voyage à Algoma en 1920, il peignait avec une démarche plus ornementale. Un an plus tôt, Barker Fairley avait parlé de «sa complète adaptation de la technique pour ses fins artistiques» et fait la remarque qu'«il serait intéressant de voir s'il continuera dans sa veine actuelle d'une ornementation luxuriante ou s'il se soumettra avec plus de patience au paysage devant lui pour viser quelque chose de plus profond».[23] Fairley avait conclu en disant que «son style actuel attire et fatigue tout de suite en même temps», ce qui montre à la fois la grande force de Johnston et aussi sa grande faiblesse.

Johnston était un dessinateur hors pair mais il se préoccupait plus des effets décoratifs qu'il recherchait consciemment. Il écrira une fois à sa femme: «Les détails qu'on trouve dans cette région suggèrent un millier de thèmes décoratifs et bien sûr, l'ensemble est aussi beau que le détail.»[24]

La *Forêt sombre* est un tableau dont la composition est semblable à la *Forêt à Algoma* et MacDonald et à la *Rivière Montréal* de Harris, exécutés en même temps. Mais Johnston s'est servi de gouache au lieu d'huile, ce qui donne un effet différent. Les tons sont plus subtils et plus assourdis et la surface est en à-plat et douce, contrairement à la riche texture et aux couleurs vives des deux autres tableaux.

155. J.E.H. MacDonald *Forêt à Algoma,* 1920 Huile sur bois 21.5 x 26.6 cm (8½ x 10½ po) Collection McMichael

156. Lawren Harris *Rivière Montréal,* 1920 Huile sur bois 26.6 x 34.9 cm (10½ x 13¾ po) Collection McMichael

HARRIS À PROPOS D'ALGOMA

«Nous y travaillions depuis l'aube jusqu'à ce qu'il fasse nuit, en plein soleil, par temps couvert ou sous la pluie. Le soir, sous la lampe ou à la lueur d'une bougie, chacun montrait ses croquis aux autres. C'était l'heure des critiques, des encouragements et des discussions. C'était l'heure de raconter nos découvertes en peinture, nos idées sur les divers aspects du paysage, et de nous décrire les différences qui existaient entre chaque partie du pays. C'est ainsi, par exemple, que nous trouvâmes que la richesse et le coloris des forêts d'Algoma faisaient paraître ternes et assourdies les couleurs du sud de l'Ontario. Nous trouvâmes que les formations de nuages et les rythmes particuliers de chaque région étaient différents d'une saison à l'autre. Nous trouvâmes aussi que les ciels au-dessus du lac Supérieur, dans leur grandeur chantante et leur sublimité, n'existaient nulle part ailleurs au Canada.»[25]

157. Frank Johnston   *Forêt sombre,*   vers 1921   Gouache sur masonite   55.8 x 46.6 cm (22 x 18⅜ po)   Art Gallery of Ontario

« Bien que la mauvaise publicité reçue ne nous préoccupait pas, elle n'en eut pas moins une conséquence immédiate : Frank Johnston démissionna du Groupe. Sur le plan financier, il avait du mal à gagner sa vie avec la peinture. »[26]

Par cette déclaration, A.Y. Jackson écarte sommairement Johnston de la scène et donne la version traditionnelle de son retrait du Groupe en 1920. Mais, à l'ouverture de la première exposition du Groupe, la seule à laquelle Johnston ait participé, il reçut non des critiques sévères mais des éloges. Dans un article, on dira que « M. Johnston emploie de belles couleurs mais, plus que toute autre chose, ses tableaux sont ornementaux et pleins d'imagination ».[27] Ailleurs, on lira qu'« il a une vision extraordinaire et une imagination qui n'est pas submergée trop souvent par la métaphysique ».[28] Bien plus, au lieu de perdre de l'argent par suite de son appartenance au Groupe, Johnston vendit à la Galerie Nationale le tableau le plus cher qu'il présenta à cette exposition, *Incendié, Algoma*, soit 750 $.

Quelques mois après l'exposition du Groupe, Johnston exerça son indépendance en présentant une importante exposition d'environ 200 tableaux à la galerie de chez Eaton. Ce fut un immense succès et Johnston devint le favori des critiques, très probablement au grand désappointement et à l'envie des autres membres du Groupe. À l'automne 1921, il s'en alla à Winnipeg pour y occuper les fonctions de directeur de l'école d'art de cette ville. Son arrivée eut un grand impact sur le milieu artistique de cette ville.[29] Par la suite, il présenta une exposition de 320 de ses tableaux à l'Art Gallery, la plus grande jamais montée à Winnipeg.

Lorsqu'il revint trois ans plus tard à Toronto, Johnston fit les manchettes des journaux avec sa démission du Groupe des Sept. Il expliquera sa position dans une entrevue à la presse :

Je n'ai jamais été membre de l'École des Sept en ce sens que je n'ai jamais prêté serment d'allégeance envers cette fraternité de peintres ni que je n'ai souscrit à une doctrine rigide. Ils étaient mes amis. J'ai partagé leur enthousiasme pour de nouvelles idées et de nouvelles méthodes. J'ai exposé avec eux, il y a quelques années, lorsqu'ils décidèrent de présenter un front uni face à la critique.[30]

Johnston prétendait qu'il avait arrêté d'exposer avec le Groupe parce qu'il voulait faire cavalier seul en matière d'exposition et non parce qu'il était en désaccord avec lui. Ce qui était bien dans son caractère car c'était un homme doué d'une grande volonté et d'une grande ambition. Il était bien résolu à procurer à sa famille une vie confortable et travailla beaucoup pour y arriver. Lorsqu'il démissionna du Groupe, on le considéra comme traître à la cause et qu'il s'était vendu pour gagner de l'argent. Bien qu'il ait peint de nombreux tableaux d'envergure à Algoma et qu'il ait occupé une place importante au sein du Groupe des Sept avant 1921, on le mit tranquillement à l'écart. Il est dommage que les tableaux que Johnston exécuta par la suite n'ait pas eu la même vigueur que les précédents car il aurait pu mieux se défendre contre les accusations du Groupe. En 1927, il alla même jusqu'à changer son prénom pour celui plus exotique de Franz et travailla alors surtout pour les galeries d'art de grands magasins.[31] Il fut toujours un excellent dessinateur et il remporta un grand succès financier mais s'éleva rarement au-dessus de l'anecdote et de l'ornementation.

158.   Frank Johnston   *Le garde forestier,*   vers 1920   Huile sur toile   121.9 x 152.4 cm (48 x 60 po)   Galerie Nationale du Canada

«*Je pense toujours qu'Algoma, c'est le pays de MacDonald. C'était un homme calme et peu aventureux qui était incapable de nager, de pagayer, de manier la hache ou de s'y retrouver dans les bois. Le paysage d'Algoma l'émerveillait tout en l'étonnant et ses tableaux en portent la trace. Il aimait peindre des panoramas comme* Terre solennelle, Fantaisie de brume, Rayons de soleil sur les collines, *tels étaient les titres de quelques-uns de ses tableaux.* »[32]

TERRE SOLENNELLE DE MacDONALD

MacDonald était profondément sensible aux paysages d'Algoma. Contrairement à ses amis Jackson et Harris qui étaient de bons coureurs de bois, MacDonald était de frêle constitution. On dirait qu'il trouvait sa force dans les montagnes sauvages, les lacs cachés et les ciels tourmentés car c'est lui qui les peignit avec le plus de vigueur. À l'époque de son deuxième et troisième voyage à Algoma, sa technique avait atteint une assurance qu'il s'efforça de transmettre dans ses tableaux, en particulier *Terre solennelle*.

Les premières études que fit MacDonald pour *Terre solennelle* remontent à 1919 alors qu'il exécutait des croquis le long de la rivière Montréal mais ce n'est qu'en 1921 qu'il en fit une toile. Un examen de l'un de ses premiers croquis et d'une photographie de l'endroit montre qu'il a fidèlement respecté la topographie du sujet. Dans son croquis, les couleurs qui prédominent sont les jaunes vifs de la fin de l'automne et les bleus calmes du ciel et de l'eau. Il a toute la fraîcheur d'une étude d'après nature et n'est en rien dramatique.

La toile finale offre un contraste frappant tant avec le croquis que la photographie. Le ciel est couvert de gros nuages sombres dont la masse semble oppresser le lac. La grande falaise plonge d'un seul bloc dans l'eau, éclairée par les rayons du soleil à travers les nuages. Derrière, on distingue des collines de ton pourpre foncé. La forme des collines et des promontoires est simplifiée et les contours exagérés pour donner rythme et mouvement. Ils donnent une impression de perspective profonde car la vision part de la courbe de l'arbre rouge à l'avant-plan jusqu'au point focal de la falaise, puis vers les montagnes dans le lointain pour revenir le long du rivage escarpé à droite.

Terre solennelle est l'aboutissement d'un long cheminement méthodique de tableaux plus anciens comme *Solitude nordique* de 1913 ou *Éléments* de 1916. En rompant avec les scènes ornementales à surface plane des premiers tableaux d'Algoma, MacDonald crée un style de paysage aux formes simplifiées, imprégné de couleurs solides et d'un état d'âme expressif. En atteignant ce but et en rejetant le naturalisme, MacDonald suit le chemin déjà tracé par les symbolistes européens.

Bien que sa conception reprenne celle d'artistes européens antérieurs, il n'en avait pas conscience.[33] Il était plutôt inspiré par une philosophie plus élargie et par ses lectures de Whitman, de Thoreau et autres transcendantalistes américains. MacDonald connaissait ces écrivains suffisamment bien pour en donner des conférences et ils influencèrent profondément sa propre conception de la peinture et de la nature.[34] Les transcendantalistes croyaient que l'homme ne pouvait se dépasser qu'avec la contemplation de la nature. C'est par le truchement de la nature que l'homme pouvait atteindre un idéal plus haut et plus spirituel pour, en fin de compte, s'identifier à elle.

MacDonald s'efforça de transposer dans ses tableaux son moi intérieur et de dépasser le naturalisme. Dans une conférence qu'il donna en 1929 sur «Relation of Poetry to Painting (La poésie en relation avec la peinture)», il dira: «Un tableau n'est pas le reflet de quelque chose qu'on a vu mais un amalgame de sentiments que perçoit l'artiste en voyant les choses, ce qui — selon son talent — donne une impression plus concentrée que n'en peuvent offrir les objets naturels.»[35]

«*Embrasser l'espace!*
Sa plénitude qui ne connaît pas de limites;
Faire partie du ciel, du soleil,
De la lune et des nuages; être comme eux.»
(WHITMAN)

159.   Le site de *Terre solennelle*. Photo de la rivière Montréal prise selon les indications de J.E.H. MacDonald,   vers 1920.
160.   J.E.H. MacDonald   *Terre solennelle*   (croquis),   1919   Huile sur bois   21.5 x 26.6 cm (8½ x 10½ po)
Collection S.C. Torno, Toronto
161.   J.E.H. MacDonald   *Terre solennelle,*   1921   Huile sur toile   121.9 x 152.4 cm (48 x 60 po)   Galerie Nationale du Canada

162.   J.E.H. MacDonald   *Baies de sorbier,*   1922   Huile sur toile   76.2 x 88.9 cm (30 x 35 po)   Collection M. et Mme. W.A. Manford, Toronto

Les paysages d'Algoma livrèrent à MacDonald de nombreux états d'âme. Il pouvait passer d'un panorama comme celui de *Forêt sauvage* à une vision plus intime de la nature comme *Baies de sorbier* ou encore à une scène poétique avec clair de lune dans *Le Lac, soir d'octobre*.

La *Forêt sauvage* est l'un des tableaux les plus impressionnants que MacDonald fit à Algoma, et décrit avec beaucoup de profondeur le paysage sauvage et vierge. Pendant de nombreuses années, ce tableau fut connu sous le titre de *Tapisserie d'Algoma* à cause de ses riches couleurs flamboyantes. MacDonald a utilisé pour l'occasion une technique directement inspirée de Van Gogh et qu'on retrouve également dans plusieurs autres tableaux de cette période : pour peindre les bois de l'avant-plan, il a appliqué le rouge en petites touches en forme de virgule. Cependant, cette technique s'insère avec naturel dans le style de MacDonald et n'enlève rien à son approche du sujet.

Baies de sorbier nous fait revenir aux espaces encadrés de *Feuilles dans le ruisseau* mais avec une nouvelle perception de la globalité de la nature. Les grappes de baies rouges créent un rythme dansant à l'avant-plan où l'on voit un ruisseau couler de droite à gauche. La forme des rochers est simplifiée et peinte avec des coups de pinceau francs, ce qui ajoute encore au rythme. À l'avant-plan, des taches de rouge et de bleu pur se trouvent juxtaposées pour montrer les reflets du soleil et des baies dans le ruisseau.

Le premier plan du *Lac, soir d'octobre*, avec ses buissons rouges et ses épinettes noires, est richement traité et forme un écran qui donne du recul au lac et aux montagnes derrière. La lune projette un éclairage olivâtre sur le paysage qui renforce la quiétude et l'immobilisme de la scène.

163.

164.

163.   J.E.H. MacDonald
Le lac, soir d'octobre,   1922
Huile sur toile   53.3 x 66 cm (21 x 26 po)
Collection Canada Packers

164.   J.E.H. MacDonald   *Forêt sauvage,*   1921
Huile sur toile   121.9 x 152.4 cm (48 x 60 po)
Collection McMichael

À cette époque, bon nombre des tableaux de MacDonald relèvent d'une stylisation et d'une simplification qui confinent à l'abstraction pure. Un superbe exemple en est le croquis de *Fantaisie de brume* où le ciel, la terre, l'eau et les nuages se marient harmonieusement dans une composition générale qui est libre comme un geste spontané. [37] De larges bandes horizontales de couleur sont rehaussées de taches expressionnistes rouge vif et vert-olive, dont le point culminant est le magnifique traitement spontané donné à l'arbre. On ressent immédiatement l'impact et le rythme dynamique de la scène qui font de ce croquis l'un des plus intéressants de MacDonald.

Le tableau final est plus contraint et plus consciemment décoratif que le croquis mais il en conserve le rythme et la poésie. Les couleurs sont encloses à l'intérieur de formes bien définies et nettement découpées, à la manière des symbolistes européens. [38] Ces derniers avaient utilisé cette technique dans leur quête d'expression d'états d'âme et d'émotions par l'entremise d'une approche ornementale de la nature. Dans le tableau de MacDonald, on décèle un universalisme qui fait oublier tout ce qui a précédé.

165.   J.E.H. MacDonald   *Fantaisie de brume, rivière Sand, Algoma,*   1920
(Croquis) — Huile sur carton   21.5 x 26.6 cm (8½ x 10½ po)   Galerie Nationale du Canada

En 1922, MacDonald termina le dernier de ses tableaux d'Algoma, mettant ainsi fin à la phase la plus productive de sa carrière. Un an plus tôt, il avait commencé à enseigner à l'Ontario College of Art, ce qui restreignait beaucoup le temps qu'il pouvait consacrer à la peinture mais lui apportait des revenus dont il avant grand besoin. Il continua également de travailler comme artiste commercial et prit des contrats de décoration notamment pour l'église Ste-Anne et les Appartements Claridge. [39] Durant les mois d'été, il voyagea en Nouvelle-Écosse en 1922, dans les Rocheuses en 1924 et chaque année par la suite jusqu'en 1930.

Les autres membres du Groupe des Sept admiraient et respectaient MacDonald. Il était leur aîné et leur prodiguait constamment aide et encouragement. On le considérait un peu comme un saint. Il se dépensait sans cesse pour démontrer au public que le Canada méritait d'avoir sa propre tradition paysagiste, et pour défendre les artistes de Toronto contre la critique. Il fut aussi le premier à instiller un esprit purement canadien dans ses œuvres qui, en fin de compte, sont les plus marquantes.

On a souvent appelé MacDonald le poète du Groupe mais il était bien plus encore. En plus d'écrire des poèmes et d'interpréter les idées de Thoreau, Whitman et autres, il s'intéressait à de nombreux autres domaines. Selon son fils, Thoreau MacDonald, il était «l'un de ces esprits universels qui s'intéressent à tout, depuis la musique des sphères ou la fraternité humaine jusqu'à la culture des pommes de terre ou la fabrication des manches de hache ». [40] Derrière l'image du poète rêveur se cache donc un personnage riche en ressources intérieures et doté d'une intelligence très éveillée.

166.   J.E.H. MacDonald   *Fantaisie de brume, rivière Sand, Algoma,*   vers 1922   Huile sur toile   53.6 x 66.6 cm (21⅛ x 26¼ po)   Art Gallery of Ontario

À la fin de l'automne 1921, après le dernier voyage à Algoma, Harris et Jackson se rendirent sur la rive nord du lac Supérieur, en direction de Thunder Bay. Cette région impressionna tellement Harris qu'il y retourna chaque automne avec ses amis dans les années qui suivirent. C'était un endroit qui différait beaucoup du paysage tourmenté de la région d'Algoma. On y ressentait une impression de grands espaces ouverts avec des chaînes de montagnes doucement arrondies et toujours la vaste étendue du lac et du ciel. Harris fut très impressionné par ce ciel qui « n'existait pas ailleurs au Canada ». [41] Si Algoma avait été le pays de MacDonald, le lac Supérieur était maintenant celui de Harris. Il était sensible à la nudité et à la profondeur du paysage dont la simplicité correspondait aux tendances qu'il donnait alors à sa peinture.

Les origines sociales de Harris avaient préparé le terrain dans sa quête d'idées et de valeurs spirituelles. Son grand-père et deux de ses oncles étaient de distingués hommes d'Église et sa famille était particulièrement riche et raffinée. Quand il était jeune, il fit plusieurs voyages en Europe et, dans la vingtaine, passa plusieurs hivers en Allemagne pour y étudier la peinture. Il avait un esprit toujours en mouvement et, s'intéressant à tout, il assistait à de nombreux concerts et lisait beaucoup d'ouvrages philosophiques.

De retour à Toronto, il se lia d'amitié avec MacDonald et, généralement, tous deux parlaient beaucoup plus littérature que peinture. Par l'entremise de l'Arts and Letters Club, il fit la connaissance de Roy Mitchell, le premier directeur de Hart House Theatre qui l'initia à la pensée et à la philosophie orientales. Il lisait avec passion les poètes nationalistes irlandais : Yeats, Synge, Æ (George Russell) aussi bien que des théosophes comme Mme Blavatsky, Ouspensky et Spengler. [42] Bien que ces auteurs nous semblent ésotériques aujourd'hui, ils étaient alors très à la mode dans les milieux culturels de Toronto. Un certain nombre des amis de Harris étaient théosophes et tous les membres du Groupe des Sept connaissaient les concepts de base de la théosophie. [43] Harris n'était pas un intellectuel au sens académique du terme et n'a jamais prétendu l'être. L'intérêt qu'il portait à la philosophie faisait partie de sa recherche constante des valeurs spirituelles et de la signification de l'art.

Par l'entremise de lectures et de discussions intenses, Harris forgea peu à peu ses idées sur l'art. Il était convaincu que la peinture devait exprimer des valeurs spirituelles autant qu'elle décrivait le monde visible. Le rôle des peintres et la fonction de l'art révèlent les forces divines de la nature.

Harris n'était certes pas le premier à montrer de l'intérêt à peindre le transcendantal. Presque un siècle auparavant, les romantiques en Europe avaient essayé de montrer les forces mystérieuses qu'ils sentaient exister dans la nature. Plus tard dans ce même XIXème siècle, les symbolistes avaient exploré le monde interne de l'imagination pour essayer de faire revivre les valeurs spirituelles dans l'art. Peu avant que Harris ne mette ces idées en application, deux autres peintres, Kandinsky et Mondrian, avaient fait leurs grandes découvertes en Europe. Ils étaient tous deux des théosophes et tous deux avaient ouvert le chemin à la peinture non-objective. Kandinsky, en particulier, influença par la suite Harris avec son essai intitulé « Du spirituel dans l'Art », publié en 1912. [44]

Harris ne semble pas avoir eu connaissance de tout ce cheminement qui prenait place dans la peinture européenne. Comme MacDonald, il était surtout influencé par ce qu'il lisait, comme les transcendantalistes américains et les nationalistes irlandais. En 1918, Æ publia sa *Chandelle de la vision*, ouvrage dans lequel il exposait ses idées sur l'Être divin dans la nature. Comme Harris, Æ croyait que, par l'étude de la nature, « l'amoureux de la Terre est récompensé et, petit à petit, le voile se lève sur une beauté et une majesté inépuisables ». [45]

Mais plus important encore pour Harris fut son implication dans la théosophie, implication qui devint la force qui le guida dans sa vie. La Société théosophique, dont il faisait partie, avait été fondée à New York en 1875, par Mme Blavatsky. [46] Son but principal était d'unir en un tout la philosophie et la religion orientales à celles de l'Ouest et de défendre l'idée de la fraternité universelle. S'y rattachait la croyance en l'omniprésence de l'esprit et dans les forces divines de la nature. Par la contemplation de ces forces, on pouvait s'élever au-dessus du monde matériel et vivre l'Unicité totale. Cette démarche mystique et spirituelle donnerait son vrai sens à la vie.

Il y avait une relation étroite entre ces idées et celles que Harris s'efforçait d'exprimer dans sa peinture. Il pensait que le but de l'art était de révéler « l'ordre essentiel, l'harmonie dynamique, la beauté ultime que nous cherchons tous, consciemment ou non ». [47] Harris voulait mener le spectateur jusqu'à l'illumination et l'expérience personnelle de la beauté pure. Dans ce sens, il essaya de faire bien plus que peindre le Nord qu'il voyait et on ne peut comprendre pleinement son œuvre à moins de la placer dans ce contexte.

167. Lawren Harris   *Au nord du lac Supérieur*   (détail)

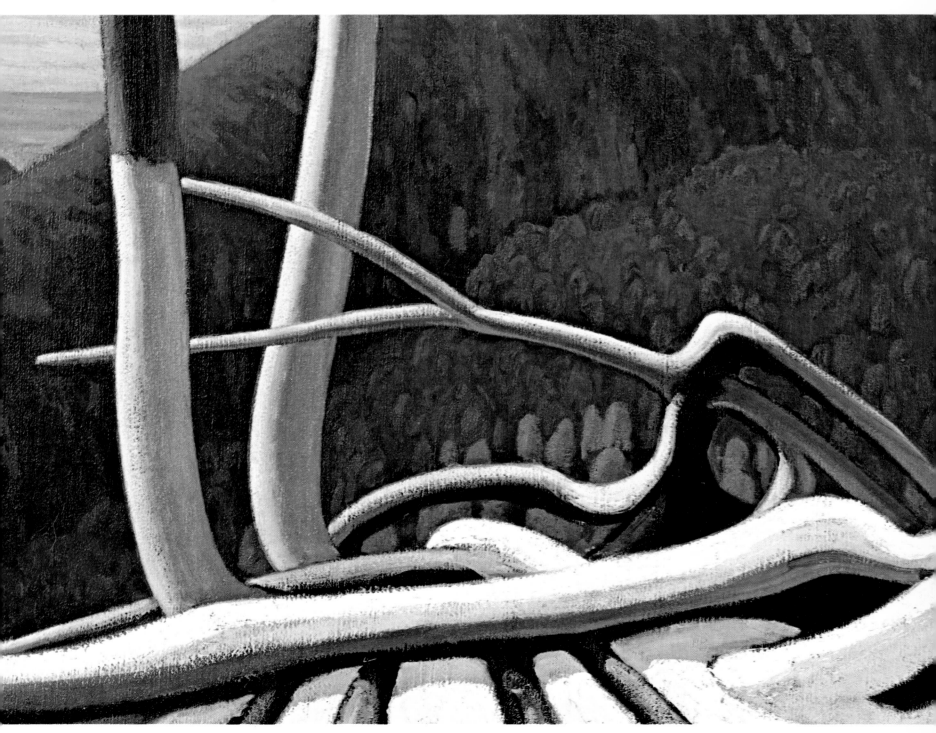

Au nord du lac Supérieur est le tableau le plus connu de Harris, datant de cette période. On n'y trouve plus la richesse des textures et des couleurs de ses tableaux d'Algoma. Maintenant, tout y est réduit à l'essentiel. Au lieu des effets chatoyants qu'on trouvait dans ses scènes de maisons, on perçoit maintenant une impression nouvelle de stabilité et de permanence. Les verts et les rouges vifs d'autrefois ont fait place aux gris, bleu et crème austères. Les formes sont très simplifiées et les contours nettement définis.

Dans *Au nord du lac Supérieur*, l'avant-plan qui se détache bien sert de contre-poids à la masse de la montagne qui, à son tour, bouche en partie l'infini du ciel et de l'eau derrière elle. Cinq troncs polis par les intempéries se dressent sur l'avant-plan recouvert de neige et lacent leurs silhouettes dans la lumière du soleil. Deux autres arbres gisent à l'horizontale au bas du tableau pour équilibrer les fortes lignes verticales et, sur la gauche, d'autres arbres guident l'œil jusqu'au fond du tableau.

Cette composition sévère contribue à cette impression de permanence que Harris s'efforçait d'obtenir. Quelqu'un dira de cette œuvre : «Ce n'est pas de la peinture, c'est de la sculpture.»[48] Cet absolu dans la pureté des formes donne à ce tableau une qualité qui le relie directement à la grande tradition classique en peinture. Harris voulait saisir l'essence même du Nord, en révéler l'universalisme. En créant une symbolique du Nord, Harris espérait aller au-delà du paysage régional pour atteindre le paysage même de l'esprit humain. Il espérait que son tableau amènerait le spectateur à voir les forces divines de la nature et, en fin de compte, vivre l'expérience mystique de l'Unicité.

168. Lawren Harris *Au nord du lac Supérieur,* vers 1922 Huile sur toile 121.9 x 152.4 cm (48 x 60 po) Art Gallery of Ontario

«*Chaque œuvre d'art qui nous touche vraiment est en soi une forme de révélation et nous transforme. L'expérience, plus que l'instruction, nous permet de voir avec notre œil interne, de trouver un chemin à l'essence de notre vie interne, d'ouvrir une porte à notre compréhension la plus profonde où nous avons le pouvoir d'y trouver une réponse universelle.*»[49]

Jackson racontera qu'il se trouvait quelque part dans les bois en compagnie de Harris quand ils tombèrent sur la grande souche de pin qu'on voit dans *Rive nord, lac Supérieur* et par la suite surnommée *Le Grand-Tronc*.[50] Dans son croquis, Harris a transplanté la souche sur une hauteur au-dessus du lac Supérieur. Il la plaça dramatiquement au centre du tableau en la faisant s'élancer vers le soleil dont les rayons viennent du coin supérieur gauche. Derrière, on voit les formes nettes des couches de nuages et la vaste étendue du lac Supérieur.

Il ne fait aucun doute que ce tronc représente plus qu'une simple souche perdue dans la nature. L'interpréter comme un symbole phallique serait complètement oublier le puritanisme du Groupe des Sept. Cependant, dans le contexte des idées de Harris sur l'art, ce n'en est pas si loin car il croyait fermement dans les forces élémentaires de la nature, y compris les forces sexuelles primaires. Harris n'était certainement pas conscient de cette interprétation freudienne même si elle fournit un symbole parfait pour exprimer sa conception de la nature.

169. Lawren Harris *Rive nord, lac Supérieur,* 1926 Huile sur toile 101.6 x 127 cm (40 x 50 po) Galerie Nationale du Canada

170.   Lawren Harris   *Glacière, Coldwell, lac Supérieur,*   vers 1923   Huile sur toile   93.9 x 114.3 cm (37 x 45 po)   Art Gallery of Hamilton

«C'est dans cette région que Harris exécuta les croquis de bon nombre de ses toiles les plus connues. On y avait une impression d'espace, une lumière contrastante, des formes bien nettes de collines rocheuses, des arbres morts et, au-delà, le lac Supérieur brillant comme de l'argent poli.» [51]

Harris se dirigeait peu à peu vers une plus grande abstraction et une expression plus totale de ses idées philosophiques. Après 1924, il ne signait plus ni ne datait ses tableaux parce qu'il ne croyait pas qu'on doive les relier à un peintre ou à un moment déterminé. [52] Pour rompre avec la tradition, il les numérota de sorte qu'ils devinrent *Lac Supérieur I, II, III* et ainsi de suite.

Dans *Nord du lac Supérieur* et *Nuages, lac Supérieur*, il laisse de côté l'avant-plan bien délimité qu'on trouve dans *Au nord du lac Supérieur* et concentre ses efforts uniquement sur le ciel, les nuages, l'eau et les effets de lumière et d'espace. Les nuages deviennent des formes abstraites par elles-mêmes et la lumière semble émaner de l'intérieur du tableau avec une vie qui lui est propre. Bien qu'on reconnaisse les éléments du paysage que sont la terre, l'eau et le ciel, ils sont disposés en motifs purement abstraits. Le paysage devient un sujet universel de l'infini de l'espace avec ses nuages suspendus mystiquement et baignant dans une lumière émanant d'une source toute puissante. La lumière se transforme en un symbole nouveau qui représente une révélation de l'unicité et de la pureté spirituelle.

*«Et la lumière ne pèse rien,
Pourtant on est soulevé par son flot,
Transporté dans les hauteurs,
Le long de ses rayons blanc et or
Comme si on était aussi léger qu'elle —
Tout n'est qu'or, blanc et lumière.»* [53]

171. Lawren Harris   *Nord du lac Supérieur,*   vers 1924
Huile sur toile   121.9 x 152.4 cm (48 x 60 po)   London Public Library and Act Museum

172. Lawren Harris   *Nuages, lac Supérieur,*   1923
Huile sur toile   102.2 x 127 cm (40¼ x 50 po)   The Winnipeg Art Gallery

Jackson accompagna plusieurs fois Harris au lac Supérieur et réagit différemment de lui.

Les tonalités riches et presque luxuriantes qu'on trouve dans le tableau de Jackson, *Région du lac Supérieur*, forment un contraste frappant avec la nudité des propres toiles de Harris sur la même région. On y retrouve la composition centralisée de peintures comme *Terre sauvage*, datant de 1913. Comme dans cette œuvre, c'est là un tableau de type expérimental, bien caractéristique du style de Jackson.

173. A.Y. Jackson   *Région du lac Supérieur,*   1924
Huile sur toile   116.8 x 147.3 cm (46 x 58 po)   Collection McMichael

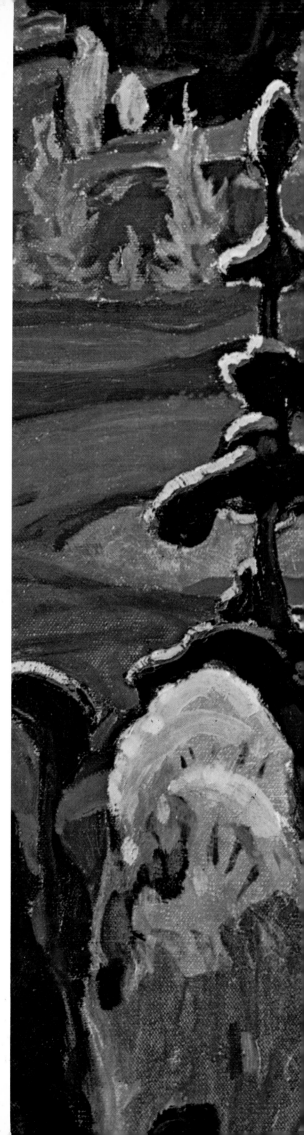

174. A.Y. Jackson   *Région du lac Supérieur*   (détail)

Harris continua de se rendre régulièrement sur la rive nord du lac Supérieur après son premier voyage là-bas en 1921. Il y retourna pendant une semaine en octobre 1922 avec Jackson et s'installa près de Coldwell. L'année suivante, il y revint en compagnie de Lismer et ils campèrent pendant un mois dans le froid et l'humidité. En 1924, Carmichael l'accompagna et, l'année d'après, Harris organisa la dernière expédition dans cette région et invita Jackson, Carmichael et Casson. Ils campèrent autour de la baie Coldwell et, comme d'habitude, jour après jour, ils ne rencontrèrent que pluie et neige. Le mauvais temps ne semblait jamais refroidir l'enthousiasme de Harris: il était toujours debout avant l'aube. Quand Jackson grommelait: «Pourquoi se lever? Il pleut!», Harris répondait invariablement: «Ça s'éclaircit à l'ouest.» Quand l'éclaircie arrivait trois jours plus tard, Harris ne manquait jamais de souligner: «Je t'avais bien dit que le temps s'éclaircirait!»[54]

Ce fut la dernière fois qu'ils travaillèrent ensemble en tant que groupe et, sur plus d'un aspect, ce fut la fin de leur communauté d'esprit. Après 1924, Harris commença à s'intéresser aux Rocheuses et revint rarement au lac Supérieur. Jackson et Lismer n'y retournèrent que de temps à autre. Quant à Carmichael et Casson, ils continuèrent de se rendre régulièrement à Coldwell, Rossport et Jackfish où ils peignirent les villages du nord de l'Ontario.

175. A.J. Casson *Algoma,* 1929
Aquarelle 43.1 x 50.8 cm (17 x 20 po) Collection McMichael

176. A.Y. Jackson *Rive nord, lac Supérieur,* 1926
Huile sur toile 63.5 x 81.9 cm (25 x 32¼ po) Succession Charles S. Band

177.   Frank Carmichael   *La baie des Iles,*   1930
Aquarelle   44.4 x 54.6 cm (17½ x 21½ po)   Art Gallery of Ontario

178.   Arthur Lismer   *Octobre sur la rive nord, lac Supérieur,*   1927
Huile sur toile   121.9 x 162.5 cm (48 x 64 po)   Galerie Nationale du Canada

En peignant les petites communautés rurales de l'Ontario, Carmichael et Casson souhaitaient faire en Ontario ce que Jackson faisait au Québec. *Le village de Jackfish* et *Village à flanc de colline* sont des œuvres typiques de cette période. Pour des aquarelles, elles sont étonnamment grandes et donnent presque la même impression de profondeur que des peintures à l'huile. Dans ces tableaux, les peintres ont employé des couleurs riches et pures et les ont appliquées avec grande habileté. Le dessin y est très appuyé et le caractère d'intimité du paysage, très fort.

179.   Frank Carmichael   *Le village de Jackfish,*   1926   Aquarelle et crayon   50.8 x 56.6 cm (20 x 22⁵/₁₆ po)   Art Gallery of Ontario

La vie de Carmichael se déroula sans grand changement au début des années 20. Il travailla comme directeur artistique chez Rous & Mann de 1916 à 1925 avec Casson comme adjoint. Puis il quitta ce poste pour aller chez Sampson Matthews où il resta jusqu'en 1932. Bien qu'il partait en excursion seulement pendant les vacances annuelles, il ne perdait pas son temps et travaillait avec beaucoup d'enthousiasme et d'une façon intensive. En 1920 et en 1921, il fit des croquis dans la région du lac Rosseau ; en 1923 ou 1924, il peignit à Mattawa, sur la rivière des Outaouais et, en 1924 et 1925, il participa aux randonnées sur le lac Supérieur. Dans les années qui suivirent, son terrain de croquis favori devint les monts La Cloche, le long du canal du Nord. Il partait dans le Nord en week-end chaque fois qu'il le pouvait pour faire des croquis dans la région située autour de la maison paternelle à Orillia.

« Les villages du sud de l'Ontario possèdent une luminosité du genre domino. Leurs surfaces de murs en plâtre, éclairées de blanc sous le soleil, et les toits bleus, noirs et couleur terre cuite, permettent à l'artiste de jouer à volonté avec les motifs. » [55]

180. A.J. Casson   *Village à flanc de colline*, 1927   Aquarelle   52 x 43.8 cm (20½ x 17¼ po)   Art Gallery of Ontario

L'amitié qui unissait Carmichael et Alfred Casson commença en 1919 lorsque ce dernier entra au service de Rous & Mann à l'âge de 21 ans et devint l'adjoint de Carmichael. Né à Toronto, Casson avait grandi à Guelph et était allé à l'école à Hamilton. Lorsqu'il revint avec sa famille à Toronto en 1916, les premiers tableaux qu'il vit furent ceux de peintres du futur Groupe des Sept. Désireux de devenir peintre paysagiste, il suivit les cours du soir de la Central Technical School et fit des croquis tout autour de Toronto. Pendant ses premières années chez Rous & Mann, il apprit les bases de la typographie et du graphisme avec Carmichael qui était un professeur très exigeant. Carmichael découvrit la passion de Casson pour le croquis et bientôt les deux peintres travaillèrent ensemble durant les week-ends. Leur amitié se consolida au cours de randonnées d'une durée d'un mois qu'ils firent au lac Rosseau. Casson assimila rapidement tout ce qu'il put apprendre de Carmichael, ce dont il lui rendra hommage: «Tout ce que j'ai appris sur le traitement de la peinture sur toile me vient de lui.»[56] Plus tard, il arrêtera de peindre avec Carmichael pour s'éloigner de son influence et trouver son propre style.

Après la fondation du Groupe des Sept en 1920, Carmichael présenta Casson aux autres membres du Groupe au cours d'un déjeuner à l'Arts and Letters Club. Ce dernier devint bientôt un assidu de la «table des artistes». Cependant, ils ne l'invitèrent à venir faire des croquis avec eux qu'en 1925 lors de leur voyage au lac Supérieur. Tôt l'année suivante, après une petite fête donnée chez Harris, Carmichael et lui s'en revinrent ensemble. Soudain, Carmichael lui demanda: «Aimerais-tu faire partie du groupe?» Lorsque Casson, tout surpris, répondit qu'il en serait honoré, Carmichael poursuivit d'un air dégagé: «Eh bien, tu es des nôtres maintenant!»[57] Casson fut le premier nouveau membre à entrer dans le Groupe, remettant ainsi le nombre de membres à sept parce qu'il remplissait la place laissée vacante par la démission de Frank Johnston quelques années auparavant.

La même année, Casson reçut une autre invitation tout aussi importante, celle d'entrer à l'Académie royale. En 1926, l'orage de Wembley s'était estompé et le Groupe était généralement bien accepté par le public. Il avait également atteint un niveau où il lui fallait une nouvelle vitalité et une nouvelle direction mais, malheureusement, on ne pouvait y faire grand-chose. La démarche à mi-chemin de Casson est bien décrite dans cet article du *Mail and Empire*:

Le nouveau membre du Groupe des Sept ne se lance pas dans des expériences modernes. C'est un excellent coloriste qui a un faible pour le paysage canadien. Pour ceux qui le connaissent et qui aiment les scènes des régions civilisées de l'Ontario, Casson parle avec beaucoup d'éloquence. Ses toiles reposeront ceux qui iront visiter cette exposition et qui ne comprennent pas Harris ou qui se sentent frustrés lorsqu'ils voient des choses qu'ils ne comprennent pas.[58]

Casson appartenait à la seconde génération des peintres qui travaillaient dans le style des Sept et il fut admis dans leurs rangs sans passer au travers des luttes et des expériences que ses aînés durent faire dans leurs débuts.

Carmichael et Casson restèrent toujours un peu en marge du Groupe. Ceci est dû en partie à l'âge car Carmichael était le plus jeune des membres fondateurs et Casson lui-même était encore plus jeune. Il y avait vingt-cinq ans de différence entre Casson et MacDonald et environ quinze ans entre Casson et les autres, ce qui l'intimidait par rapport à ses aînés. Les deux peintres gagnaient normalement leur vie pour soutenir leur famille, ce qui les mettait encore à part des autres du Groupe qui n'avaient que peu de sympathie pour l'art commercial. On considérait acceptable d'être professeur d'art mais c'était encore là un emploi relié au secteur commercial. Contrairement aux autres membres du Groupe, ils ne quittèrent jamais l'Ontario pour y faire des croquis et même leurs randonnées se limitaient à de brèves vacances d'été et durant les week-ends.

La plus grande contribution de Carmichael et de Casson envers le Groupe fut de faire renaître la technique délaissée de l'aquarelle. Tous les deux aimaient travailler avec cette technique qui convenait parfaitement à leur démarche et à leur travail dans le domaine commercial. Afin d'améliorer l'art de l'aquarelle et lui donner une nouvelle respectabilité, ils mirent sur pied avec l'aide de Fred Brigden la Société canadienne des aquarellistes.[59] La première exposition de cette Société prit place en 1926 et obtint un tel succès qu'il y en eut désormais une chaque année.

181. Arthur Lismer *Le mont Cathedral,* 1928 Huile sur toile 121.9 x 142.2 cm (48 x 56 po) Musée des Beaux-Arts de Montréal

LES ROCHEUSES

Après avoir peint pendant plusieurs années au lac Supérieur, les peintres commencèrent à se diriger vers l'Ouest. Les Rocheuses les fascinèrent ainsi que la difficulté à trouver une équivalence de langage pictural pour ces énormes montagnes. Harris fit régulièrement des voyages dans l'Ouest de 1924 à 1929, et Jackson se joignit à lui lors du premier en 1924. MacDonald était enthousiasmé par l'austérité de leurs formes et se rendit chaque été dans les Rocheuses pendant sept ans de suite. Varley s'installa sur la côte du Pacifique en 1926 et fut tellement bouleversé par le paysage qu'il écrire à un ami: « La Colombie britannique est un paradis. » Lismer n'y fit qu'un seul séjour en 1928 au cours duquel il exécuta le croquis du *Mont Cathedral.*

En 1924, Harris et Jackson allèrent au parc Jasper pendant deux mois pour y faire des croquis. Dix ans plus tôt, Jackson s'était rendu dans les Rocheuses avec Bill Beatty pour le compte des Chemins de fer du Nord canadien. Cette fois-ci, les deux peintres avaient l'intention d'y travailler pour le compte du Canadien National mais rien n'aboutit. Comme ils trouvaient le paysage trop terne le long de la voie ferrée, ils décidèrent de se rendre jusqu'au lac Maligne et à Tonquin où ils campèrent à la limite de la ligne des arbres. Ils eurent à subir, comme d'habitude, la rigueur des éléments et les fatigues inhérentes à des marches d'une quarantaine de kilomètres et à des ascensions de 1 200 à 1 500 mètres chaque fois qu'ils travaillaient. Ils vécurent mille et une aventures comme celle à propos de Jackson qui, un jour, était en train de rouler sa tente et qui se retrouva soudain en train de descendre un flanc de montagne avant même qu'il ait compris ce qui se passait, ou encore l'histoire de leur chien Goodair qui fut tué par un grizzli. [60]

182. Lawren Harris *Lac Maligne, parc Jasper*, 1924 Huile sur bois 27.3 x 34.9 cm (10¾ x 13¾ po) Collection S.C. Torno, Toronto

HARRIS À PROPOS DES ROCHEUSES

« *Lorsque je vis les montagnes pour la première fois et que je les traversai, je fus complètement découragé. Nulle part, elles ne répondaient à l'idée qu'en donnaient les dépliants publicitaires ou à la conception que je m'en étais faite. Mais, après avoir mieux fait leur connaissance, campé, vagabondé et vécu au milieu d'elles, j'y ai trouvé une force, une majesté et une richesse atteignant le sommet de la nature, que ne pouvait exprimer aucun guide de voyage.* » [61]

JACKSON À PROPOS DES MONTAGNES

« *Nous grimpâmes encore une bonne centaine de mètres sur du schiste et nous atteignîmes le sommet de l'arête : les nuages se levèrent soudain, le soleil sortit, et nous contemplâmes une région aux formes symétriques étranges... de longues lignes en diagonale se terminant en pointes aiguës — un paradis pour cubistes avec des glaciers qui paressaient en plein milieu.* » [62]

Aux yeux de Harris, ces montagnes élancées en vinrent plus encore que le lac Supérieur à symboliser les concepts philosophiques qu'il s'efforçait d'exprimer en peinture. Il voulait saisir sa propre réaction intérieure face au paysage et la transposer sur la toile pour «qu'une fois terminée, elle reflète l'expérience vécue».[63] Le gigantisme des montagnes l'obligea à simplifier, à recourir à l'abstraction et à saisir les rythmes sous-jacents du paysage.

Le pic Isolation a été exécuté d'après un croquis au crayon d'une montagne dans le lointain. Harris concentre sa vision sur le pic et invente les formes ondulantes du premier plan. Les formes sont ramenées à une simple pyramide pour le pic qu'adoucit une couche de neige à la base et dont le relief est créé par les pans de rocher à gauche. La lumière brillante du soleil éclaire le pic lui-même, faisant ainsi ressortir son image au milieu du ciel sombre et gelé, des glaciers bleuvert. Non seulement le paysage est désertique, mais c'en est un qu'aucun être humain ne pourrait habiter. C'est là «le grand Nord et sa blancheur vivante, sa solitude et sa plénitude, sa résignation et sa libération, son appel et sa réponse — ses rythmes purificatoires».[64]

Lorsque Harris montra ses scènes de montagne pour la première fois à l'exposition du Groupe des Sept en 1925, il s'attira une tempête de protestations. En voyant des tableaux comme *Le lac Maligne*, des critiques l'accusèrent de vouloir lancer des montagnes entières en plein visage des gens.

LETTRE DE JACKSON À UN AMI

«*Nous fîmes notre première randonnée. Ce fut amusant bien que j'eus le souffle court et mal aux pieds. Nous sommes allés au lac Maligne: Lawren, le guide, quatre chevaux et moi. Je n'ai pas l'habitude de monter à cheval et j'ai marché presque tout le temps, sur une quarantaine de km. Nous arrivâmes à la cabane du garde-forestier et nous passâmes deux jours avec lui. Puis, dans un grand canoë de 5,5 m, nous avons pagayé sur le lac Maligne pendant 25 km et nous débarquâmes sur une plage de gravier où nous montâmes la tente. Un peu plus tard, nous contemplâmes notre camp de 600 m de hauteur et à plusieurs km de là. Beaucoup de bois échoué pour le feu et d'eau des glaciers voisins; des fleurs partout dont beaucoup que nous n'avions jamais vues. Des deux côtés, à quelques centaines de mètres, des glaciers laiteux précipitaient dans le lac leurs pointes chargées de cailloux.*»[65]

183. Lawrence Harris   *Le pic Isolation*,   vers 1931   106.6 x 127 cm (42 x 50 po)
Hart House, Université de Toronto

184. A.Y. Jackson   *Contreforts à Tonquin*, 1924   21.5 x 27.6 cm (8⅜ x 10⅞ po)
Crayon   Collection McMichael

185. J.E.H. MacDonald   *Au-dessus du lac O'Hara,* 1929
Huile sur bois 21.5 x 26.6 cm (8½ x 10½ po)   Collection McMichael

186. J.E.H. MacDonald   *Montagnes et mélèze,* 1929
Huile sur bois   21.5 x 26.6 cm (8½ x 10½ po)   Collection McMichael

Pendant des années, MacDonald s'est débattu pour résoudre le problème de transposer sur sa toile, d'une façon frappante, les paysages de montagne. Dans ses premières tentatives, comme *Pluie en montagne* (aujourd'hui à l'Art Gallery of Hamilton), il a essayé de donner une impression de grandeur avec un motif en avant-plan pour éloigner les montagnes derrière. Mais le résultat ne réussit pas à transmettre le caractère particulier du paysage.

Dans des croquis ultérieurs, tels que *Montagnes et mélèze* et *Au-dessus du lac O'Hara,* tous deux datés de 1929, Mac-Donald s'attaque directement au terrain même. Il le fait en usant librement de la couleur, de la forme et du pinceau. Au lieu de vouloir englober la totalité de la scène, il se concentre sur une partie seulement et ne fait que suggérer les grands espaces derrière. Les formes sont définies d'une façon abstraite mais n'en transmettent pas moins la structure physique des montagnes et avec une grande netteté. L'ambiance proprement dite s'exprime par l'emploi de mauves, jaunes et gris très doux.

Chute de neige dans la montagne, lac Oesa et *Les monts Goat, Rocheuses* (aujourd'hui dans la Collection McMichael), furent les deux dernières toiles que MacDonald peignit avant sa mort en 1932. Dans *Chute de neige dans la montagne, lac Oesa,* il en arrive à exprimer le caractère des Rocheuses, non pas en peignant toute une chaîne de montagnes avec des effets de profondeur et d'échelle mais en s'attardant au seul flanc d'une montagne qu'il traite d'un dessin abstrait et en à-plat tout en simplifiant la composition, la couleur et la forme. Ces éléments, en plus de la neige qui tombe lentement, suggèrent une impression de lyrisme et d'éternité. Parce qu'il en a dit moins, il a réussi à en dire plus.

187. J.E.H. MacDonald *Chute de neige dans la montagne,* 1932 Huile sur toile 53.3 x 66 cm (21 x 26 po) Succession Charles S. Band, Toronto

Jackson se rendit de nouveau dans l'Ouest, en 1926, avec l'anthropologue Marius Barbeau, le grand spécialiste de l'art indigène et des Indiens nord-américains. [66] Le peintre montréalais Edwin Holgate, qui devait par la suite faire partie du Groupe des Sept, les accompagnait. Ils remontèrent le fleuve Skeena, sur la côte nord-ouest de la Colombie britannique où Barbeau étudiait les totems indiens. Jackson et Holgate firent des croquis de paysages et de villages indiens, le long du Haut-Skeena.

188. Emily Carr *Le village de Kispiax,* 1929   Huile sur toile
91.7 x 128.9 cm (36⅛ x 50¾ po)   Art Gallery of Ontario

189. A.Y. Jackson *Le long du Skeena,* 1926   Huile sur toile
53.3 x 66 cm (21 x 26 po)   Collection McMichael

Jackson exécuta de nombreux dessins et croquis à l'huile mais ne peignit que trois grandes toiles, une fois de retour dans l'Est. Aucune ne fut très réussie car, tout en peignant maisons et totems, il se laissait absorber par le naturalisme des détails et en perdait la vision de l'ensemble. Lorsqu'il s'attachait à transposer le paysage et à en reproduire le rythme, il n'arrivait pas à en rendre l'immensité. La seule scène qu'il ait réussie représente une maison ordinaire entourée de buissons et d'arbres, intitulée *Maison indienne* (aujourd'hui dans la Collection Isabel McLaughlin). Si ce n'étaient des montagnes dans le lointain, on pourrait croire voir une scène du Québec rural.

Emily Carr appréciait le rythme et la poésie des tableaux de Jackson tout en se rendant compte qu'il n'aimait pas vraiment l'Ouest. «J'ai toujours senti que A.Y.J. n'aimait pas notre Ouest. Il avait passé tout un été à faire des croquis le long de la côte. Il ne percevait pas l'Ouest aussi bien que l'Est.» [67] Jackson lui écrira même par la suite: «Dommage que votre Ouest soit si luxuriant, si difficile à peindre, dommage!» [68] Il est surprenant d'entendre Jackson dire qu'une région en particulier du Canada soit difficile à peindre car il ne manquait jamais de combattre cet état d'esprit à la moindre occasion. Malgré son désir de peindre tout le Canada, et il y réussit presque, il restera fondamentalement un peintre de l'Ontario et du Québec.

Le tableau le plus connu de Holgate, au cours de cette période, est *Totems, Gitsegiuklas.* [69] Dans cette toile, il utilise les totems avec habileté pour monter une série de plans qui s'enfoncent dans la scène. L'un des totems est placé à l'avant-plan, donnant ainsi du recul aux deux autres derrière. À leur tour, ces totems forment un cadre intérieur par lequel on peut voir personnages, maisons et montagnes dans le lointain. Cette composition inhabituelle, les couleurs froides et le traitement ferme de la forme font de ce tableau l'un des meilleurs de Holgate.

190. Edwin Holgate   *Totems, Gitsegiuklas,* 1927   Huile sur toile   81.2 x 81.2 cm (32 x 32 po)   Galerie Nationale du Canada

Edwin Holgate a joué un rôle de second plan dans l'histoire du Groupe des Sept. Né en Ontario mais élevé à Montréal, il commença de bonne heure à apprendre la peinture sous la direction de William Brymner. Après un certain nombre d'années passées à Paris avant et après la guerre, il revint s'installer en permanence à Montréal en 1922, ouvrit un atelier et commença à enseigner la gravure sur bois à l'École des beaux-arts. Il s'était lié d'amitié avec Jackson et les peintres du Groupe du Beaver Hall et partait souvent avec eux faire des croquis dans le Québec. À cette époque, on le considérait comme un jeune peintre plein de promesses, pouvant exécuter d'importants tableaux comme *La violoncelliste*, aujourd'hui dans la Collection McMichael. [70]

Holgate était plus un portraitiste qu'un paysagiste et, dans ce sens, préfigurait l'activité du Groupe des peintres canadiens dans les années 30. Avant d'avoir atteint la trentaine, il avait peint plusieurs portraits de bûcherons et de gardes forestiers et réalisé de nombreuses gravures sur bois portant sur ces mêmes thèmes. Son *Bûcheron* de 1926, le plus connu de ses tableaux, reflète une technique sommaire avec des forces bien délimitées et des couleurs solides. C'est un portrait réaliste et bien fait mais qui manque de force.

Holgate est l'un des rares peintres canadiens à avoir fait du nu, sujet qu'on évitait à tout prix. Il avait constaté que les Canadiens avaient fini par accepter le paysage comme authentique moyen d'expression et il espérait innover en combinant nu et paysage. Malheureusement, le résultat final ne fut pas une réussite complète. Dans *Nu au paysage*, une jeune femme repose appuyée d'une façon plutôt inconfortable sur un rocher avec un lac et des montagnes derrière elle. Holgate donne la même texture et la même forme arrondie au nu et au paysage dans une tentative d'intégration. Malgré ses efforts, le nu semble complètement hors de propos dans cette scène d'extérieur. Essentiellement, il s'agit là d'un nu d'atelier dans un paysage d'atelier.

191. Edwin Holgate *Le bûcheron,* 1926
Huile sur toile 66 x 55.8 cm (26 x 22 po)
Sarnia Public Library & Art Gallery, Ontario

192. Edwin Holgate *Nu au paysage,* vers 1930
Huile sur toile 73.6 x 116.8 cm (29 x 46 po)
Galerie Nationale du Canada

Le voyage que fit Holgate avec Jackson sur le Skeena, en 1926, le rapprocha du Groupe et, en 1928, il présentait deux toiles à leur exposition, dont *Le bûcheron.* Sa réputation croissante augmenta encore avec la décoration qu'il mena à bien de la Salle Totem du Château-Laurier à Ottawa, basée sur des croquis qu'il avait ramenés de son périple jusqu'au Skeena. En 1930, il présenta neuf tableaux dans l'exposition du Groupe à titre d'artiste invité et, l'année suivante, devint lui-même l'un des Sept. Cependant, il n'en finit pas longtemps partie car le Groupe se dissolvait peu après.

Il est difficile de comprendre la raison pour laquelle Holgate fut admis au sein du Groupe alors que tant d'autres peintres de talent ne le furent pas. Les Sept savaient à n'en pas douter que leur mouvement était en train de mourir et ils espéraient probablement qu'un membre venu de Montréal leur donnerait l'image vraiment nationale qui ranimerait leur cause. Cependant, Holgate ne sauva pas le Groupe de la débandade ni ne continua à montrer le talent dont il avait fait preuve dans les années 20.

Tant qu'on ne voit pas les tableaux d'Emily Carr, il n'est pas facile d'estimer à quel point Jackson et Holgate sont des peintres de l'Est. Emily Carr avait remonté le Skeena dès 1907 et peint de nombreuses toiles sur la vie indienne et avec des totems. Après toute une série de déboires, elle cessa de peindre en 1913 afin de s'occuper de sa pension de famille et ainsi gagner sa vie. Au cours des quinze années suivantes, elle s'occupa de son gagne-pain, fit de la poterie et éleva 350 chiots à queue courte. [71] Puis, en 1927, Eric Brown, directeur de la Galerie Nationale, vint lui rendre visite. Il avait entendu parler de sa peinture par Marius Barbeau et voulait l'inviter à présenter cinquante tableaux qui feraient partie d'une exposition sur l'art indien de la côte du Pacifique, à la Galerie Nationale. Quand Eric Brown lui mentionna le Groupe des Sept, elle demanda: «Qui sont-ils?» Il lui suggéra de lire à leur sujet l'ouvrage de Housser, *A Canadian Art Movement*. Elle décida alors de partir dans l'Est pour les rencontrer.

Ce fut l'un des plus importants événements de toute sa vie car, après avoir rencontré tous les membres du Groupe, elle se remit à peindre. À partir de 1927, elle fut très proche du Groupe et en particulier de Lawren Harris. Leur influence ne se fit pas sentir seulement dans sa peinture mais aussi dans son journal intime où elle décrivit la forte impression que lui avaient laissée ses nouveaux amis. Ces lignes de première main sont l'un des documents les plus pertinents jamais écrits sur le Groupe des Sept.

193. Arthur Lismer *Rencontre d'Emily Carr et des Sept*, vers 1927 Crayon Collection McMichael

EMILY CARR À PROPOS DES SEPT

«Jeudi, le 17 novembre. Oh mon Dieu, qu'ai-je vu? Où suis-je allée? Quelque chose m'a parlé au fond de l'âme, quelque chose de magnifique, de formidable, qui n'est pas de ce monde. Des cordes en dedans de moi ont vibré. Des notes muettes ont fait résonner ces cordes par la magie. Quelque chose m'a appelée de quelque part. Quelque chose en moi a essayé de répondre.

«Cela traverse tout mon être, un vrai miracle, comme un fleuve qui coule, sombre et tumultueux, impétueux et irrésistible, qui m'emmène dans son tourbillon comme une épave. Où, où? Oh, ces hommes, ce Groupe des Sept, qu'ont-ils créé? Un monde débarrassé de fioritures, dépouillé de détails inutiles, purgé, purifié; une âme mise à nu, pure et innocente; de beaux espaces remplis d'une grande sérénité. Quels langages parlent-ils, ces espaces silencieux et étonnants? Je ne sais pas. Attendre et écouter; vous entendrez peu à peu. Je brûle d'écouter et pourtant j'en suis à moitié effrayée. Je pense peut-être y trouver Dieu, ce Dieu que je cherche, que je poursuis et que je n'arrive pas à trouver. Il semble toujours plus proche dans les grands espaces, quelquefois à portée de la main mais jamais tout à fait là. Peut-être le trouverai-je dans cette vision nouvelle, élargie et vaste?

«Jackson, Johnston, Varley, Lismer, Harris, hip-hip-hip! Lismer et Harris m'enchantent le plus. Lismer fait tournoyer mais Harris s'élève à des hauteurs sereines, au-dessus du tumulte — jusqu'en des lieux sacrés.»[73]

EMILY CARR APRÈS AVOIR VU DES TABLEAUX DE HARRIS

«Je n'ai jamais senti autant de force que dans ces toiles. On dirait qu'elles m'appellent d'un autre monde comme si cela répondait à une longue quête. En passant à travers ces montagnes, j'avais envie de quitter mon enveloppe terrestre pour m'envoler dans ces grands espaces purs par-delà les sommets, par-dessus les oasis verts des ravins, jusque dans l'air pur et vierge. M. Harris a peint ces espaces mêmes et mon âme semble pouvoir quitter mon corps pour y vagabonder. Ils me rendent folle de bonheur.»[74]

CARR À PROPOS DE JACKSON

«Lundi, 14 novembre 1927. J'ai aimé ses tableaux, en particulier certaines scènes québécoises de neige et trois toiles le long du Skeena. Je me suis sentie comme prise au piège. Ses scènes indiennes ont quelque chose que les miennes n'ont pas: du rythme, de la poésie. Les miennes sont terre à terre. Mais peut-être que les siennes ne dégagent pas le même amour des gens et du pays que les miennes. Comment le pourraient-elles? Ce n'est pas un Canadien de l'Ouest et je ne prends aucune liberté. Je travaille sur le plan historique et avec la réalité. La prochaine fois que je peindrai des Indiens, je prendrai la tangente. Il existe quelque chose de plus grand que les faits: l'esprit sous-jacent et tout ce que cela comporte: l'atmosphère, l'immensité, la nature vierge, le souffle de l'Ouest qui vous dit d'aller-au-diable-si-vous-n'aimez-pas-ça, ces éternels grands espaces. Oh, l'Ouest! j'y suis et je l'aime!»[75]

CARR À PROPOS DE LISMER

«Mercredi, le 16 novembre 1927. J'ai rencontré le troisième du Groupe des Sept, Arthur Lismer. Je n'ai pas l'impression que ces hommes soient des étrangers pour moi. D'une manière ou de l'autre, je réagis immédiatement face à eux. Les deux derniers tableaux de Lismer m'ont procuré un sentiment de joie de vivre. Tous ses tableaux sont bons mais il part à la conquête de choses toujours plus grandes et plus hautes, de rythmes des lignes, de couleurs plus audacieuses, de formes plus simples... Je me demande si ces hommes sentent, comme moi, qu'il existe une corde sensible entre nous. Non, je ne crois qu'ils aient ce sentiment face à une femme. Je n'ai pas leur science du dessin, de la composition, du rythme et des plans mais je sais, au fond de moi-même, ce qu'ils cherchent et je crois, peut-être si j'en ai la chance, que j'y arriverai aussi. Ah, j'ai perdu bien des années! Mais il m'en reste encore quelques-unes!»[76]

194. Emily Carr
Église indienne, vers 1930
Huile sur toile
108.5 x 68.8 cm (42¾ x 27⅛ po)
Art Gallery on Ontario

En septembre 1926, Varley quitta Toronto pour Vancouver où il va diriger la section dessin et peinture de la Vancouver School of Art. À partir de ce moment-là, Varley ne se mêla plus beaucoup au Groupe des Sept. Il ne présenta des toiles qu'à deux expositions du Groupe et ne revint à Toronto qu'une vingtaine d'années plus tard. Les années qui précédèrent son départ furent difficiles: beaucoup de problèmes d'argent et peu de tableaux importants. Il se retira peu à peu des activités du Groupe et alla de moins en moins en excursion pour faire des croquis. Bien qu'il soit resté en termes amicaux avec plusieurs des Sept, il entrait parfois en conflit avec certains et n'était pas du tout aimé par d'autres.

Une fois à Vancouver, il fit face à ses nouvelles responsabilités et eut une grande influence sur l'enseignement de la peinture durant les dix années qu'il enseigna à la School of Art. Au début, il dut affronter un système académique rigide et beaucoup de résistance envers tout ce qui était nouveau ou moderne. Dans une lettre à un ami, il écrira que «les gens me traitent en mettant des gants parce qu'ils ont peur d'être contaminés par une mauvaise influence.»[77] Pourtant, il avait le rare talent d'inspirer à ses étudiants une très grande liberté de création et, bien vite, il reçut beaucoup d'appuis. Jock Macdonald fut nommé directeur du service graphique de cette école d'art la même année que Varley et les deux artistes se lièrent vite d'amitié. Jock Macdonald dira de Varley «il a posé la pierre angulaire de la créativité et de l'imagination dans le domaine de la peinture, en Colombie britannique».[78] Encouragé par Varley, Macdonald rompit avec son style très linéaire pour se diriger vers un emploi plus libre et plus expressif de la couleur. Ils firent tous deux et régulièrement des excursions dans les montagnes de la Colombie britannique où ils campaient plusieurs jours chaque fois. En 1933, ils quittèrent la Vancouver School of Art pour fonder le British Columbia College of Art qui ne dura que deux ans.

195. F.H. Varley *Dharana,* 1932 Huile sur toile 86.3 x 101.6 cm (34 x 40 po) Art Gallery of Ontario

Varley dira qu'il a accompli le meilleur de son œuvre après son départ de Toronto. Il est indubitable que, sur la côte du Pacifique, il trouvera une nouvelle source d'inspiration. Les montagnes l'impressionnèrent plus que les paysages de l'Est. Des scènes comme *Le nuage, Red Mountain* reflètent une liberté et une approche personnelle nouvelles comme s'il se trouvait aux confins de l'influence du Groupe. On y trouve une grande force d'expression dans les couleurs riches et profondes. L'atmosphère qui s'en dégage n'est pas le reflet des qualités physiques de la nature mais celui d'une valeur spirituelle plus apaisante.

Cette impression vient en partie de l'intérêt qu'il manifesta envers l'art et la philosophie de l'Extrême-Orient auxquels il fut exposé à Vancouver. L'un de ses anciens étudiants se souvient que Varley les inondait de gravures japonaises, de manuscrits persans ainsi que de tableaux de Matisse et de Puvis de Chavannes.[79] Comme membre de la petite communauté artistique de Vancouver, il se vit impliqué dans de passionnantes discussions sur la philosophie orientale et il assista certainement à la conférence que le philosophe et poète de l'Inde, Rabindranath Tagore, donna là-bas en 1929.

La qualification de *dharana* représente l'un des plus hauts états de méditation du bouddhisme alors que l'esprit s'est libéré du corps et ne fait qu'un avec l'environnement. Le tableau qui porte ce titre s'efforce de montrer la relation mystique qui s'est établie entre le personnage et le paysage pour donner une atmosphère de spiritualité contemplative. Malheureusement, Varley tombe dans le sentimentalisme par sa façon de traiter le personnage et ne réussit pas trop bien à le relier au paysage.

196.   F.H. Varley   *Le nuage, Red Mountain,* vers 1928   Huile sur toile   86.3 x 101.6 cm (34 x 40 po)
Art Gallery of Ontario

Varley s'inspirait non seulement des paysages, mais aussi de ses relations personnelles. À cette époque, commença sa longue amitié avec Vera Weatherbie, étudiante en art, dont il dira qu'elle eut sur lui «la plus grande influence de toute ma vie».[82] Des nombreux portraits et études qu'il fit de Vera dès le début des années 30, le plus remarquable est celui intitulé *Vera*, aujourd'hui dans la Collection Massey. Varley nous transmet avec beaucoup de sûreté une atmosphère de sensualité détendue. La tête légèrement penchée et les épaules tombantes, l'esquisse d'un sourire sur les lèvres et le regard de face suggèrent un sentiment d'intimité. Son visage est presque parfaitement ovale et les traits fortement appuyés contrastent avec le manque de forme du corps et des vêtements. Un léger mouvement rythmique se dégage des cheveux depuis un côté du col jusqu'à l'autre côté, ajoutant du lyrisme à la sensualité.

Cependant, c'est l'emploi de couleurs pour le moins sortant de l'ordinaire qui contribue le plus à la personnalité de ce portrait. Le vert est la tonalité prédominante et il s'en est servi généreusement pour les ombres du visage, les vêtements et le fond de la toile. C'est l'une des premières fois que Varley utilise une couleur à des fins symboliques. Ici, le vert devient une couleur de spiritualité, en combinaison avec le bleu. La constatation de Varley à l'effet que plusieurs couleurs produisent une impression psychologique n'est pas un concept original en soi car on s'en sert depuis la génération post-impressionniste des Gaugin et des Van Gogh. Ce n'est qu'un autre exemple du décalage de l'adaptation de ces idées en milieu canadien. Lorsqu'il exposa plusieurs portraits en 1930, la réaction du public ne se fit pas attendre :

F.H. Varley est représenté par une série sans grande valeur de portraits de femmes qui recherchent des effets psychiques et qui sont peints de couleurs maladives qui rappellent les bougies de mauvaise qualité. [83]

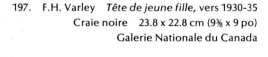

197. F.H. Varley *Tête de jeune fille,* vers 1930-35
Craie noire 23.8 x 22.8 cm (9⅜ x 9 po)
Galerie Nationale du Canada

Bien qu'on retrouve chez Varley des éléments qui viennent d'Europe, il faut néanmoins le considérer comme indépendant de tout mouvement ou école. C'était un homme sensible et passionné et, fidèle au romantisme, il professait peindre ce qu'il ressentait. Comme beaucoup de romantiques, il travaillait sur l'inspiration du moment et devait ressentir une grande émotion pour créer.

En de nombreux points, Varley se trouvait en marge de la démarche générale du Groupe des Sept, à la fois par sa peinture et par son tempérament. Il n'a jamais vu l'intérêt qu'il pouvait y avoir à peindre le Canada simplement parce que c'était le Canada, même s'il était intéressé par ses paysages. Que ce soit dans le paysage ou le portrait, il préférait suivre son propre chemin et ne pas s'encombrer d'une philosophie en particulier. À cause de son indépendance de caractère, il avait peu de sympathie pour l'esprit de camaraderie qui régnait au sein du Groupe. Ses manières bohèmes et ses sautes d'humeur provoquaient des situations difficiles avec les autres membres du Groupe qui, à leur tour, donnaient de lui une image prêtant à confusion. En public, on le faisait paraître comme un ardent soutien du mouvement et on dissimulait soigneusement les conflits de personnalité. Mais, en privé, on le traitait souvent de séducteur de femmes et d'ivrogne sans le sou qu'il fallait éviter quand on le croisait dans la rue. Ces images contradictoires ont souvent caché le véritable Varley, un homme avec ses faiblesses et ses défauts mais aussi d'une grande humanité, un homme passionné que motivait un esprit profondément religieux.

VARLEY À PROPOS DES PORTRAITS «*Quand vous faites le portrait de quelqu'un, vous n'êtes pas vous-même. Vous vous videz de toute idée préconçue au sujet du modèle. En le regardant, vous voyez la vérité apparaître sur son visage. Tous les gens sont beaux d'une manière ou de l'autre.* »[84]

198. F.H. Varley *Vera,* vers 1930 Huile sur toile 60.9 x 50.8 cm (24 x 20 po)
Galerie Nationale du Canada (Legs Massey)

JACKSON ET LE DR BANTING, EN 1927

«*Durant l'été qui s'en vient, un membre distingué du Groupe des Sept, A.Y. Jackson, travaillera dans une région où aucun peintre ne s'est encore rendu. M. Jackson partira pour la Terre de Baffin avec une expédition gouvernementale. Il peindra les paysages arides de l'Arctique canadien, les collines sans arbres et balayées par le vent, les eaux grises qui se trouvent à un millier de kilomètres du pôle Nord. Les tenants de la nouvelle école s'attendent à ce que cette aventure dans le Grand Nord apporte un nouvel élan à l'art paysagiste canadien.*»[85]

Avant de se rendre dans l'Arctique en 1927, Jackson expliqua à des journalistes pourquoi il y allait: «La raison pour laquelle je vais peindre dans le Grand Nord... est que je crois que le paysage pastoral, tel que pratiqué actuellement, est chose du passé. De nouvelles expressions picturales sont nécessaires au peintre pour qu'il puisse aller de l'avant. Je sens que je vais trouver de nouvelles valeurs esthétiques dans le Grand Nord.»[86] Et Jackson de continuer en disant que «pour développer l'individualisme dans la peinture canadienne, il est nécessaire d'avoir de nouvelles sources d'inspiration et d'être libéré du conventionnel». À son avis, c'était là la seule façon de rompre avec les écoles européennes pour pouvoir produire quelque chose qui soit unique et distinctivement canadien. Il reste encore à voir si Jackson réussit à atteindre son but mais ce genre de déclaration, que les journaux publiaient aussi loin qu'à Régina, a beaucoup fait pour amener le public à connaître la peinture canadienne.

Le célèbre Dr Banting, peintre amateur qui s'était enthousiasmé pour l'Arctique, accompagna Jackson dans cette expédition. Il avait déjà fait plusieurs randonnées au Québec avec Jackson pour y faire des croquis et il bondit sur l'occasion de visiter l'Arctique. Ils embarquèrent en Nouvelle-Écosse sur le *Beothic*, navire que le gouvernement canadien affrétait chaque année pour livrer des vivres, transporter du personnel de relève et amener des savants jusqu'aux postes de la Gendarmerie royale, dans le Grand Nord. Il faisait escale au Groënland, à l'île Devon, à la péninsule Bache ainsi qu'à d'autres postes éparpillés dans l'Arctique.

Le poste de Bache était le plus au nord de ceux où ils firent escale et là, ils y rencontrèrent toute la population des Inuits ainsi que quatre membres de la Gendarmerie royale. Pendant que le *Beothic* déchargeait les approvisionnements, Jackson fit des croquis avant que les glaces ne se referment et ne les forcent à appareiller. À partir de ces croquis, il fit plus tard une grande toile qu'il offrit au ministère de l'Intérieur en remerciement de sa participation au voyage.

199.   Jackson en train de faire un croquis dans l'Arctique avec, au fond, le *Beothic*, 1927.

En dépit de la nouveauté du sujet, la toile finale du *Beothic au poste Bache, Ellesmere* ne présente rien de nouveau si ce n'est sa liberté d'expression. Jackson se sert des mêmes effets d'avant-plan sombre, de mi-distance à grande surface et de l'horizon élevé à l'arrière-plan comme il le faisait dans ses tableaux antérieurs. Les couleurs sont des gris, mauves et bruns assourdis, tandis que les formes dégagent le même rythme insistant. Le résultat est un tableau très réaliste qui ne montre aucunement que Jackson ait trouvé dans le Grand Nord une nouvelle forme d'expression picturale. Il avait 45 ans lorsqu'il peignit ce tableau et il s'était déjà donné un style qui allait rester inchangé, à part certaines variantes dans le sujet. Il voyait toujours la nature à la façon des post-impressionnistes de la seconde génération et se souciait uniquement de transposer le monde tel qu'il le voyait.

200.   A.Y. Jackson   *Le Beothic au poste Bache, Ellesmere,* vers 1928
Huile sur toile   81.2 x 101.6 cm (32 x 40 po)   Galerie Nationale du Canada

201.   Sir Frederick Banting   *L'île Ellesmere,* 1927
Huile sur bois   21.5 x 26.6 cm (8½ x 10½ po)   Collection McMichael

Bon nombre des croquis à l'huile et des dessins que Jackson ramena avec lui réussirent à transmettre l'atmosphère de ces paysages désolés et perdus. *La côte sud de l'île Bylot*, l'un de ses plus intéressants dessins, fut exécuté sur le vif, tandis que le *Beothic* longeait l'île. On y trouve une grande sensibilité dans la ligne des contours des montagnes. Les coups de crayon plutôt épais des montagnes contrastent avec la fluidité de ceux des nuages et de l'eau à l'avant-plan. Il est intéressant de comparer les rythmes de ce dessin avec l'impression statique et figée qui se dégage de sa toile intitulée *Ile Bylot*, aujourd'hui à la Galerie Nationale du Canada.

Au retour de Jackson après avoir passé cinquante et un jours en mer, dans l'Arctique, la presse dira de lui qu'il était « plus canadien et plus viril que jamais ».[87] Jackson en appela aux Canadiens pour qu'ils s'engageassent dans cette grande aventure qu'était la découverte des immenses territoires du Grand Nord. Il déclara alors qu'il ne voulait plus jamais aller travailler en Europe et qu'il découragerait les étudiants en peinture de s'y rendre.[88] L'année suivante, il continua sa croisade de la découverte du Canada au nom des Canadiens en se rendant de peine et de misère dans les Territoires du Nord-ouest avec le Dr Banting et Mackintosh Bell. Ils allèrent jusqu'au Grand lac des Esclaves et visitèrent Fort Resolution et Yellowknife pour arriver jusqu'au lac Walsh. Au cours de cette expédition, Jackson fit surtout des dessins au crayon car il n'arrivait pas à peindre à l'huile « parce que les moustiques se mélangeaient à la peinture ».[89]

BANTING À PROPOS DE JACKSON

« *L'exécution de croquis se faisait dans des conditions extrêmement pénibles. Le froid et le vent auraient refroidi l'enthousiasme d'un artiste moins ardent. Jackson affirmait que les plus belles couleurs se trouvaient aux endroits les plus à nu. Son désir incessant de voir ce qu'il y avait derrière les collines au loin faisait qu'il était difficile à suivre. Ces étendues désolées s'avéraient riches en formes et en couleurs, en rythmes étranges et en visions insoupçonnées. Durant nos trop brèves excursions à terre, il riait tout le temps, une ambiance qui était contagieuse.* »[90]

« *Sur le bateau, il ne cessait de regarder le paysage se déroulant devant lui, suivait le cours de nuages, buvait la beauté des couleurs des formations côtières et étudiait les effets subtils de la lumière sur la glace mouvante.* »[91]

202.   A.Y. Jackson   *La côte sud de l'île Bylot,* 1927   (Croquis) — Crayon
19 x 27.9 cm (7½ x 11 po)   Collection McMichael

203. A.Y. Jackson *Épave du Mary sur le rivage de Beechey Head,* 1927   Crayon
27.6 x 19.3 cm (10⅞ x 7⅝ po)   Norman Mackenzie Gallery, Université de la Saskatchewan, Régina

En 1930, Jackson reçut une nouvelle invitation à visiter l'Arctique et, cette fois-ci, Lawren Harris l'accompagna. Ils partirent sur le *Beothic* le 1er août et suivirent à peu près le même trajet qu'au cours du voyage précédent. Pendant presque tout le temps, la température fut inclémente avec des vents atteignant 110 km à l'heure et des vagues immenses qui secouaient le petit navire comme un fétu de paille. Ils durent également affronter la brume, la neige et des glaces en dérive. Jackson et Harris firent de nombreux croquis pendant ce voyage mais en furent souvent empêchés par le manque de temps. «En de nombreuses occasions, nous n'eûmes que le temps d'esquisser quelques traits rapides», se souviendra Harris. «Ces esquisses, nous en faisions ensuite des croquis dans notre cabine exiguë, assis chacun au bord de notre couchette avec un seul hublot pour nous éclairer.»[92]

L'un des endroits où ils se rendirent s'appelait Pangnirtung. Là, Jackson escalada jusqu'à un point de vue qui dominait le fjord et les montagnes enneigées se trouvant derrière. Le village comprenait «quelques bâtiments de bois peints en blanc ainsi que des igloos et des tentes inuits en peaux et en vieilles voiles, disséminés un peu partout. Également des chiens huskies et des rochers à l'envie».[93] Plus tard, Jackson peindra une toile à partir de ses croquis et qu'il intitulera *Été à Pangnirtung*. À cette époque, il se sentait beaucoup plus à l'aise dans le paysage et à cette occasion, il créera un rythme d'une grande vigueur avec l'arrondi des rochers et le mouvement coulant de la terre. Les couleurs sont toujours sombres et terreuses, ce qui convient parfaitement à la scène. Malgré la liberté qu'on sent dans ce tableau, on n'en perçoit pas moins encore une tendance à traiter le sujet d'une manière très imagée qui forme un contraste saisissant avec la simplicité que déployait Harris à cette même époque.

204. A.Y. Jackson *Été à Pangnirtung,* 1930
Huile sur toile 53.3 x 66 cm (21 x 26 po)
Collection Dr et Mme Max Stern, Montréal

205.   Lawren Harris   *Côte nord, Terre de Baffin,* vers 1930   Huile sur toile   81.2 x 106.6 cm (32 x 42 po)   Collection particulière

LE LEADER-POST À PROPOS DE HARRIS   «*En dépit de leurs titres, les tableaux de M. Harris ne représentent ni une scène de l'île Devon à minuit, ni la côte sud de la Terre de Baffin ni des icebergs dans la baie de Baffin-Nord. Ces tableaux racontent une histoire bien différente. Ils présentent la propre conception du peintre face à ces paysages spectaculaires. Et cette conception est essentiellement abstraite et philosophique. Ses icebergs sont d'étranges monuments qui renferment une symbolique dans leurs formes et leurs couleurs. Ils ne vous gèlent pas quand vous les regardez car ils ne sont pas faits de glace; ils sont ce que Lawren Harris ressent et voit après les avoir contemplés.*» [94]

HARRIS   Si Jackson ne trouva pas dans le Grand Nord une nouvelle forme d'expression picturale, Harris, pour sa part, réagit à l'Arctique avec un style complètement différent. Depuis ses tableaux de l'époque du lac Supérieur, il se dirigeait vers une plus grande simplicité. Dans l'Arctique, il se trouva face à un paysage avec un recul tel qu'il n'en avait jamais vu — souvent même on n'apercevait même pas le sol, seulement la glace, le ciel et l'eau.

Avec des tableaux comme *Côte nord, Terre de Baffin* et *Icebergs et montagnes,* Harris donne une interprétation bien personnelle et très expressive du Grand Nord. Dans *Côte nord, Terre de Baffin,*

les nuages survolent des montagnes dont les sommets sont féériquement éclairés par le soleil. Leurs formes simples et rythmées donnent l'impression d'un paysage sans fin et d'outre-terre. *Icebergs et montagnes* montre un souci de l'atmosphère à créer et une recherche dans les formes inhabituelles des nuages et du sol. Harris crée une impression de tension au centre du tableau par l'emploi de courbes et de contre-courbes entre les montagnes et le ciel. Le coloris, à l'arrière-plan, est presque monochrome blanc et gris mais il s'en dégage grâce au bleu des icebergs et à la bande horizontale verte de l'eau.

206.   Lawren Harris   *Icebergs et montagnes,* vers 1930   Huile sur toile   91.4 x 114.3 cm (36 x 45 po)   Art Gallery of Hamilton

Les tableaux de l'Arctique sont plus importants par leurs qualités d'expression qu'en fonction de leur semi-abstraction. À cette époque, Harris s'efforçait d'exprimer le spirituel en peinture. Quatre ans plus tôt, il avait écrit un article dans lequel il parlait du « Grand Nord et de sa blancheur vivante, sa solitude et sa plénitude, sa résignation et sa libération, son appel et sa réponse — ses rythmes purificatoires ».[95] Il avait également ajouté que « le toit du continent est une source de spiritualité qui répandra toujours sa pureté sur l'Amérique en croissance et nous, les Canadiens, parce que nous sommes les plus proches de cette source, nous semblons être marqués par le destin pour produire une œuvre quelque peu différente de celle de nos amis du Sud — une œuvre plus vaste, d'une plus grande qualité de vie et peut-être même d'une plus grande conviction des valeurs éternelles ».[96] C'est dans l'Arctique que Harris a trouvé ce qu'il cherchait. Il imprégna ses tableaux de sa propre perception de la permanence et avec une grandiose simplicité.

Les conceptions différentes de Harris et de Jackson montrent les deux directions prises alors par la peinture canadienne. Jackson continuait d'interpréter le Canada à la manière d'un « artiste topographique », suggérant par là que les Canadiens feraient œuvre unique en peignant de plus en plus de paysages. Pour sa part, Harris, commençait à chercher ses propres réponses dans le monde de l'esprit où l'aventure n'existait pas moins et où les régions à explorer n'en étaient que plus intéressantes.

207. Lawren Harris   *Côte nord de la Terre de Baffin (I)*, vers 1930   Huile sur toile   81.2 x 106.6 cm (32 x 42 po)   Galerie Nationale du Canada

La région des Prairies fut l'une des dernières où travailla le Groupe des Sept. À part Fitz-Gerald, Jackson fut le seul à s'y intéresser. Et encore n'y peignit-il que seulement cinq ans après la dissolution du Groupe, lorsqu'il se rendit en Alberta, en 1937. Cette année-là, il fit des croquis des collines autour de Lethbridge et exécuta l'étude de son tableau intitulé *Réserve des Indiens Blood* (aujourd'hui à l'Art Gallery of Ontario). Par la suite, il retourna de nombreuses fois dans cette région. [97]

C'est FitzGerald qui devint le «peintre des Prairies» même s'il ne fit presque aucun tableau de l'immensité des paysages du Middle-West. [98] Lemoine FitzGerald fut le dernier peintre à se joindre au Groupe et, pour bien des raisons, est considéré comme le plus original et le plus personnel. Né à Winnipeg en 1890, il était le contemporain de presque tous les autres membres du Groupe. Élevé sur la ferme de sa grand-mère à Snowflake, dans le sud du Manitoba, il abandonna l'école à 14 ans pour travailler chez un marchand général, un courtier en bourse et un graveur avant de se consacrer entièrement à la peinture en 1912. Par la suite, il fit de tout, depuis la décoration intérieure jusqu'à la peinture de décors de théâtre, afin de gagner sa vie.

À la fin de 1921, à l'âge de 31 ans, il quitta sa femme et sa famille pour étudier pendant l'hiver à l'Art Students' League de New York. Ce premier voyage hors de sa province natale se fit probablement sur le conseil de Frank Johnston qui était arrivé à Winnipeg à l'automne de cette même année pour y occuper les fonctions de directeur de l'école d'art. [99]

À la fin de l'hiver, FitzGerald revint à Winnipeg où il devait rester jusqu'à la fin de ses jours. (Le seul autre voyage qu'il fit hors du Canada fut une visite à Mexico en 1951.) En 1924, il devint professeur à la Winnipeg School of Art et y enseigna pendant vingt-cinq ans. Cette vie tranquille et stable est bien différente de celle des autres membres du Groupe qui étaient presque tout le temps en voyage.

FitzGerald se fit connaître dans l'Est surtout par les tableaux qu'il envoyait aux expositions. En 1918, la Galerie Nationale acheta *Fin d'automne, Manitoba* et, en 1925, l'un de ses tableaux participa à l'exposition de Wembley. Le Groupe des Sept l'invita à leurs deux dernières expositions en 1930 et ses tableaux durent vivement les impressionner car ils l'invitèrent, à l'été 1932, à devenir membre. MacDonald vivait encore, ce qui porta leur nombre total à neuf.

Pourquoi FitzGerald fut-il choisi parmi les trente autres artistes invités à l'exposition de 1931? Il n'était pas un fervent d'explorations comme les autres membres et ne partageait pas cette camaraderie qui existait au sein du Groupe. Mais si on considère que le Groupe des Sept avait déjà formulé son intention de se dissoudre pour fonder une association plus élargie, il est certain que le choix de FitzGerald devient alors simplement honorifique en reconnaissance de son œuvre. [100] FitzGerald n'a jamais exposé à titre de membre du Groupe des Sept mais, l'année suivante, devint membre fondateur du Groupe des peintres canadiens.

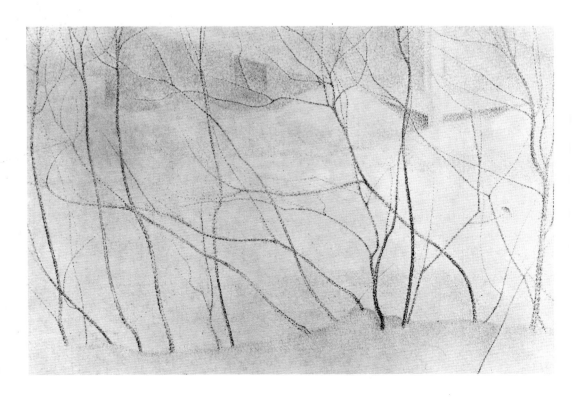

208.   L. FitzGerald   *Neige I,* 1950   Crayon
44.7 x 60 cm (17⅝ x 23⅝ po)
Art Gallery of Ontario

La maison du Dr Snider, l'un des trois tableaux de FitzGerald à l'exposition de 1931, montre à quel point le Groupe des Sept a pu être impressionné par son travail. Dans cette toile, il utilise des couleurs pures et délicates ainsi qu'une lumière cristalline pour exprimer le froid de cette scène d'hiver. Il réussit très bien ici à saisir l'atmosphère des Prairies sans avoir recours à la représentation traditionnelle des grands espaces.

Il travaillait dehors par les températures les plus basses et inventait d'ingénieux procédés pour se protéger contre le froid.

Pour peindre *La maison du Dr Snider,* il s'installa dans une petite cabane dotée d'un poêle à roulettes. [101] Bien qu'il peignait d'après nature, ses tableaux n'en possèdent pas moins un sens de l'universel. En se concentrant sur le détail particulier, il était capable d'y mettre quelque chose qui leur soit commun à tous. On ne trouve pas dans les tableaux de FitzGerald cette recherche du spectaculaire, du mouvement et du rythme qu'on perçoit dans tant d'autres œuvres du Groupe des Sept. À la place, on ressent une impression d'économie de moyens qui transmet sa vision du paysage avec beaucoup

d'efficacité. Par la suite, il sera encore plus personnel et se dirigera vers l'abstraction la plus pure.

Comme son contemporain David Milne, FitzGerald fait figure à part dans le Groupe. Il travaillait isolé et solitaire et put trouver autour de lui suffisamment de sujets pour qu'ils lui durent toute la vie. L'univers qu'il peignait étant essentiellement celui de l'imagination, il ne ressentait aucun besoin d'explorer pour trouver de nouveaux sujets. Ceux-ci étaient d'une grande simplicité et son objectif d'une grande modestie.

209.　L. FitzGerald　*La maison du Dr Snider,* 1931　Huile sur toile　74.9 x 85 cm (29½ x 33½ po)　Galerie Nationale du Canada

7 Les dernières années

7

LE DÉCLIN DU GROUPE DES SEPT
D'APRÈS TM [THOREAU MacDONALD]

« Le Groupe des Sept et leurs adeptes ont toujours été considérés comme d'authentiques Canadiens. Ils en ont tiré de la fierté et ne se sont jamais fatigués de célébrer la grandeur du Nord et du Grand bouclier canadien. Mais pour les patriotes, les amoureux de notre pays, leur exposition actuelle est loin d'être réjouissante. En effet, ils deviennent plus esthétiques, plus artificiels. Sans même percevoir le visage de notre pays, ils ne font que s'exprimer sans cesse par des formes étranges et sans grâce, dans des compositions artificiellement construites et sans vie. » [1]

LA DISSOLUTION DES SEPT

En décembre 1931, le Groupe des Sept tint sa huitième et dernière exposition à l'Art Gallery of Toronto. Y participaient également vingt-quatre artistes invités en plus des huit membres du Groupe, ce qui donne une idée de leur dispersion. Après le vernissage, le Groupe fit une déclaration à l'effet qu'il « avait cessé d'exister comme tel ». [2] Ils expliquèrent qu'« une association élargie allait être mise sur pied, non pas une société avec une constitution et des règlements, mais un cercle artistique élargi afin d'y inclure à long terme une représentation de tous les peintres créateurs canadiens ». [3] La dissolution du Groupe était due depuis longtemps et, pour sa part, MacDonald croyait que le mouvement était dépassé depuis déjà plusieurs années. [4]

Le Groupe existait officiellement depuis 1920 et les peintres avaient déjà travaillé ensemble pendant sept ans avant sa fondation. On ne pouvait en demander plus à un mouvement artistique dont la durée s'étendit de façon presque identique à celle de l'impressionnisme en France. Lorsque le Groupe se dispersa, la plupart de ses membres avaient déjà atteint la cinquantaine et le plus jeune, A.J. Casson, avait 35 ans. En 1932, il était devenu une institution et accepté comme tel par la plupart des Canadiens. Deux ans plus tôt, Jackson avait dit : « Les préjugés contre le Groupe sont en train de mourir et l'attitude des gens est différente. Aujourd'hui, en pratique, tous les jeunes peintres travaillent selon la ligne que nous avons suivie. » [5] La dernière partie de cette déclaration n'était que trop vraie et les nombreux imitateurs firent plus de mal que de bien à la réputation du Groupe.

Sans s'en rendre compte, le Groupe avait imposé peu à peu ses idées sur la peinture. D'autres peintres n'aimaient pas leurs efforts de domination en matière de peinture et, en 1927, Gagnon écrira à Eric Brown :

Il est impossible de rien faire aussi longtemps que le Groupe des Sept se battra et régentera les autres peintres canadiens, impossible que les choses aillent mieux. La jeune génération de peintres voyant qu'elle ne peut entrer dans le Palais des Sept, parce que chacune des Sept Chambres est occupée par l'un des Sept Sages, ira construire son propre palais ailleurs, plutôt que de dormir sur les marches du perron. [6]

Il semble bien que le Groupe des Sept avait le monopole de la peinture au Canada et, pendant un certain temps, on ne prêta que peu d'attention aux jeunes peintres qui travaillaient avec de nouvelles idées reliées à l'abstraction et à la non-objectivité. L'influence du Groupe était si forte que la plupart des peintres marchaient sur leurs traces tout en proclamant leur indépendance ou bien rompaient carrément avec eux.

210. A.J. Casson *L'église anglicane de Magnetawan,* 1933 Huile sur toile 93.9 x 114.3 cm (37 x 45 po) Galerie Nationale du Canada

«Nos peintres sont toujours au portage du Lac Loon en train d'affronter rochers et ours noirs. Le Groupe des Sept les a menés là-bas il y a trente ans. » [6]

L'association qui remplaça les Sept s'appela le Groupe des peintres canadiens. Dans l'avant-propos de sa première exposition, en novembre 1933, on annonçait fièrement qu'elle en était directement issue et que tout le Groupe des Sept faisait partie des vingt-huit membres fondateurs. [8] «Son but est d'encourager et de promouvoir le développement de l'art au Canada, un art de caractère national, qui ne tienne pas nécessairement compte du temps et de l'espace, mais qui exprime sa philosophie et la reconnaissance du droit des peintres canadiens à trouver de la beauté et de l'harmonie en toutes choses. » [9]

Le Groupe des peintres canadiens insistait que c'était une association qui différait du Groupe des Sept parce que ses membres venaient de toutes les régions du Canada et qu'elle se préoccupait de défendre tant le paysage que le portrait. Dans les dernières années, les Sept s'étaient surtout fait critiquer pour deux choses: l'absence de portraits et son régionalisme. Malheureusement, les efforts du nouveau Groupe pour y remédier n'étaient que trop conscients et ne réussirent pas à résoudre le problème. Ses bases sont restées essentiellement torontoises et montréalaises et la préoccupation principale resta le paysage. Le Groupe des peintres canadiens se considérait avec un certain orgueil comme une association amateur et il est intéressant de noter que plus d'un tiers des membres étaient des femmes.

Tandis que la plupart des peintres plus âgés continuaient d'avancer sur leurs sentiers bien rodés, certains des plus jeunes produisaient d'intéressantes variations sur le thème rebattu du paysage canadien. Mais, en général, ils s'en tinrent à des formules éprouvées sans recourir à la recherche ou à l'expérimentation comme dans les premiers tableaux des membres du Groupe des Sept. Ils créèrent d'excellents paysages, tels que *Cobalt* d'Yvonne McKague Housser ou *Tadoussac* de Charles Comfort, mais d'autres ne firent que de pâles imitations comme ce *Marais à l'épinette* d'Ann Savage. Ajouter un personnage ou quelques bâtiments à un paysage n'était pas suffisant pour se tenir à l'avant-garde du mouvement moderne. Les peintres s'accrochaient désespérément à une conception extrovertie et naturaliste de la nature, conception qui en était venu à terme un demi-siècle plus tôt en France avec les impressionnistes. John Lyman avait saisi dès 1932 les limitations de cet horizon quand il écrivit:

La véritable aventure se déroule dans la sensibilité et l'imagination de l'individu. Le véritable sentier doit être tracé vers la perception des relations universelles qui sont présentes dans chaque parcelle de création, et non pas vers le cercle Arctique. [10]

Avec le temps, le Groupe des peintres canadiens perdit peu à peu sa dépendance du paysage, mais pas avant la fin des années 40. Quelques peintres, comme Harris et Jock Macdonald, passèrent du paysage à l'abstraction mais la plupart d'entre eux se contentèrent de trouver un nouveau genre de sujets. Au lieu de peindre la nature vierge du Bouclier précambrien, ils peignirent les gens. Certains d'entre eux, comme Bess Housser, peignirent des gens dans un paysage. D'autres, comme Prudence Heward, concentrèrent leurs efforts sur le corps humain et plusieurs sur le portrait proprement dit, comme Lilias Torrance Newton.

Un certain nombre d'excellents peintres exposèrent avec ce Groupe, dont Emily Carr, David Milne, Goodridge Roberts et Jacques de Tonnancour. La liste de ses membres et des artistes invités est impressionnante et renferme tous les grands noms de la peinture canadienne. Mais aucun d'entre eux ne dépendait ni ne participait d'un esprit commun au Groupe. En général, ils ne considéraient cette association que comme un instrument pour exposer leurs tableaux. Les événements vraiment marquants qui se déroulèrent au cours des années 30 et 40 se passèrent en dehors de ce milieu artistique.

211.

212.

213.

211. Ann Savage
Marécage à l'épinette, 1929
Huile sur toile   50.8 x 60.9 cm (20 x 24 po)
Hart House, Université de Toronto

212. Yvonne McKague Housser
Cobalt, 1930   Huile sur toile
112.3 x 137.7 cm (44¼ x 54¼ po)
Galerie Nationale du Canada

213. Thoreau MacDonald
Grand lac des Esclaves, 1950
Plume et encre
22.8 x 31.7 cm (9 x 12½ po)
Collection McMichael

215.

214. William P. Weston
Cheam, 1933   Huile sur toile
106.6 x 121.9 cm (42 x 48 po)
Hart House, Université de Toronto

215. Charles Comfort   *Tadoussac,* 1935
Huile sur toile   76.2 x 91.4 cm (30 x 36 po)
Galerie Nationale du Canada

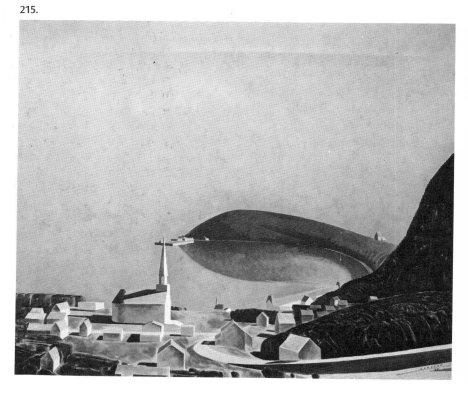

LE GROUPE DES SEPT APRÈS 1932

Avec la dissolution du Groupe des Sept, son histoire en tant que mouvement unifié est terminée. MacDonald mourut en novembre 1932, alors qu'il était sur le point de faire de nouvelles découvertes. (Ces dernières années, on a trop souvent négligé son rôle dans le développement du Groupe, en partie à cause de la longévité d'autres membres.) Varley, qui s'était installé dans l'Ouest en 1926, rompit presque tous ses liens avec le Groupe. Harris allait bientôt partir aux États-Unis et les autres suivirent leur propre chemin. En 1932, la période d'expérimentation et de découverte était derrière eux et les principales batailles enfin gagnées. La grande rétrospective de 1936 prouva une fois pour toutes qu'ils étaient acceptés et reconnus.

Dans les années qui suivirent, Jackson, Lismer, Carmichael et Casson furent ceux qui continuèrent le plus de peindre dans le style et l'esprit du Groupe. Ils produisirent des tableaux d'une grande beauté lyrique mais aussi des paysages faciles selon une formule bien établie. Harris et Varley furent les deux seuls à continuer d'expérimenter comme peintres. La préoccupation de Harris envers l'expression des valeurs spirituelles en peinture le fit évoluer vers l'abstraction dans les années 30. Varley fut à son tour brièvement attiré par le cubisme, la théorie symboliste de la couleur et l'art oriental mais, d'une manière générale, garda son indépendance. Aucun d'entre eux ne créa un nouveau style radical mais ils méritent notre respect pour avoir cherché de nouvelles manières valables de s'exprimer.

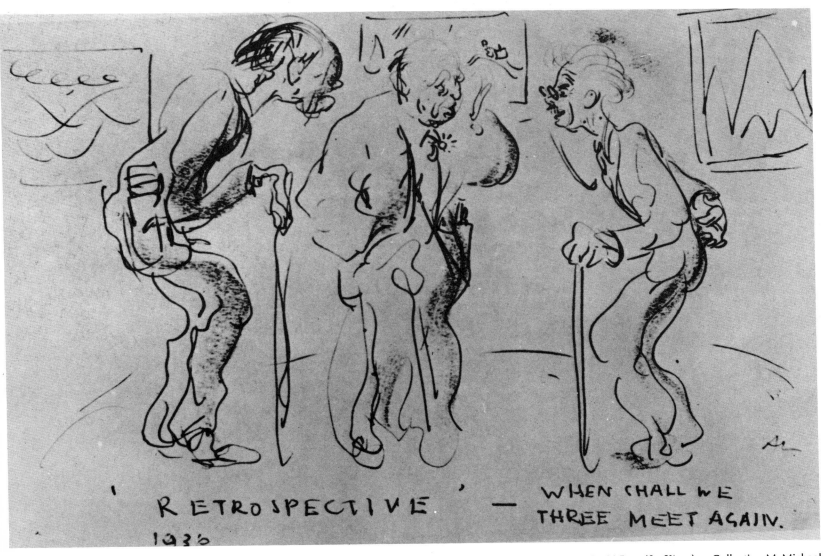

216. Arthur Lismer *Quand nous reverrons-nous tous les trois?* 1936 Plume et encre 15.2 x 21.5 cm (6 x 8½ po) Collection McMichael

Plus que tout autre membre du Groupe des Sept, Harris continua de chercher en tant que peintre de nouvelles idées. Il avait toujours été la roue motrice du Groupe, depuis sa visite à l'exposition scandinave avec MacDonald jusqu'à la construction du Studio Building en passant par l'organisation des randonnées à Algoma et au lac Supérieur. Par-dessus tout, c'est lui qui — selon toute vraisemblance — lança l'idée d'un « Groupe des Sept ». Doué d'une énergie inépuisable, il souleva à toutes fins pratiques l'enthousiasme du Groupe bien qu'il n'ait jamais insisté pour qu'on reconnaisse ses efforts ni sa générosité.

La réaction de Jackson à l'annonce de la nouvelle que Harris ne reviendrait pas à Toronto en 1940 montre bien l'importance de ce dernier au sein du Groupe. « Nous étions désemparés. Bien que nous tirions orgueil du fait que le Groupe n'avait pas de chef, sans Harris les Sept n'auraient pas existé. C'était lui l'aiguillon. C'était lui qui nous encourageait tout le temps à prendre le chemin le plus direct, à tracer de nouveaux sentiers. »[11]

Alors que la plupart des Sept s'installaient dans leurs sentiers battus à la fin des années 20, Harris fonçait. En 1927, il participa à la venue à Toronto de l'Exposition internationale d'Art moderne qui révéla pour la première fois au public les nouvelles démarches de la peinture moderne.[12] Harris et Frank Johnston en firent la critique dans *Canadian Forum*. Pour sa part, Harris était très réceptif aux nouvelles idées présentées dans cette exposition, tandis que Johnston les attaqua plus méchamment qu'on ne l'avait jamais fait envers le Groupe.[13] À ce moment-là, Harris se dirigeait lentement mais sûrement vers l'abstraction dans ses tableaux très simplifiés des Rocheuses et de l'Arctique. Il se lia plus étroitement avec Bertram Brooker qui, depuis son arrivée à Toronto en 1921, avait encouragé le Groupe.[14] Brooker connaissait les théories de Kandinsky sur la spiritualité dans l'art et avait commencé à peindre des abstractions dans les années 20, tableaux qu'exposa l'Arts and Letters Club.

Harris s'intéressait aux idées de Brooker mais n'abandonna pas le style paysagiste avant de partir aux États-Unis en 1934. Le College Dartmouth, dans le New-Hampshire, l'avait invité comme artiste-résident et il y resta quatre ans. En 1936, il en était arrivé à l'abstraction pure avec des œuvres comme *Équations dans l'espace*, ressemblant au mouvement *hard-edge* des années 60. Au cours des années qui suivirent, ses tableaux furent presque entièrement abstraits bien que quelques-uns reviennent à des sujets représentatifs. De Dartmouth, il se rendit à Santa Fe, au Nouveau-Mexique, où il demeura deux ans et où il devint membre du Groupe des peintres transcendantaux. Il ne revint au Canada qu'en 1940 pour s'établir à Vancouver jusqu'à la fin de ses jours. *Composition No 1* est le premier tableau qu'il exécuta dans son nouvel atelier de Vancouver.

La meilleure manière de comprendre les tableaux abstraits de Harris est par le truchement de son *Essay on Abstract Painting* (Essai sur la peinture abstraite), publié pour la première fois en 1949.[15] Dans cet essai, il énonce avec clarté sa propre théorie de l'art abstrait. Il croit que les beaux-arts peuvent englober un vaste éventail d'expériences sans avoir à imiter en rien la nature. L'exemple le plus proche de la peinture non-figurative est la musique : « C'est devenu un art aussi pur que la musique et possédant les mêmes possibilités d'expressions et de créations à l'infini et avec la même force et la même subtilité de vocabulaire. Et cette nouvelle manière de peindre nous emmène dans un monde inépuisable de nouvelles expériences. »[16] Harris affirme que cette nouvelle forme d'expression représente toujours des idées, des émotions et le monde de l'imagination mais sans l'intermédiaire d'un sujet reconnaissable. Dans les peintures abstraites et non-objectives, le jeu des couleurs et des formes provoque une réaction émotionnelle directe chez le spectateur. En se servant de ces éléments sous leur forme la plus pure, le peintre peut exprimer et communiquer les valeurs éternelles de la beauté et de la vérité.

La plupart des choses que dit Harris avaient déjà été exprimées bien des fois. Ses théories et ses tableaux ressortent principalement des écrits et de l'œuvre de Wassili Kandinsky qui avait publié son livre *Du spirituel dans l'art* en 1912.[17] Comme Harris, Kandinsky était un théosophe et il avait énoncé ses idées dans le but d'exprimer des valeurs spirituelles en peinture sans avoir à recourir à des images reconnaissables. Cependant, l'analogie de Kandinsky avec la musique et ses discussions détaillées sur le symbolisme de la couleur sont beaucoup plus sophistiquées que celles de Harris. Ce dernier, outre Kandinsky, subit probablement l'influence d'André Breton qui publia en 1924 son *Manifeste du surréalisme*, et du peintre hollandais Piet Mondrian, qui était aussi un théosophe et qui avait suivi le même chemin du figuratif à l'art non-objectif.[18]

217. Lawren Harris, vers 1956.

Le cheminement de Harris vers l'abstraction pure était la conclusion logique de sa recherche antérieure sur les valeurs spirituelles dans la nature. En 1926, il écrira que le peintre doit s'unifier avec l'esprit du Nord et créer des œuvres vivantes «en utilisant formes, couleurs, rythmes et états d'âme». [19] Le pas était facile à franchir entre les formes simplifiées de ses tableaux sur l'Arctique à l'emploi de la couleur, de la forme et de la lumière en fonction de leurs valeurs intrinsèques et symboliques. Dans ses tableaux abstraits jusqu'en 1950, il s'agit principalement de variations sur les formes géométriques de base que sont le cercle et le triangle avec des couleurs utilisées pour leur valeur symbolique. Après 1950, Harris a mis au point une forme d'expressionnisme abstrait où la couleur est employée avec une plus grande liberté et où les formes deviennent des tourbillons ou des motifs rythmés. Dans ses derniers tableaux, l'extraordinaire intensité de la lumière et de la couleur exprime au plus haut point la quête spirituelle de Harris avec ses visions de lumière or et blanc.

Les abstractions de Harris suscitèrent beaucoup de critiques. Les plus ardents défenseurs du Groupe pensaient qu'il s'était vendu au modernisme et refusèrent de prendre au sérieux les tableaux qu'il fit dans ce style même si Harris soutenait qu'ils étaient plus importants que tout ce qu'il avait fait alors qu'il était membre du Groupe des Sept. [20] La réaction défavorable du public fut telle envers ses tableaux abstraits qu'aucun musée public canadien n'en acheta avant 1969.

218.

Le contrôle du conscient sur la spiritualité était une critique plus justifiable parce que ses tableaux donnaient l'impression d'être trop cérébraux. Harris dira lui-même que l'art abstrait était «un jeu de création entre le conscient et l'inconscient, le conscient prenant toutes les décisions finales et le contrôle de l'ensemble». [21] Cette critique n'était pas nouvelle car, dès 1921, Barker Fairley commentera en ces termes le travail de Harris: «On dirait que la tête, le coeur et la main ont travaillé en s'ignorant réciproquement.» [22] Aujourd'hui, il est difficile de juger si Harris s'est laissé dominer par la froideur et la précision de son raisonnement. Mais, de toutes ses périodes, on possède de lui des tableaux qui ont une grande beauté lyrique, beaucoup de franchise et de vigueur. Avec le temps, ils pourront compenser cette image de peintre intellectuel qu'on lui prête.

Harris a souvent été qualifié d'intellectuel et d'aristocrate du Groupe. Son comportement et ses gestes le confirment sans cesse. Comme les autres membres, il voulait que les gens viennent à la peinture mais d'une manière bien différente de l'esprit de croisade de Lismer et de Jackson. Northrop Frye écrira: «C'est un missionnaire qui veut que les autres sentent combien sa foi est authentique.» [23] Deux rétrospectives en 1948 et 1963 vinrent à bout de le faire accepter mais, d'une façon ou de l'autre, il ne s'en émut guère. Il reste toujours profondément spiritualisé, d'une grande humilité et avec d'énormes ressources intérieures. Mais l'image par laquelle il aurait certainement aimé qu'on se souvienne de lui, le montrerait sans aucun doute marchant seul sur un glacier dans l'air raréfié des Rocheuses, sa crinière de cheveux blanc voletant dans le vent. [24]

219.

218. Lawren Harris
Équations dans l'espace, 1936
Huile sur toile 76.8 x 153 cm (30¼ x 60¼ po)
Galerie Nationale du Canada

219. Lawren Harris *Composition No 1,* 1940
Huile sur toile 157.4 x 160.6 cm (62 x 63¼ po)
Vancouver Art Gallery

De tous les membres du Groupe des Sept, Jackson est resté le plus proche de l'esprit et du style originels. L'année de la dissolution, il proclama son esprit d'indépendance en démissionnant de l'Académie royale parce qu'il se trouvait en désaccord avec sa politique.[25] Le Groupe des Sept n'existant plus, il se joignit au Groupe des peintres canadiens et continua ses randonnées à travers le Canada. Dans les années qui suivirent, il devint une figure familière dans de nombreuses régions du pays, arrivant sans crier gare chez un vieil ami pour y faire des croquis pendant quelques semaines ou encore partant en expédition pour explorer un nouveau territoire à peindre.

Chaque printemps, Jackson retournait régulièrement au Québec et durant l'été, partait plus loin en Alberta, au Grand lac de l'Ours, sur la route de l'Alaska, à Yellowknife ou dans les terres désolées des Territoires du Nord-Ouest. À la fin de l'automne, il retrouvait son atelier du Studio Building, sur la rue Severn, à Toronto, où il vécut jusqu'en 1955. Là, il pouvait peindre ses toiles durant les mois d'hiver en attendant le printemps pour reprendre ses voyages. Il mena cette vie jusqu'à 80 ans et, en 1965, il étonnait encore tout le monde en se rendant sur la Terre de Baffin où il campa à l'âge de 83 ans.[26]

En plus de voyager et de faire des croquis, Jackson continuait de faire entendre sa voix en faveur de la peinture canadienne. C'était un diplomate né qui était à l'aise avec tout le monde, depuis le Gouverneur général et les présidents de banque jusqu'aux coureurs des bois et aux étudiants. Il pouvait parler indifféremment à des classes d'écoliers, à des repas d'hommes d'affaires ou à des groupes de musée. Il aimait dire et redire la façon dont le Groupe avait rompu avec la domination de l'École hollandaise et pour la première fois, peint le Canada tel qu'il était vraiment. Pendant la Seconde Guerre mondiale, il contribua à la mise sur pied d'impressions en sérigraphie de tableaux canadiens contemporains qu'on envoyait ensuite par milliers en Europe. Il fit aussi des illustrations pour des livres, fut la vedette d'un film intitulé *Canadian Landscape* (Paysages du Canada) et écrivit son autobiographie.[27] Reconnaissance, honneurs et publicité tombèrent sur les épaules du « doyen de la peinture canadienne » à un point tel qu'il s'en sentait embarrassé. En 1953, eut lieu une rétrospective de ses œuvres et au fil des années, il reçut l'Ordre de Saint-Michel et Saint-Georges, sept doctorats honorifiques et l'Ordre du Canada.

Cependant, la personnalité, les voyages et l'endurance physique ne font pas obligatoirement d'un peintre un grand artiste. Bien que nombre des tableaux de Jackson avant 1932 aient une grande beauté lyrique et une belle vigueur d'expression, les œuvres ultérieures n'ont souvent pas ces qualités. Jackson est un peintre qui regarde et qui n'a jamais essayé de faire autre chose. Il reste lié à une formule inflexible qui veut qu'une peinture soit avant tout un paysage, qu'elle ait ensuite un avant-plan, un horizon et un arrière-plan, et enfin qu'elle représente le Canada et soit facilement reconnaissable, ce qui laisse peu de latitude pour exprimer la grande variété des émotions. En cinquante ans de répétitions de cette formule dans une imposante quantité de tableaux, il ne pouvait que devenir maniéré et monotone. Il n'en resta pas moins fidèle à lui-même et à sa vision du Canada et poursuivit son but avec beaucoup d'énergie tout au long de sa vie. Lismer résumera sa contribution mieux que quiconque en ces termes: « Jackson a plus fait que tout autre peintre ou écrivain pour nous impliquer dans notre environnement, pour nous rendre pleinement conscients de la portée, de la beauté et du caractère de notre pays. »[28]

220. A.Y. Jackson, vers 1956.

221. A.Y. Jackson *Réserve des Indiens Blood,* 1937
Huile sur toile 63.8 x 81.2 cm (25⅛ x 32 po)
Art Gallery of Ontario

222. A.Y. Jackson *Collines précambriennes,* 1939
Huile sur toile 71.4 x 91.4 cm (28⅛ x 36 po)
Art Gallery of Ontario

223. A.Y. Jackson *Tempête, baie Géorgienne,* 1920
Huile sur bois 21.5 x 26.6 cm (8½ x 10½ po)
Collection McMichael

224. A.Y. Jackson *Monument Channel, baie Géorgienne,* 1953
Huile sur bois 26.5 x 34.2 cm (10⁷⁄₁₆ x 13½ po)
Art Gallery of Ontario

Dans les années qui suivirent la dissolution du Groupe des Sept, Lismer continua sa carrière dans l'enseignement de la peinture. Au printemps 1932, il fit une tournée très réussie de conférences dans l'Ouest. [29] Au cours de l'été de cette même année, il participa à son premier congrès sur l'enseignement à Nice, dans le sud de la France, où il donna une conférence intitulée « Art in a Changing World (L'art dans un monde en transformation) ». Pour la première fois, il échangea ses idées sur l'enseignement de la peinture avec quelques-uns des éducateurs les plus avant-gardistes au monde. Il y noua des amitiés qui lui valurent d'être invité à participer au prochain congrès qui allait se dérouler deux ans plus tard en Union sud-africaine. Ce n'était qu'un début car il retourna dans ce pays en 1936 et y resta toute une année pour donner des conférences sur les méthodes d'enseignement de la peinture et y organiser un programme d'enseignement dans ce domaine. Sa rencontre avec les Noirs sud-africains se révéla l'un des moments les plus enrichissants de sa vie et renforça ses idées sur les capacités créatrices des jeunes comme des vieux quand on leur laissait le champ libre. D'Afrique du sud, Lismer et sa femme se rendirent en Australie et en Nouvelle-Zélande pour participer à un autre congrès avant de rentrer au Canada à la fin de 1937.

Les deux années suivantes furent des années de transition. [30] Au cours de l'hiver 1938-39, il reçut l'invitation d'enseigner, à titre de professeur invité, au Columbia Teachers' College de New York. Bien qu'il ait profité de l'expérience, il n'aima pas New York ni le système impersonnel et mécanique qui semblait envahir toute chose. L'hiver suivant, il le passa à Ottawa où il espérait de mettre sur pied un programme national sur la peinture en conjonction avec la Galerie Nationale du Canada. Cette idée était celle d'Eric Brown, ami de longue date de Lismer et qui avait autrefois essayé de lui donner un poste à la Galerie. Par malchance, Eric Brown mourut aussitôt après l'arrivée de Lismer à Ottawa de sorte que le projet d'un programme national ne fut jamais pleinement réalisé. La Seconde Guerre mondiale éclata cette même année, rendant encore plus minces ses chances de succès. Lismer dut subir une montagne de frustrations de la part des fonctionnaires et devint de plus en plus convaincu qu'il n'arriverait à rien.

Lorsqu'on lui offrit la possibilité d'être nommé directeur de l'enseignement à l'Art Association of Montreal (depuis le musée des Beaux-arts de Montréal), il accepta avec empressement. Le programme qu'il mit alors sur pied ressemblait beaucoup à celui qu'il avait établi à Toronto et il obtint tellement de succès qu'on fonda un centre artistique pour les enfants en 1948. Les années 40 furent une période de stabilité pour Lismer, au cours de laquelle il put se consacrer en toute tranquillité à ses activités favorites: l'enseignement et la peinture. En 1950, l'Art Gallery of Toronto et la Galerie Nationale du Canada organisèrent en son honneur une rétrospective comprenant 314 de ses œuvres.

Cette exposition permit de mesurer la contribution de Lismer en tant que peintre. On y voyait la vigueur de ses premiers tableaux et aussi l'inégalité des toiles ultérieures. Dans sa critique de l'exposition, Jackson passera avec tact par-dessus la dernière période en disant qu'il était « surtout un peintre de l'été et, au moment même où la couleur se mettait à vibrer, il devait plier bagages et retourner à l'enseignement ». [31] Lismer disait souvent de lui-même sur un ton badin qu'il n'était rien de plus qu'un « peintre du dimanche » car il voyait bien que sa passion de l'enseignement l'obligeait à sacrifier en grande partie sa carrière de peintre.

225.   Arthur Lismer, vers 1956.

226. Arthur Lismer   *Jungle canadienne,* vers 1946   Huile sur toile   44.4 x 55.8 cm (17½ x 22 po)   Collection McMichael

La Jungle canadienne est un bon exemple du style tardif de Lismer. La technique en est intentionnellement fruste car il voulait donner l'impression d'une végétation désordonnée et bourgeonnante. Presque toute la toile est recouverte d'une masse entremêlée de végétation et de broussailles avec à peu près aucune organisation spatiale pour les unifier. Les formes sont vaguement définies et des couleurs discordantes sont répandues sur toute la toile sans repos pour l'œil. Bien qu'il ait réussi jusqu'à un certain point à transmettre une impression de croissance sauvage et primale, l'exécution qu'il en donne n'est pas à la hauteur de sa conception.

Varley continuait d'avoir des crises dépressives et des soucis financiers qui ne le lâchaient pas. En 1938, il quitta sa femme et sa famille pour partir dans l'Est afin d'y occuper un poste à l'Ottawa Art Association. Ce fut un désastre et il dira plus tard: «Ottawa me rend fou. Ces fonctionnaires, ces politiciens et ces diplomates sont les gens les plus cinglés que je connaisse».[32] La même année, il fit un voyage dans l'Arctique sur le *Nascopie* et exécuta quelques-uns des croquis les plus extraordinaires jamais faits sur l'Arctique.[33] Avec l'éclatement de la Seconde Guerre mondiale, il déménagea à Montréal pour y rester, sauf pendant un court séjour à Ottawa, jusqu'à ce qu'il retourne à Toronto en 1945. Toutes ces années en furent de profond désespoir pour Varley et il ne produisit ni ne vendit presqu'aucun tableau. Il passait sa vie dans les maisons de chambre et dans les tavernes. Lismer se souviendra l'avoir rencontré un jour dans la rue à Montréal et, à son grand désarroi, Varley ne le reconnut pas.[34]

Cependant, une fois de retour à Toronto, Varley se remit à peindre et fit un *Autoportrait* (Collection Hart House), tableau qui révèle les tourments et les souffrances qu'il avait subis. La même année, il peignit *La musique de la mer* qui, par contraste, est une œuvre sereine et calme. Ce tableau retourne à l'atmosphère poétique de la période de Vancouver et à des tableaux comme *Fenêtre ouverte*, daté de 1933 (Collection Hart House). Heureusement, Varley trouva bientôt des mécènes et des défenseurs à Toronto, comme Charles Band et la famille McKay, qui le soutinrent durant les dernières années de sa vie. La rétrospective de ses œuvres en 1954 s'avéra un point tournant et lui donna la reconnaissance qu'il attendait depuis longtemps.

227. F.H. Varley, vers 1956.

230. F.H. Varley *Kyra,* 1948 Crayon 23.4 x 20.6 cm (9¼ x 8⅛ po) Collection Band, Toronto

228. F.H. Varley *Marie,* 1934 Crayon Conte sur papier 32.8 x 21.5 cm (12¹⁵⁄₁₆ x 8½ po) Art Gallery of Ontario

229. F.H. Varley *Femme esquimaude,* 1938 Divers 22.8 x 8.8 cm (9 x 3½ po) Collection McMichael

«*Le vert est une couleur d'une grande spiritualité. C'est pourquoi je m'en sers tant. Lorsque vous regardez le tableau pendant un certain temps, les autres couleurs semblent s'y perdre de sorte que la chair, la robe et le fond semblent acquérir peu à peu un coloris plus normal. L'effet en est peut-être purement imaginaire mais peindre, c'est un exercice d'imagination.*»[35]

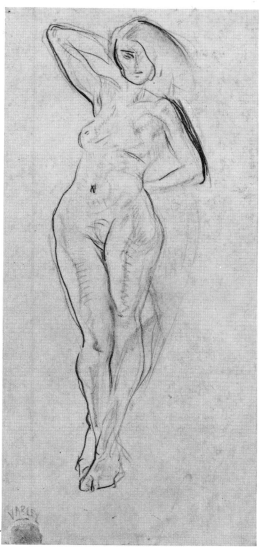

232.   F.H. Varley   *Nu debout,* vers 1930-35
Craie noire   26.9 x 12 cm (10⅝ x 4¾ po)
Galerie Nationale du Canada

231.   F.H. Varley   *La musique de la mer,* vers 1945   Huile sur toile   71.1 x 60.9 cm (28 x 24 po)
Collection particulière, Toronto

En 1932, Carmichael arrêta de travailler comme artiste commercial pour devenir directeur de la section d'art graphique et commercial de l'Ontario College of Art. Il put alors consacrer plus de temps à la peinture et continua de produire avec régularité jusqu'à sa mort en 1945. Pendant presque toute sa carrière, ses tableaux montrèrent son penchant pour le côté décoratif mais, vers la fin de sa vie, il créa des œuvres d'une vigueur surprenante comme *Lumière et ombre* (1938). Sans aucun doute le membre le plus sous-estimé du Groupe des Sept, Carmichael est un personnage insaisissable, presque caché derrière les fortes personnalités de Jackson, de Lismer et des autres.

Casson continua de peindre les villages du sud de l'Ontario et on peut noter ses changements de style à travers la façon dont il aborde ce thème. Après ses aquarelles riches en couleur de la fin des années 20, il se dirigera vers un traitement plus monumental des bâtiments faisant partie d'un paysage comme, par exemple, son *Église anglicane de Magnetawan*. Les tableaux des années 30 sont parmi les meilleurs de Casson avec leur excellent contrôle de la composition et de la couleur et une définition parfaite des formes.

Carmichael et Casson sont deux peintres de talent mais on a parfois l'impression qu'il manque quelque chose dans leurs tableaux. Malgré l'excellente technique de leurs grandes toiles, ils n'arrivèrent jamais à peindre des tableaux comme *Le Pin, Terre solennelle* ou *Bourrasque de septembre*. Que possédaient donc ses œuvres que les leurs n'avaient pas ? La réponse à cette question souligne à la fois les forces et les faiblesses du Groupe des Sept. Les tableaux qui, à juste titre, sont devenus des symboles de leur mouvement sont ceux qui dégagent une grande force psychologique, une tension intérieure et un symbolisme profond. Ils représentent plus que la scène qu'ils décrivent et s'élèvent ainsi au-dessus du simple naturalisme figuratif. Les tableaux de Carmichael, Casson et autres disciples des Sept n'ont pas cette qualité. Pour la plupart, il s'agit de paysages agréables et bien exécutés mais sans vigueur d'expression. *Le pin blanc* de Casson, exécuté en 1957, en est un exemple. C'est un tableau bien fait, d'une très belle composition et avec un très beau contraste d'ombre et de lumière. On peut dire qu'il est dans la lignée de *Vent d'ouest* et de *Bourrasque de septembre*, avec ce pin solitaire courbé par le vent. Cependant, c'est en quelque sorte un tableau qui relève d'un certain mécanisme : la technique et la composition sont plus importantes que la qualité de l'imagination.

233.   A.J. Casson, vers 1956.

234.   Frank Carmichael gravant sur bois.

235. Frank Carmichael *Lumière et ombre,* 1937 Huile sur carton 96.5 x 121.9 cm (38 x 48 po)
Collection particulière, Toronto

236. A.J. Casson *Le pin blanc,* 1957 Huile sur toile 76.2 x 101.6 cm (30 x 40 po)
Collection McMichael

Lors de la fondation du Groupe des Sept en 1920, les membres espéraient bien qu'on reconnaîtrait leur travail et leurs idées. Dans le catalogue de leur première exposition, ils invitaient la critique à les juger mais seulement parce qu'ils craignaient surtout l'indifférence. À une époque où le Canada sortait de l'adolescence, ils avaient la conviction que l'un des principaux facteurs de la croissance de leur pays, était qu'il fût représenté par un art pictural plein de vitalité et d'expression. Ils espéraient que leurs tableaux apporteraient une contribution valable à la formation d'une authentique tradition canadienne en peinture.

Soixante ans plus tard, tout indique que le Groupe a atteint son but. Ils ont obtenu la reconnaissance nationale et l'ensemble de leur œuvre est considéré comme l'un des fondements de la culture canadienne. On les a honorés de rétrospectives, de diplômes et de médailles. On retrouve des reproductions de leurs tableaux aussi bien sous forme de posters que de timbres-poste. Des collectionneurs de toutes les régions du Canada s'arrachent leurs toiles lors d'expositions privées ou dans les ventes aux enchères.

Comme cela arrive fréquemment dans ce genre de popularité, on a eu trop tendance à romancer les faits et les gestes du Groupe, ce qui a inévitablement donné naissance à des conceptions erronées. La plus répandue de ces conceptions est qu'ils furent violemment critiqués lors de leurs premières expositions en tant que Groupe des Sept. Amis, critiques et admirateurs ont fait d'eux des héros révolutionnaires qui ont combattu les Philistins et qui ont gagné. Cependant, la vérité oblige à dire que presque toutes les premières critiques leur furent favorables et qu'ils eurent de nombreux défenseurs dès le début même. Il est vrai qu'ils subirent des attaques hostiles mais isolées avant 1920 et un certain nombre au milieu des années 20, mais qui n'étaient pas toutes injustes ou stupides.

Une autre facette de l'histoire du Groupe et qui a été bien mal comprise, est l'influence de la tradition picturale européenne. Ils ont prétendu avoir rompu avec tous les mouvements européens et donné naissance à une peinture distinctivement canadienne. Mais, tout en réagissant contre l'École hollandaise et celle de Barbizon, ils furent à leur tour influencés par les mouvements européens qui succédèrent à ces écoles. Sans même s'en rendre compte, ils assimilèrent des éléments venant des impressionnistes, des post-impressionnistes et de l'*Art Nouveau*. Cependant, le Groupe n'en reçut l'influence qu'une trentaine d'années après, soit à une époque où la peinture européenne se dirigeait déjà vers l'abstraction.

Dans leur attitude face à la nature, les membres du Groupe des Sept furent aussi influencés par les idées du XIXème siècle. Ils réagirent contre le matérialisme de la ville et se tournèrent vers la nature pour en puiser des valeurs spirituelles. Délaissant le confort de l'atelier, ils cherchèrent dans le paysage leur source d'inspiration. Ils subirent de dures épreuves physiques face aux éléments, tempêtes, pluie, neige fondue ou neige tout court, pour saisir l'âme même de la nature. Ils racontèrent par la suite un tas d'anecdotes comme, par exemple, comment faire un trou dans la glace pour se baigner le matin ou encore comment escalader les Rocheuses pour peindre un paysage. Comme le dira Jackson, c'était un « rude travail en plein air qu'on menait dans la joie ». [36] On admirait beaucoup le Groupe pour cette manière de faire et dernièrement, on a eu tendance à les combler d'éloges beaucoup plus pour leurs exploits physiques que pour leurs réussites picturales.

Derrière le désir du Groupe des Sept de peindre les paysages du Canada, repose la conviction que c'était le Nord qui représentait le plus le caractère unique du pays. Ils croyaient que les rochers, les lacs et les forêts étaient la base même de l'identité canadienne. C'est ce concept qui mobilisa l'imagination de tant de Canadiens. Mais le Nord est-il bien le vrai symbole du rêve canadien? À ce sujet, Frank Underhill écrira dans un article intitulé: «False Hair on the Chest (De faux cheveux sur la poitrine)», en 1936:

En fait, le culte artistique du Nord n'est au pire que simple romantisme et n'est pas relié de près au véritable mode de vie canadienne. Loin de chercher l'inspiration parmi les rochers et le vent, le Canadien moyen rêve de vivre dans une grande ville où il peut gagner de l'argent rapidement pour jouir de superfluités qu'il trouve dans les colonnes publicitaires de nos magazines nationaux. [37]

On a dit que le Groupe des Sept avait présidé à la naissance d'une véritable école nationale de peinture et que ses membres avaient peint le Canada d'un océan à l'autre. Cependant, la grande majorité de leurs tableaux virent le jour en Ontario et plusieurs des peintres ne quittèrent jamais cette province au cours de l'existence du Groupe. Même Jackson, qui peignit le Canada d'est en ouest, admit à une certaine époque qu'il n'aimait pas l'Ouest et qu'il le trouvait difficile à peindre. En outre, toute l'activité du Groupe était centrée sur Toronto et il fallut attendre les dernières années de cette association pour élargir, dans une faible mesure, sa représentativité à l'échelle du Canada.

Même si la création d'un art pictural national par le Groupe a toujours été considérée comme leur plus grand exploit, elle n'en a pas moins restreint leur créativité. Plutôt que de se pencher sur eux-mêmes pour en retirer une vision personnelle, les peintres se sont en général confinés au monde extérieur et à un thème bien défini. Cette insistance sur une facette particulière de la réalité — le paysage canadien — a limité les données esthétiques de leur moyen d'expression. Ils n'obtiendront une résonance universelle que lorsqu'ils dépasseront le nationalisme pour exprimer leurs émotions intérieures.

Presque toutes les conceptions erronées sur le Groupe prirent naissance dans les dernières années lorsqu'il entreprit de promouvoir son idée d'une tradition picturale canadienne, et n'eurent donc que peu d'impact sur les premières années de créativité, en fait les plus importantes.

Au début, le Groupe des Sept était motivé par une perception spontanée et simplificatrice du Nord canadien. C'est Harris qui dira : « Nous vivions dans un élan continu d'enthousiasme... Par-dessus tout, nous aimions ce pays et nous aimions l'explorer. » [38] Les peintres étaient alors unis par la force de leurs convictions et par un sentiment de camaraderie. Énergie et vitalité transparaissaient dans leurs faits et gestes. Ces qualités se retrouvaient dans leurs œuvres. Ils expérimentaient sans cesse de nouvelles techniques et cherchaient des moyens plus expressifs pour transposer la nature vierge des paysages. C'est durant cette période qu'ils atteinrent la maturité et exécutèrent leurs tableaux les plus intéressants.

MacDonald, Harris, Jackson et Lismer inspirèrent les motivations du Groupe. Cependant, Thomson mérite aussi une place de choix au sein de cette association bien qu'il soit mort avant qu'elle n'ait existé officiellement. Sa personnalité attachante, son amour du Nord et sa perception intuitive de la peinture continuèrent d'avoir une grande influence pendant des années après sa mort.

Il ne fait aucun doute que Harris et MacDonald furent les chefs naturels des Sept. MacDonald fut le premier à avoir la vision d'une école de peinture canadienne qui montrerait le vrai visage du Canada. Sensible et introverti, il avait l'âme d'un poète et était très admiré des autres peintres. Sous des dehors calmes, il dégageait une grande force intérieure qu'on retrouve d'ailleurs dans sa peinture. Avec ses couleurs expressives et d'une grande richesse, il réussit à saisir l'âme de la nature et à nous en rendre toute la poésie. Harris était également d'une grande spiritualité. Avec son enthousiasme contagieux et son souci d'un art pictural distinctivement canadien, il aida le Groupe à formuler nombre de ses idées. À l'encontre de son tempérament actif, ses tableaux semblent calmes et sereins car, par leur truchement, il cherchait à révéler avec précision et clarté le monde interne de l'âme.

Alors que MacDonald et Harris étaient les intellectuels et les philosophes du Groupe, Jackson et Lismer en étaient les porte-parole. Jackson aimait la lutte, que ce soit avec la critique ou contre les éléments. Mais c'était aussi un être doux et réfléchi qui avait des amis partout au Canada. Sa franchise et sa simplicité se retrouvaient aussi bien dans sa vie que dans son œuvre. Par le rythme caractéristique de ses formes, il réussit à peindre d'une façon sensible l'âme du paysage canadien et, inlassablement, il traversa et retraversa le Canada à de nombreuses reprises, pour en faire des croquis dans toutes les conditions climatiques possibles. Pour sa part, Lismer avait l'esprit vif, la langue bien pendue et un sens aigu de l'humour. Il remettait toujours en question les traditions et combattait sans compromis l'apathie et l'ignorance. En tant que professeur, il ouvrit le monde de la peinture tant aux jeunes qu'aux moins jeunes. Ses tableaux reflètent son dynamisme avec leurs couleurs audacieuses et leurs formes vigoureuses.

Parmi les autres peintres du Groupe, Varley et Johnston font un peu bande à part. Varley avait un caractère indépendant mais était très près du Groupe par suite de ses révoltes contre le pouvoir et la tradition. Ses paysages et ses portraits sont d'une grande beauté poétique et d'une grande force d'expression. Quant à Frank Johnston qu'on a trop tendance à dissocier du Groupe, les tableaux qu'il exécuta alors qu'il en était membre, sont à la fois prenants et décoratifs.

Carmichael et Casson, les deux plus jeunes membres, continuèrent, dans les années qui suivirent, à travailler dans le style et l'esprit des Sept. Peintres sincères, ils avaient un sens développé de la composition et une perception directe de la nature. Derniers peintres à se joindre au Groupe avant sa dissolution, Holgate et FitzGerald illustrèrent le désir de l'association à se donner une image plus nationale.

À la fin des années 20, le Groupe des Sept avait atteint la gloire grâce à l'exposition de Wembley, avait gagné sa guerre contre l'Académie royale et s'était fait reconnaître partout au Canada. Ses membres prirent graduellement conscience de leur rôle comme porte-parole de la peinture canadienne et, pleins d'un zèle missionnaire, essayèrent de surmonter l'indifférence du public et de convaincre les Canadiens de la nécessité d'une peinture qui soit vraiment nationale. Ils combattirent l'idée à l'effet qu'il n'y aurait jamais de tradition picturale canadienne et facilitèrent l'établissement d'un climat de tolérance envers les idées nouvelles. Par leurs voyages, conférences, articles et enseignement, ils initièrent tous les Canadiens à l'existence même de la peinture et accrurent leur compréhension du travail et des idées des peintres. En popularisant la conception d'une peinture basée sur les paysages du Canada, ils donnèrent aux Canadiens le sens de leur identité nationale et leur permirent de découvrir par eux-mêmes la beauté de leur propre pays.

Aujourd'hui, le Groupe des Sept est passé à l'histoire. L'époque où ils vécurent leurs aventures est révolue. C'est le temps maintenant de faire table rase des mythes et légendes qui les ont entourés à leur époque et qui ont déformé leurs réalisations. Pour les futures générations, l'importance du Groupe des Sept repose dans les œuvres produites et dans l'expression de leur vision unique en son genre. Tout en reconnaissant leur contribution à l'établissement d'une identité canadienne, il n'en faut pas pour autant en exclure une juste critique. Nous terminerons donc avec cette phrase de Barker Fairley: « Là où il n'y a pas de jugement, l'art est destiné à périr. »[39]

ABRÉVIATIONS

A.A.M.	Art Association of Montreal
A.G.H.	Art Gallery of Hamilton
A.G.O.	Art Gallery of Ontario, Toronto
A.G.T.	Art Gallery of Toronto
A.A.R.A.C.	Membre associé de l'Académie royale des arts du Canada
M.C.C.	McMichael Conservation Collection, Kleinburg, Ontario
M.B.A.M.	Musée des Beaux-Arts de Montréal
O.S.A.	Ontario Society of Artists
G.N.C.	Galerie Nationale du Canada, Ottawa
A.R.A.C.	Académie royale des arts du Canada

	ÉVÉNEMENTS CONTEMPORAINS	THOMSON, THOMAS JOHN (né le 4 août 1877, à Claremont, Ontario, et mort au parc Algonquin le 16 juillet 1917)	MACDONALD, JAMES EDWARD HERVEY (né le 12 mai 1873, à Durham, Angleterre, et mort à Toronto le 26 novembre 1932)	HARRIS, LAWREN STEWART (né le 23 octobre 1885, à Brantford, Ontario, et mort à Vancouver le 29 janvier 1970)
1887			AVRIL Émigre avec sa famille à Hamilton, Ontario Étudie à l'Hamilton Art School jusqu'en 1888	
1888				
1889			Déménage à Toronto, devient apprenti lithographe	
1890				
1891	Publication du premier calendrier de l'Art Students' League Mort de Seurat			
1892				
1893			Étudie à la Central Ontario School of Art and Design avec Reid at Cruikshank	
1895	Maurice Cullen revient au Canada		Travaille comme graphiste chez Grip Ltd	
1896	Laurier devient Premier ministre		Visite Kentville, Nouvelle-Écosse	
1898		Travaille comme mécanicien à Owen Sound pendant huit ou neuf mois	Visite Rockingham, Nouvelle-Écosse	
1899		Étudie à l'école commerciale de Chatham jusqu'en 1901		
1900				Étudie au St. Andrew's College
1901		À Seattle, travaille comme garçon d'ascenseur, étudie dans un collège religieux	Peint près de Bronte, Ontario	
1902		Travaille dans la photogravure jusqu'en 1904		
1903	Mort de Gauguin Publication du dernier calendrier de l'Art Students' League		Devient membre de la Toronto Art Students's League DÉCEMBRE Vers l'Angleterre, travaille pour les Studios Carlton	Université de Toronto pendant six mois
1904	Salon d'automne, Paris, première exposition des Fauves Milne part à New York		Revient et ramène sa femme et son fils en Angleterre	AUTOMNE Arrive à Berlin, étudie avec Fritz von Wille
1905	Ouverture à New York et à Toronto de la Photo Seccession Gallery Fondation du Graphic Arts Club	De retour à Toronto, travaille dans la photogravure		ÉTÉ Au Canada HIVER Étudie à Berlin avec Adolf Schlabitz et Franz Skarbina

JACKSON, ALEXANDER YOUNG (né le 3 octobre 1882, à Montréal, Québec, et mort à Kleinburg, Ontario, le 5 avril 1974)	LISMER, ARTHUR (né le 27 juin 1885, à Sheffield, Angleterre, et mort à Montréal, Québec, le 23 mars 1969)	VARLEY, FREDERICK HORSMAN (né le 2 janvier 1881, à Sheffield, Angleterre, et mort à Toronto le 8 septembre 1969)	CARMICHAEL, FRANKLIN (né le 4 mai 1890, à Orillia, Ontario, et mort à Toronto en 1945)	AUTRES
				Johnston naît le 19 juin à Toronto (mort à Toronto en 1949)
				FitzGerald naît à Winnipeg, le 17 mars (mort à Winnipeg le 5 août 1956)
				Holgate naît à Allendale, Ontario
	Étudie à la Sheffield School of Art jusqu'en 1906			Casson naît à Toronto, le 17 mai
		Termine ses études à la Sheffield School of Art; rencontre Lismer		
	Illustrateur pour l'*Independent* de Sheffield	Étudie à l'Académie royale des beaux-arts, à Anvers, jusqu'en 1902		
Étudie au Monument National, à Montréal, avec Edmond Dyonnet et suit des cours du soir à l'A.R.A.C. avec Brymner		Reçoit des médailles pour dessin et peinture de portraits d'après nature Retourne à Sheffield		
	Premiers paysages à l'exposition de la Sheffield Society of Artists			
Premiers tableaux exposés à l'A.R.A.C.		Vit à Londres jusqu'en 1908 Fait des illustrations pour *Illustrated London News, Sphere, Sketch* et le *London Magazine*		Holgate suit les cours de l'Art Association of Montreal, avec Brymner FitzGerald quitte l'école, travaille dans un bureau de grossiste en produits chimiques et dans d'autres emplois
Premier voyage en Europe: Londres, Paris, Liège; rencontre Clarence Gagnon à Paris Après un court séjour, retourne à Montréal				Johnston apprenti joaillier chez Birks

	ÉVÉNEMENTS CONTEMPORAINS	THOMSON	MACDONALD	HARRIS
1906	Mort de Cézanne			ÉTÉ Tour du Tyrol autrichien, à pied, en compagnie de Schlabitz (et en 1907?)
1907	John Lyman part en France pour étudier l'art et ensuite à Londres	Entre chez Grip Ltd (ou en 1908)	Revient à Toronto et retourne chez Grip Ltd	Étudie à Berlin et visite la France, l'Italie et l'Angleterre (?) AUTOMNE Revient à Toronto
1908	Fondation de l'Arts and Letters Club Première exposition annuelle du Canadian Art Club, Toronto FÉVRIER Première exposition des Huit à New York		Premières expositions en février avec l'O.S.A., en août à l'E.N.C.	Voyage en Palestine et en Arabie avec Norman Duncan Illustre *Going Down from Jerusalem* de Duncan (publié dans *Harper's Magazine* en 1908 et 1909) Revient à Toronto, entre à l'Arts and Letters Club (ou en 1909)
1909	JANVIER Stieglitz expose des dessins de Rodin à la 291 Gallery, New York Deuxième exposition annuelle du Canadian Art Club, Toronto Roger Fry, exposition d'art français à Grafton Galleries, Londres		Élu à l'O.S.A. Randonnée et croquis le long de la Magnetawan, à Burks Falls et dans le parc Algonquin Première visite à la baie Géorgienne	JANVIER Visite les camps de bûcherons du Minnesota Illustre un article de Duncan, "A Man's Christian", pour Harper's Magazine (juillet)
1910	Troisième exposition annuelle du Canadian Art Club, Toronto Emily Carr part étudier en France Manifeste des Peintres futuristes Exposition des Indépendants, New York	Premiers croquis sérieux : Lac Skugog, York Mills, etc.	ÉTÉ Première visite au cottage de MacCallum (visites annuelles jusqu'en 1971) Expose pour le première fois à l'A.R.C.A.	Rencontre MacCallum à l'Arts and Letters Club Peint *Maisons, rue Wellington* (Collection Harris)
1911	Quatrième exposition annuelle du Canadian Art Club, Toronto Matisse : *l'Atelier rouge*		FÉVRIER Entre à l'Arts and Letters Club NOVEMBRE Expose à l'Arts and Letters Club des croquis des environs de Toronto Quitte Grip Ltd pour peindre	Première exposition à l'O.S.A. Voit à l'Arts and Letters Club les dessins de MacDonald Rencontre MacDonald et Lismer à l'Arts and Letters Club
1912	Kandinsky publie *Du spirituel dans l'art* Ouverture du nouvel immeuble de l'Art Association of Montréal Emily Carr revient à Victoria OCTOBRE Ouverture de l'Ontario College of Art	MAI Première visite du parc Algonquin avec H.B. (Ben) Jackson JUILLET-SEPTEMBRE Randonnée en canoë jusqu'à Mississagi OCTOBRE Rencontre MacCallum à l'atelier de MacDonald Quitte Grip Ltd pour entrer chez Rous & Mann	Élu à A.R.A.C. *Rails et circulation*, à l'exposition de printemps de l'O.S.A. Première visite au cottage de MacCallum Randonnée et croquis le long de la Magnetawan, à Burks Falls	Peint *Construction du palais de glace* (Collection Harris) et *La drave* (G.N.C.) ÉTÉ Visite le cottage de MacCallum, à la baie Géorgienne

237. Tom Thomson *Nuage orageux*, vers 1912 Huile sur toile cartonnée 17.8 x 25.4 cm (7 x 10 po) Galerie Nationale du Canada

238. J.E.H. MacDonald *Aux environs de la baie Go Home*, 1912 Huile sur carton 15.2 x 20.3 cm (6 x 8 po) Collection M. Jennings Young

239. Lawren Harris *Construction du palais de glace*, 1912 Huile sur bois 26.6 x 31.7 cm (10½ x 12½ po)

JACKSON	LISMER	VARLEY	CARMICHAEL	AUTRES
SEPTEMBRE Chicago, travaille comme graphiste publicitaire jusqu'en 1907 ; étudie à l'Art Institute of Chicago	Étudie à l'Académie royale des beaux-arts pendant dix-huit mois			Johnston en apprentissage chez Bridgens Ltd ; étudie le soir avec William Cruikshank
ÉTÉ Revient à Montréal **AUTOMNE** Étudie à l'Académie Julien, à Paris, pendant six mois	Voyage à Liège et à Bruxelles ; visite à Paris et à Londres			Casson déménage à Guelph avec sa famille
AVRIL Voyage de trois mois en Italie **MAI** Étaples, dans le Pas-de-Calais, jusqu'en décembre	Revient à Sheffield, fonde son propre bureau de « spécialiste en publicité illustrée »	Revient à Sheffield jusqu'en 1911 ; épouse Maud Pinder		Johnston étudie le soir avec G. Hahn à la Central Technical School ; commence à travailler chez Grip Ltd
AVRIL À Épisy, sur le canal du Loing **ÉTÉ** En Hollande pendant quelques semaines À Épisy, jusqu'à la fin de l'automne **DÉCEMBRE** Revient à Montréal pour Noël	Visite Londres et l'exposition des post-Impressionnistes à Grafton Galleries		Travaille dans l'atelier de mécanique automobile de son père à Orillia Rencontre William Wood, autre jeune peintre	
À Sweetsburg, Québec, peint *La lisière de l'érablière, Neige d'avril* **MAI** Visite ses tantes à Berlin, Ontario Visite la baie Géorgienne pour la première fois	Discute avec Fred Bridgen des possibilités au Canada			Johnston étudie à l'Academy of Fine Arts de Philadelphie ; travaille à New York aux Studios Carleton
PRINTEMPS Expose *La lisière de l'érablière*, à l'O.S.A., Toronto **SEPTEMBRE** Troisième voyage en Europe, avec Robinson : Saint-Malo et Carhaix, Bretagne	Arrive à Toronto, travaille pour peu de temps chez David Smith & Co. **20 FÉVRIER** Entre chez Grip Ltd Entre à l'Arts and Letters Club Expose à l'O.S.A. pour la première fois		Arrive à Toronto, devient apprenti chez Grip Ltd Part faire des randonnées de week-end avec d'autres employés de Grip pour faire des croquis Étudie à l'Ontario College of Art avec Cruikshank et Reid, et à la Toronto Central Technical School avec Hahn	Johnston expose à l'O.S.A.
FÉVRIER À Paris, après le retour de Robinson chez lui ; puis à Étaples **AOÛT** À Leeds, Angleterre **HIVER** Italie	**JUIN-AOÛT** Revient en Angleterre pour une brève période, se marie Persuade Varley de venir au Canada	**AOÛT** Arrive seul à Toronto, sa femme et ses enfants suivront en 1913 Travaille chez Grip Ltd pendant trois semaines Entre chez Rous & Mann, jusqu'en 1917 Rencontre Thomson	Quitte Grip Ltd pour Rous & Mann	Johnston expose à l'O.S.A. Holgate à l'Académie de la Grande-Chaumière, à Paris, avec Claudio Castelucho Casson déménage à Hamilton ; étudie la peinture FitzGerald se marie, gagne sa vie et celle de sa famille avec l'art commercial

240. A.Y. Jackson   *Les dunes de Cucq*,   1912   Huile sur toile 52.7 x 64.1 cm (20¾ x 25¼ po) Galerie Nationale du Canada

241. Arthur Lismer   *Les berges de la rivière Don*,   1912 Huile sur bois   13 x 22.2 cm (5⅛ x 8¾ po) Galerie Nationale du Canada

	ÉVÉNEMENTS CONTEMPORAINS	THOMSON	MACDONALD	HARRIS
1913	JANVIER Exposition d'art scandinave, Buffalo FÉVRIER Armory Show, New York 26 FÉVRIER — 22 MARS Exposition de petits formats d'artistes canadiens, Toronto MARS Salon de printemps de l'Art Association of Montreal, critiques de Lyman et autres Publication par l'Arts and Letters Club du *Yearbook of Canadian Art* (Calendrier de l'art canadien) Construction de l'Art Gallery of Toronto Eric Brown, premier directeur de la Galerie Nationale Construction du Studio Building sur la rue Severn DÉCEMBRE Article «Hot Mush School»	Expose à l'O.S.A. *Lac du Nord,* acheté 250 $ par la Province d'Ontario ÉTÉ Au parc Algonquin NOVEMBRE Rencontre Jackson	JANVIER Visite l'exposition d'art scandinave avec Harris AVRIL Voyage à Mattawa avec Harris ÉTÉ Déménage à Thornhill OCTOBRE Dans les Laurentides avec Harris	JANVIER Visite l'exposition d'art scandinave, à Buffalo, avec Harris Voyage à Mattawa avec MacDonald Visite Jackson à Berlin, Ontario Aide au financement du Studio Building OCTOBRE Dans les Laurentides avec MacDonald NOVEMBRE Partage un atelier avec Jackson au coin des rues Bloor et Yonge
1914	JANVIER Ouverture du Studio Building 4 AOÛT Déclaration de guerre contre l'Allemagne Cullen peint au parc du Mont-Tremblant La mort des parents de Morrice annule ses visites annuelles au Canada John Marin peint le littoral du Maine	JANVIER Déménage au Studio Building Quitte Rous & Mann pour se consacrer à la peinture PRINTEMPS Au lac Canoë avec Lismer Expose *Clair de lune, début de soirée* à l'O.S.A., acheté par la G.N.C. JUILLET Rend visite à MacCallum à la baie Go Home Travaille comme guide à Mowat Lodge DÉCEMBRE Contribue avec *Après-midi, parc Algonquin,* au Fonds patriotique canadien	Prend un atelier au Studio Building MARS Première visite au parc Algonquin avec Bill Beatty pour rencontrer Jackson AOÛT-SEPTEMBRE À Cascades, Québec, et croquis dans la Gatineau avec Harris	Visite le parc Algonquin (?) AOÛT-SEPTEMBRE Peint dans la Gatineau avec MacDonald
1915	Marcel Duchamp à New York AUTOMNE MacCallum commande une murale pour son cottage de la baie Go Home Milne quitte New York et s'installe à Boston Corners	Partage un atelier avec Carmichael AVRIL Travaille comme guide au parc Algonquin AUTOMNE S'installe dans une cabane derrière Studio Building, pour 1 $ par mois Expose avec l'A.R.A.C.	Peint *Enneigé*	
1916	Exposition d'art scandinave à la Pennsylvania Academy of Art	PRINTEMPS Au parc Algonquin avec MacCallum ÉTÉ Travaille comme garde forestier HIVER Peint *Le pin* et *Le vent d'ouest*	Illustre des affiches de guerre ÉTÉ Expose *Le jardin embroussaillé* et *Les éléments*	PRINTEMPS Au parc Algonquin avec Thomson et MacCallum (?) S'engage dans l'armée

242.   Tom Thomson   *Clair de lune, début de soirée,*   1913-14
Huile sur toile 52.7 x 76.2 cm (20¾ x 30 po)
Galerie Nationale du Canada

243.   J.E.H. MacDonald
Rapides au printemps,   1912
Huile sur carton
17.7 x 22.8 cm (7 x 9 po)
Galerie Nationale du Canada

244.   Lawren Harris
Matin d'hiver,   1914
Huile sur toile
101.6 x 113 cm (40 x 44½ po)
Galerie Nationale du Canada

JACKSON	LISMER	VARLEY	CARMICHAEL	AUTRES
FÉVRIER Arrive à Montréal Expose à l'Art Association of Montreal avec Hewton, ne vend rien **MARS-AVRIL** À Émileville, Québec, avec Hewton **MARS** Reçoit une lettre de MacDonald à propos de *La lisière de l'érablière* **MAI** Arrive à Toronto, rencontre MacDonald, Lismer et Varley à l'Arts and Letters Club **ÉTÉ** À Berlin, Ontario, et à la baie Géorgienne **SEPTEMBRE** Rencontre MacCallum qui offre un atelier à Toronto **OCTOBRE** Revient à Toronto et partage un atelier avec Harris **NOVEMBRE** Peint *Terre sauvage*, rencontre Thomson	**MAI** *L'Éclaircie,* acheté par le gouvernement de l'Ontario **ÉTÉ** Enseigne à l'Ontario College of Art **SEPTEMBRE** Premier voyage au cottage de MacCallum à la baie Géorgienne	Expose pour la première fois à l'O.S.A.	**SEPTEMBRE** En Europe Étudie à l'Académie royale des beaux-arts Gagne une médaille en dessin	Johnston expose à l'O.S.A. Première exposition de FitzGerald avec l'A.R.A.C.
JANVIER Déménage avec Tom Thomson au Studio Building **FÉVRIER-AVRIL** Première visite au parc Algonquin **ÉTÉ** Au parc Jasper avec Beatty **AUTOMNE** Au parc Algonquin avec Thomson, Lismer et Varley Élu A.A.R.A.C. **DÉCEMBRE** À Montréal	**MAI** Premier voyage au parc Algonquin avec Thomson **OCTOBRE** Au lac Canoë avec Thomson, Jackson et Varley Peint *La maison du guide, parc Algonquin* (G.N.C.)	**OCTOBRE** Au parc Algonquin avec Thomson, Jackson et Lismer	Trois mois en Angleterre **AUTOMNE** Revient à Toronto à cause de la guerre Partage l'atelier de Thomson au Studio Building	Johnston de retour à Toronto et repart à New York avec l'aide du Dr MacCallum Holgate en Russie au début de la guerre
PRINTEMPS À Émileville, Québec **JUILLET** S'engage comme simple soldat au 60ème Bataillon d'infanterie **AUTOMNE** Départ outre-mer	**MARS** À la baie Go Home avec MacCallum Déménage à Thornhill (ou en 1916)	Visite le parc Algonquin	**SEPTEMBRE** Se marie et s'installe à Bolton pendant quatre mois	Johnston revient définitivement à Toronto
JUIN Blessé, convalescence en Angleterre	**MARS** Termine des tableaux pour le cottage de MacCallum **AOÛT** À Halifax, directeur de la Victoria School of Art and Design	Élu à l'O.S.A.	Déménage à Thornhill, travaille pour Rous & Mann	Casson déménage à Toronto ; commence à travailler comme graphiste à son compte, étudie le soir Holgate sert en France dans la 5ème Division d'artillerie canadienne (jusqu'en 1919)

245.   A.Y. Jackson
Le mont Robson,   1914
Huile sur bois
21.6 x 26.6 cm (8½ x 10½ po)
Collection McMichael

246.   Arthur Lismer
Le lac Smoke, parc Algonquin,   1914
Huile sur bois
23.3 x 31.1 cm (9³⁄₁₆ x 12¼ po)
Art Gallery of Ontario

247.   Franklin Carmichael
La baie Go Home,   1916
Huile sur bois
21.6 x 26.6 cm (8½ x 10½ po)
Collection McMichael

248.   Frank Johnston
Bois à l'automne, Algoma, vers 1918
Huile sur carton
26.6 x 33.8 cm (10½ x 13⁵⁄₁₆ po)
Art Gallery of Ontario

	ÉVÉNEMENTS CONTEMPORAINS	THOMSON	MACDONALD	HARRIS
1917	Exposition de la Society of American Artists, New York Fondation des Archives militaires canadiennes par lord Beaverbrook DÉCEMBRE L'explosion de Halifax	8 JUILLET Vu pour la dernière fois au lac Canoë 16 JUILLET Découverte de son corps Érection d'un cairn au lac Canoë	Déménage à York Hills Travaille au cairn de Thomson Épuisement physique Commence à écrire de la poésie ; rencontre Barker Fairley	Mort de son frère Épuisement physique (?)
1918	PRINTEMPS Cullen, Beatty et Simpson en Angleterre pour les Archives militaires Æ (George Russel) publie *Chandelle de la vision*	Exposition rétrospective au Montreal Arts Club de Montréal, préface du catalogue par A.Y. Jackson Le Dr MacCallum écrit un article intitulé : « Tom Thomson, Painter of the North (le Peintre du Nord) »	SEPTEMBRE Premier voyage en fourgon, à Algoma, avec Harris, Johnston et MacCallum	JUILLET Démobilisé Voyage avec MacCallum à la baie Géorgienne, à l'île Manitoulin et dans la région orientale du lac Supérieur
1919	Ouverture de Hart House Mort de Renoir Exposition des peintures d'Algoma par Harris, MacDonald et Johnston à l'Art Gallery of Toronto	AOÛT Mortimer Lamb écrit un article sur Thomson dans *The Studio*	Peint *Barrage de castors* (A.G.O.) AUTOMNE À Algoma avec Jackson, Harris et Johnston Publie un article : « *The Canadian Spirit in Art* (L'Esprit canadien en art) »	AUTOMNE À Algoma avec Jackson, MacDonald et Johnston Peint *Les cabanes* (G.N.C.)
1920	MAI Première exposition du Groupe des Sept à l'A.G.T. Exposition itinérante de 30 tableaux, aux États-Unis Borduas commence à travailler avec Ozias Leduc	Exposition rétrospective à l'A.G.T.	PRINTEMPS À Algoma avec Harris, Jackson et Lismer AUTOMNE À Algoma avec Harris, Jackson et Johnston	PRINTEMPS À Algoma avec Jackson, Lismer, MacDonald et MacCallum AUTOMNE À Algoma avec MacDonald, Jackson et Johnston
1921	MAI Deuxième exposition du Groupe des Sept à l'A.G.T. Bertram Brooker arrive à Toronto Exposition à Winnipeg : *Canadian Art of Today*		Peint *Terre solennelle* (G.N.C.) et *Algoma en automne* (G.N.C.) Devient professeur d'art décoratif et graphique à l'Ontario College of Art	Visite Halifax, Nouvelle-Écosse, peint *Groupe de monte-charges, Halifax* PRINTEMPS À Algoma avec Jackson et Lismer AUTOMNE À Algoma avec Jackson et Lismer ; puis randonnée sur la rive nord du lac Supérieur avec Jackson
1922	MAI Troisième exposition du Groupe des Sept à l'A.G.T. Le Groupe expose des tableaux à Vancouver et dans d'autres villes du Canada	Le musée des Beaux-Arts de Montréal acquiert *Dans le Nord*	Peint *Fantaisie de brume* (A.G.O.) JUILLET Voyage en Nouvelle-Écosse (Petite-Rivière)	Publie *Contrasts, A Book of Verse* (Poèmes) Sur la rive nord du lac Supérieur avec Jackson
1923	Exposition itinérante aux États-Unis d'œuvres du Groupe des Sept		FÉVRIER Directeur artistique de Canadian Forum Prépare des esquisses pour l'église Ste-Anne, Toronto	Sur la rive nord du lac Supérieur avec Lismer

249.   Tom Thomson
Dans le Nord,   1915
Huile sur toile
101.6 x 115 cm (40 x 45⅜ po)
Musée des Beaux-Arts de Montréal

250.   J.E.H. MacDonald
Barrage de castors,   1919
Huile sur toile
81.5 x 86.6 cm (32⅛ x 34⅛ po)
Art Gallery of Ontario

251.   Lawren Harris
Les cabanes,   1919
Huile sur toile
106.6 x 127.6 cm (42 x 50¼ po)
Galerie Nationale du Canada

JACKSON	LISMER	VARLEY	CARMICHAEL	AUTRES
JUILLET Nomination aux Archives militaires SEPTEMBRE Dessine en France pour les Archives militaires	7 DÉCEMBRE Fait des croquis de l'explosion de Halifax (publiés par la suite dans le *Canadian Courier*)		Élu à l'O.S.A.	*Nuit du Nord* de Johnston, acheté par la G.N.C.
MARS Travaille à Londres En France pendant trois semaines SEPTEMBRE Revient au Canada	Nomination aux Archives militaires canadiennes	Nomination aux Archives militaires canadiennes SEPTEMBRE Envoyé en France au moment de la dernière offensive, Peint *Pour quoi?* (G.N.C.), *Prisonniers allemands* (G.N.C.), etc.		Johnston peint *Beamsville* pour les Archives militaires; premier voyage en fourgon à Algoma avec MacDonald, MacCallum et Harris à l'automne *Fin d'automne, Manitoba,* de FitzGerald, acheté par la G.N.C.
FÉVRIER-AVRIL À Halifax pour les Archives militaires canadiennes Démobilisé, revient à Toronto AUTOMNE Voyage en fourgon avec Harris, MacDonald et Johnston Élu à l'A.R.A.C.	25-30 JUILLET Expose 53 peintures à Halifax AOÛT Redéménage à Toronto et devint vice-directeur de l'Ontario College of Art (jusqu'en 1927) Élu A.A.R.A.C.	JUILLET Revient au Canada Première exposition avec l'A.R.A.C. Peint le portrait de Vincent Massey	A.J. Casson devient son adjoint chez Rous & Mann Peint *Flanc de colline en automne*	Johnston à Algoma avec Harris et MacDonald Johnston élu A.A.R.A.C. Casson devient l'adjoint de Carmichael chez Rous & Mann, fait des excursions en week-end pour peindre avec Carmichael
FÉVRIER-AVRIL À Franceville, baie Géorgienne MAI À Algoma avec Harris, Lismer et MacCallum AUTOMNE À Algoma avec Harris, MacDonald et Johnston	PRINTEMPS À Algoma avec Harris, Jackson, MacDonald et MacCallum Avec Varley et MacCallum à la baie Géorgienne Études pour *Bourrasque de septembre* (G.N.C.)	À la baie Géorgienne avec Lismer; études pour *Tempête, baie Géorgienne* (G.N.C.)		Johnston à Algoma avec Harris et MacDonald Johnston, en décembre, exposition solo chez Eaton, College Street; *Incendié, Algoma,* acheté par la G.N.C. Casson, en juillet, première longue excursion de travail au lac Rosseau avec Carmichael; entre à l'Arts and Letters Club Holgate se marie et retourne à Paris
Village québécois et *Début du printemps, baie Géorgienne,* achetés par la G.N.C. PRINTEMPS À Algoma avec Harris et Lismer AUTOMNE À Algoma avec Harris et Lismer, puis la rive nord du lac Supérieur avec Harris	PRINTEMPS À Algoma avec Harris et Jackson ÉTÉ À Bon Écho, Ontario G.N.C. achète *Bourrasque de septembre* AUTOMNE À Algoma avec Harris et Jackson, retourne enseigner à l'Ontario College of Art	*Tempête, baie Géorgienne* et *John,* achetés par la G.N.C.	G.N.C. achèle *Le sommet de la colline*	Casson expose pour la première fois à l'O.S.A. Johnston quitte Toronto et devient le directeur de la Winnipeg School of Art Holgate étudie à Paris FitzGerald, en décembre, premier voyage hors du Canada pour s'inscrire à l'Art Students' League de New York
FIN DE L'HIVER À Bienville (près de Lévis) avec A.H. Robinson AUTOMNE Rive nord du lac Supérieur avec Harris	Peint *Iles aux épinettes* (Hart House) ÉTÉ À Bon Écho, Ontario	NOVEMBRE Élu A.A.R.A.C.		FitzGerald, au printemps, revient au Canada; en septembre, première exposition solo à la Winnipeg Art Gallery Holgate revient au Canada, s'installe à Montréal, enseigne la gravure sur bois à l'École des beaux-arts
À Baie St-Paul, Québec, avec Edwin Holgate	À la baie Géorgienne avec MacCallum Rive nord du lac Supérieur avec Harris Membre du jury de sélection de peintures pour l'exposition de Wembley	Travaille aux murales de l'église Ste-Anne, Toronto Publication de *Newfoundland Verse* de E.J. Pratt, avec des illustrations de Varley	Travaille aux murales de l'église Ste-Anne, Toronto Visite La Cloche Hills AUTOMNE Voyage dans la vallée de l'Outaouais	Johnston fait une exposition de 356 peintures à Winnipeg *L'Éclaircie* de Casson, acheté par la G.N.C. Holgate à Baie St-Paul avec Jackson; peint *La violoncelliste* (M.C.C.)

252. A.Y. Jackson
Freddy Channel, baie Géorgienne, 1920
Huile sur bois
21.6 x 26.3 cm (8½ x 10⅜ po)
Vancouver Art Gallery

253. Arthur Lismer
Bourrasque de septembre (étude), 1920 Huile sur toile
51.1 x 60.9 cm (20⅛ x 24 po)
Galerie Nationale du Canada

254. F.H. Varley *John,* 1920-21
Huile sur toile
60.9 x 50.8 cm (24 x 20 po)
Galerie Nationale du Canada

255. Franklin Carmichael
Flanc de colline en automne, 1920
Huile sur toile
76.2 x 91.4 cm (30 x 36 po)
Art Gallery of Ontario

256. Frank Johnston
La rivière Montréal, 1919
Détrempe sur papier
34.9 x 35.5 cm (13¾ x 14 po)
Collection M. et Mme F. Schaeffer

	ÉVÉNEMENTS CONTEMPORAINS	THOMSON	MACDONALD	HARRIS
1924	André Breton publie son *Manifeste du surréalisme* PRINTEMPS Exposition de Wembley Mort de sir Edmond Walker Mort de Morrice à Tunis		AOÛT Premier voyage dans les Rocheuses	MAI Au lac Mongoose avec Jackson, Lismer et MacCallum Au parc Jasper avec Jackson AUTOMNE Rive nord du lac Supérieur avec Carmichael
1925	JANVIER Quatrième exposition du Groupe des Sept à l'A.G.T. Deuxième exposition à Wembley *Drawings by the Group of Seven* (Dessins du Groupe des Sept), publiés chez Rous & Mann Mort de William Brymner		AOÛT Dans les Rocheuses	ÉTÉ Croquis dans les Rocheuses AUTOMNE Rive nord du lac Supérieur avec Jackson, Carmichael et Casson
1926	MAI Cinquième exposition du Groupe des Sept à l'A.G.T. Première exposition de la Société canadienne des aquarellistes Eric Brown : *Press Comments on the Canadian Section of Fine Arts, British Empire Exhibition* (Commentaires de presse sur la section des beaux-arts canadiens, à l'Exposition de l'Empire britannique) Publication de *A Canadian Art Mouvement*, de F.B. Housser	*Le vent d'Ouest* donné à l'A.G.T.	AOÛT Dans les Rocheuses	Peint le portrait de *Salem Bland* (A.G.O.) ÉTÉ Croquis dans les Rocheuses AUTOMNE Rive nord du lac Supérieur avec Carmichael Publie un article : «Revelation of Art in Canada (Révélation de l'art au Canada)»
1927	AVRIL Exposition d'art canadien au musée de Jeu-de-paume, à Paris AVRIL Exposition internationale d'art moderne à l'A.G.T. Exposition d'art indien de la côte ouest à la G.N.C. ; 50 peintures d'Emily Carr Exposition de Franz Cizek de tableaux d'enfants, à l'A.G.T.		Devient chef du département d'art graphique et commercial à l'Ontario College of Art AOÛT Dans les Rocheuses	ÉTÉ Croquis dans les Rocheuses AUTOMNE Lac Supérieur avec Lismer
1928	FÉVRIER Sixième exposition du Groupe des Sept à l'A.G.T. Exposition de peintures contemporaines canadiennes au M.B.A.M. Milne quitte les États-Unis et revient au Canada Exposition de peintures du Groupe des Sept à Vancouver, Calgary, Saskatoon, etc.	257. Tom Thomson *Vent d'ouest* (Étude), 1916 Huile sur bois 22.2 x 26.6 cm (8⅜ x 10½ po) Art Gallery of Ontario	Directeur intérimaire de l'Ontario College of Art Dans les Rocheuses Visite New York pour la première fois Conçoit le hall des Appartements Claridge 258. J.E.H. MacDonald *Le mont Goodsir, parc Yoho,* 1925 Huile sur toile 106.6 x 121.9 cm (42 x 48 po) Dr et Mme Max Stern, Galerie Dominion, Montréal	ÉTÉ Croquis dans les Rocheuses AUTOMNE Croquis sur la rive sud du fleuve Saint-Laurent avec Jackson  259. Lawren Harris *Le lac Supérieur IX,* 1923 Huile sur toile 101.9 x 127.6 cm (40⅛ x 50¼ po) Collection M. et Mme J.A. MacAulay

JACKSON	LISMER	VARLEY	CARMICHAEL	AUTRES
JANVIER Baie St-Paul, Québec MAI Algoma AUTOMNE Professeur à temps partiel à l'Ontario College of Art *L'entrée du port de Halifax,* acheté par la Tate Gallery	MAI À Algoma avec Harris, Jackson et MacCallum ÉTÉ En Angleterre	MARS À Edmonton pour peindre le portrait du chancelier Stuart, de l'université d'Alberta	AUTOMNE Premier voyage sur la rive nord du lac Supérieur avec Harris	Holgate à Baie St-Paul avec Jackson, etc. Johnston revient à Toronto en octobre FitzGerald enseigne à la Winnipeg School of Art (jusqu'en 1949); en été, à Banff, Alberta
Débat contradictoire avec Sir Wyly Grier à l'Empire Club Démissionne de l'Ontario College of Art À Algoma avec Harris et Lismer À Québec avec Lismer et Barbeau AUTOMNE Rive nord du lac Supérieur	PRINTEMPS À Algoma avec Harris et Jackson ÉTÉ À l'île d'Orléans, à Baie St-Paul et à St-Hilarion Publie un article: «Canadian Art» Peint *Village québécois* (Kingston)	Enseigne à l'Ontario College of Art (jusqu'en 1926)	Fonde avec Casson et Bridgen la Société canadienne des aquarellistes AUTOMNE Rive nord du lac Supérieur avec Harris, Jackson et Casson Quitte Rous & Mann pour entrer chez Sampson Matthews	Casson fonde avec Carmichael et Bridgen la Société canadienne des aquarellistes; à l'automne, premier voyage sur la rive nord du lac Supérieur avec Harris, Jackson et Carmichael
À St-Fidèle et à La Malbaie avec Robinson JUILLET-SEPTEMBRE Le long du fleuve Skeena avec Holgate et Barbeau	ÉTÉ Baie Géorgienne Publication de *A Short History of Painting, with a Note on Canadian Art* (Petite histoire de la peinture avec commentaires sur l'art canadien)	Déménage à Vancouver et devient chef du département de dessin et de peinture à la Vancouver School of Art	Au lac Supérieur avec Harris Gagne la médaille d'argent de l'Exposition du 150ème Anniversaire du Canada	Casson devient membre du Groupe des Sept; élu A.A.R.A.C.; au lac Supérieur avec Carmichael Holgate le long du Skeena avec Jackson et Marius Barbeau, en juillet-septembre
PRINTEMPS Au Bic et à Tobin, Québec, avec le Dr Banting JUILLET-SEPTEMBRE Dans l'Arctique, sur le *Beothic* avec Banting Exposition de croquis de l'Arctique à l'A.G.T.	En Gaspésie Lac Supérieur avec Harris Démission de l'Ontario College of Art Nommé surintendant de l'enseignement à l'A.G.T. (jusqu'en 1936) Demeure directeur des cours d'été de l'Ontario College of Art			
À Québec Au Grand lac des Esclaves, à Yellowknife et au lac Walsh avec Mackintosh Bell, Banting et C.B. Dawson *The Far North, A Book of Drawings* (Le Grand Nord, carnet de dessins), publié chez Rous & Mann	ÉTÉ Aux lacs Moraine et O'Hara, Montagnes Rocheuses	Peint *Le nuage, Red Mountain* (Collection Band)	Au lac Supérieur avec Casson	

260.   A.Y. Jackson
Le lac Maligne
(Exposé à l'O.S.A. en 1925)
Huile sur toile
Dimensions inconnues
par suite de destruction
Dr Naomi Groves

261.   Arthur Lismer
Village québécois,   1926
Huile sur toile
132.7 x 162.5 cm (52¼ x 64 po)
Agnes Etherington Art Centre, Queen's University

262.   F.H. Varley
Dr Henry Marshall Tory, 1923-24
Huile sur toile
142.2 x 121.9 cm (56 x 48 po)
Université d'Alberta

263.   Franklin Carmichael
*Le Haut-Outaouais,
près de Mattawa,*   1924
Huile sur toile
101.6 x 121.9 cm (40 x 48 po)
Galerie Nationale du Canada

264.   Alfred J. Casson
*Approche de la tempête,
lac Supérieur,*   1929
Aquarelle
43.1 x 50.8 (17 x 20 po)
Galerie Nationale du Canada

	ÉVÉNEMENTS CONTEMPORAINS	THOMSON	MACDONALD	HARRIS
1929	Peintures du Groupe des Sept exposées à Montréal Publication du Calendrier des Arts au Canada, sous la direction de B. Brooker Krach boursier à Wall Street		Devient directeur de l'Ontario College of Art AOÛT Dans les Rocheuses Décoration en mosaïque pour le Concourse Building, Toronto Conférences sur « Relation of Poetry to Painting (De la poésie à la peinture) »	
1930	AVRIL Septième exposition du Groupe des Sept à l'A.G.T. MAI Exposition du Groupe des Sept à Montréal JUIN Borduas revient de France		AOÛT Dernier voyage dans les Rocheuses	AOÛT-SEPTEMBRE Dans l'Arctique avec Jackson Peint *L'île Bylot* (G.N.C.)
1931	JANVIER Exposition des croquis de l'Arctique de Jackson et de Harris au M.B.A.M. et, en mai, à l'A.G.T. Lyman revient vivre au Canada DÉCEMBRE Huitième et dernière exposition du Groupe des Sept à l'A.G.T. Le Groupe annonce son intention de se dissoudre Le Statut de Westminster définit le statut de Dominion du Canada		AVRIL Conférences sur l'art scandinave à l'A.G.T. SEPTEMBRE Croquis à la baie McGregor NOVEMBRE Élu à l'A.R.A.C. Congestion cérébrale	
1932	Picasso, *La Fille au miroir* AVRIL Constitution du Groupe des peintres canadiens Exposition de peintures du Groupe des Sept à Vancouver Publication de *Canadian Landscape Painters* (Peintres paysagistes canadiens) de A.H. Robson		Aux Barbades jusqu'en avril 22 NOVEMBRE Seconde attaque 26 NOVEMBRE Meurt à Toronto Publication de *West By East and Other Poems,* de MacDonald	Croquis en Gaspésie avec Jackson
1933	Programme d'art dans les travaux publics, par la suite Programme fédéral artistique, mis sur pied aux États-Unis NOVEMBRE Première exposition du Groupe des peintres canadiens		Exposition rétrospective 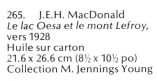 265. J.E.H. MacDonald *Le lac Oesa et le mont Lefroy,* vers 1928 Huile sur carton 21.6 x 26.6 cm (8½ x 10½ po) Collection M. Jennings Young	Croquis à Pointe-au-Baril Publie un article sur « Theosophy and Art (La théosophie dans l'art) » Membre fondateur du Groupe des peintres canadiens  266. Lawren Harris *Pic Isolation,* vers 1929 Huile sur carton 29.8 x 37.4 cm (11¾ x 14¾ po) Collection M. S.C. Torno

JACKSON	LISMER	VARLEY	CARMICHAEL	AUTRES
PRINTEMPS Québec AUTOMNE Randonnée automobile au Québec avec Harris	ÉTÉ À la baie McGregor			FitzGerald nommé directeur de la Winnipeg School of Art; *Le garage Williamson,* acheté par la G.N.C. Holgate décore la salle des Totems de l'hôtel Château-Laurier, Ottawa
MARS À St-Fidèle, Québec, avec Banting AOÛT-SEPTEMBRE Dans l'Arctique, sur le *Beothic,* avec Harris	Publication de *Canadian Picture Study* (Étude du paysage canadien) ÉTÉ À Grand-Manan, Nouveau-Brunswick À Lunenburg et à Peggy's Cove, Nouvelle-Écosse	Gagne le Prix Wellingdon pour *Vera* ÉTÉ Aux cours d'été de l'Art Institute of Seattle ÉTÉ Excursions au mont Garibaldi avec J.W.G. Macdonald		Johnston ouvre une école d'été près de Midland ; Simpson's achète pour 10 000 $ *Beyond the Law,* offert à la Gendarmerie royale du Canada *Nu au paysage* de Holgate, acheté par la G.N.C.
ÉTÉ Au Québec avec Banting et Hewton	ÉTÉ À Manitou, baie Géorgienne			Holgate devient membre du Groupe des Sept
Aux Éboulements, Québec; à Cobalt, Ontario Croquis en Gaspésie avec Harris DÉCEMBRE Démissionne de l'A.R.A.C.	MARS **Conférences dans l'Ouest,** patronnées par la G.N.C. PRINTEMPS Conférence à Nice Voyage en France, Italie et Suisse	Peint *Dharana* (A.G.O.) Commence à passer ses week-ends à Lynn Valley DÉCEMBRE Exposition solo à la Vancouver Art Gallery	Quitte Sampson Matthews pour devenir chef du département d'art graphique commercial de l'Ontario College of Art Se construit un cottage à La Cloche Hills	FitzGerald devient membre du Groupe des Sept (juillet)
Au lac Grace, La Cloche Hills, rive nord du lac Huron SPRING Québec	ÉTÉ À la baie McGregor Membre fondateur du Groupe des peintres canadiens	Fonde le British Columbia College of Art avec J.W.G. Macdonald et Harry Tauber Membre fondateur du Groupe des peintres canadiens	Membre fondateur du Groupe des peintres canadiens	Casson, FitzGerald, Holgate, membres fondateurs du Groupe des peintres canadiens Holgate expose à l'Art Association of Montreal Casson peint *Église anglicane à Magnetawan* (G.N.C.)

267.   A.Y. Jackson
Algoma, novembre,   1935-36
Huile sur toile
79.6 x 100 cm (31⅜ x 39⅜ po)
Galerie Nationale du Canada

268.   Arthur Lismer
Ile sombre du Pic, lac Supérieur,
vers 1927
Huile sur toile
86.3 x 109.8 cm (34 x 43¼ po)
Winnipeg Art Gallery

269.   F.H. Varley
Les lions,   1931
Huile sur bois
30.4 x 38.1 cm (12 x 15 po)
Collection McMichael

270.   Franklin Carmichael
Lac Supérieur,   1925
Aquarelle sur papier
24.1 x 30.4 cm (9½ x 12 po)
Collection
M. et Mme F. Schaeffer

271.   Edwin Holgate
La violoncelliste,   1923
Huile sur toile
129.5 x 97.8 cm (51 x 38½ po)
Collection McMichael

FRANKLIN CARMICHAEL

Franklin Carmichael (1890-1945), né à Orillia, en Ontario, est le plus jeune membre du Groupe original. Dessinateur de grand talent, il étudie à Toronto et à Anvers. Par la suite, il travaille comme artiste commercial et enseigne à l'Ontario College of Art où il avait lui-même étudié avec George Reid et William Cruikshank. Bien qu'il soit l'un des membres fondateurs du Groupe des Sept, Carmichael s'est surtout lié avec les artistes qui s'y joignirent plus tard : FitzGerald, Casson et Holgate. Il est également membre fondateur de la Société canadienne des aquarellistes dont il devient le président de 1932 à 1934.

A.Y. JACKSON

A.Y. Jackson (1882-1974), membre du Groupe original qui vécut le plus longtemps, est souvent considéré comme son porte-parole. Il a répandu dans tout le Canada les idées et les travaux du Groupe et fit beaucoup pour promouvoir la peinture canadienne. Né à Montréal, il agit comme intermédiaire entre les membres torontois et le Montréal canadien-français. Il travaille d'abord comme lithographe et étudie les beaux-arts le soir. Par la suite, il fait de nombreux voyages en Europe où il étudie et peint pour les Archives militaires canadiennes. Bien qu'il ait voyagé partout au Canada, il est surtout connu pour ses paysages du Grand Nord qu'il explora abondamment.

LAWREN HARRIS

Lawren Harris (1885-1970) est peut-être le peintre aux talents les plus variés du Groupe. Né à Brantford, en Ontario, Harris étudie à l'université de Toronto et à Berlin, en Allemagne. Il travaille pendant quelque temps comme illustrateur puis se consacre entièrement à la peinture. Harris a contribué fortement au soutien du Groupe, tant intellectuellement que financièrement. Ses idées sont à la base de la philosophie des Sept et, avec l'aide du Dr MacCallum, il finance la construction du Studio Building de la rue Severn. Harris s'est toujours lancé dans de nouvelles techniques et dans de nouveaux sujets et, à la fin de sa vie, adopte le style abstrait.

FRANK JOHNSTON

Frank Johnston (1888-1949), qui changea par la suite son prénom en Franz, est le seul peintre du Groupe qui n'en resta pas membre pendant toute la durée de l'association. Il étudie les beaux-arts à Toronto et travaille ensuite comme artiste commercial à Toronto et à New York. Pendant la guerre, il peint pour les Archives militaires canadiennes et en 1920, il participe à la fondation du Groupe original des Sept mais reste toujours plus ou moins à l'écart des autres membres. En 1924, ne voulant être associé à aucun groupe, il démissionne. Il est surtout connu pour ses tableaux de composition et ses paysages du Grand Nord et de l'Ouest.

ARTHUR LISMER

Arthur Lismer (1885-1969) a partagé son temps entre la peinture et l'enseignement. Dans ces deux domaines, il se bat contre l'apathie et l'ignorance du public et s'efforce de lui faire connaître le monde de la peinture. Né à Sheffield, en Angleterre, il vient à Toronto en 1911 où il travaille comme artiste commercial. En 1916, il commence sa longue carrière de professeur, carrière qui le mène partout au Canada et dans le monde. Profondément intéressé par le développement artistique des enfants, il travaille sans relâche pour promouvoir de nouvelles idées dans ce domaine. Il a surtout peint des paysages canadiens très colorés qu'il brosse avec hardiesse.

TOM THOMSON

Tom Thomson (1877-1917), bien que n'ayant jamais fait partie du Groupe des Sept, est toujours associé au développement de l'école nationaliste canadienne. Lorsqu'il travaillait à Toronto chez Grip Ltd, Thomson est entré en contact avec d'autres peintres sur lesquels il exerce une grande influence. Son amour des paysages du nord de l'Ontario leur laisse une profonde impression. En retour, ceux-ci le pressent d'abandonner son travail pour se consacrer à la peinture. Après 1914, Thomson passe la plupart de son temps dans le parc Algonquin où il trouve mystérieusement la mort en 1917, trois ans avant la fondation du Groupe des Sept.

J.E.H. MacDONALD

J.E.H. MacDonald (1873-1932) est la force de frappe qui a inspiré la fondation du Groupe des Sept. Né en Angleterre, il vient à Hamilton en 1887 où il étudie à l'École des beauxarts. Il travaille d'abord comme graphiste puis abandonne l'art commercial pour se consacrer entièrement à la peinture. Son tableau, *Le jardin embroussaillé* qui fait partie du Salon de l'Ontario Society of Artists, soulève une grande controverse parmi les critiques d'art de l'époque. L'un deux accuse MacDonald de «lancer des pots de peinture au visage du public». Homme de nature sensible et poétique, MacDonald s'efforce avant tout de saisir l'essence même du paysage canadien.

FREDERICK H. VARLEY

Frederick H. Varley (1881-1969) est né, comme Lismer, à Sheffield, et étudie à la Sheffield School of Art et à l'Académie d'Anvers. Il travaille comme illustrateur à Londres jusqu'en 1912; il vient alors à Toronto où il travaille chez Grip Ltd chez qui il rencontre la plupart des peintres qui allaient former le Groupe des Sept. Pendant la guerre, Varley est envoyé en France pour les Archives militaires canadiennes. Au début, Varley exécute surtout des portraits mais plus tard, il s'intéresse au paysage canadien. Pour gagner sa vie, il doit occuper différents postes dans l'enseignement à Toronto et à Vancouver, en Colombie britannique.

NOTES

INTRODUCTION

1. Carl Berger, « The True North and Free », *Nationalism in Canada*, publié sous la direction de Peter Russell (1966), 3-26.
2. Pour toute étude de la période 1867-1910, voir J. Russell Harper, *La peinture au Canada* (1966), IIIème Partie.
3. Harper, *La peinture du Canada*, 211.
4. Ottawa, G.N.C., *Homer Watson, 1855-1936* (1963), lettre à Arthur Lismer.
5. A.Y. Jackson, *A Painter's Country* (1958), 102 (le numéro de page est celui de l'édition brochée, publiée en 1964).
6. A.Y. Jackson, dans l'introduction à *James Wilson Morrice* (1966) de K.D. Pepper, x.
7. « If Cow Can Stay in Parlour, Then Why Can't Bull Moose? », Toronto *Star*, 27 février 1925.

CHAPITRE 2

1. William Watson, « The Art of Maurice Cullen », *Canadian Review of Music and Art*, janvier 1943, 10.
2. Peu avant son départ, Cullen reçut une lettre du critique français Thiébault-Sisson, lui disant que ce serait malheureux qu'il quitte Paris pendant si longtemps et lui offrant son aide s'il restait. Voir Hamilton, *A.G.H., Maurice Cullen* (1956), introduction.
3. J. Chauvin, *Ateliers* (1928), 112.
4. Les impressionnistes européens s'efforçaient de saisir les effets changeants de la lumière et des couleurs de la nature. L'objet cessait d'avoir de l'importance en tant que réalité et n'était considéré que sous l'angle des jeux d'ombre et de lumière. Ce qui amenait un traitement plus bidimensionnel de l'espace.
5. Voir les tableaux de l'impressionniste américain John Twachtman, tel que *Winter Harmony*, vers 1900, à la National Gallery de Washington.
6. Suzor-Côté a travaillé à Paris pendant presque dix-sept ans avant de retourner à Montréal en 1908. Il fréquentait surtout la société canadienne-française et, pour cette raison, n'avait que peu d'influence sur ce qui se passait à Toronto. Cependant, il expose à Toronto à partir de 1910 et, en 1913, un article sur lui parut dans le *Yearbook of Canadian Art*, publié par l'Art and Letters Club de Toronto.
7. Donald Buchanan, *James Wilson Morrice* (1936), 37.
8. Jackson, *Painter's Country*, 19.
9. Hamilton, *A.G.H., Cullen,* introduction.
10. Buchanan, *Morrice*, 36.
11. N. MacTavish, « Maurice Cullen ; A Painter of Snow », *Canadian Magazine*, avril 1912, 544.
12. *Idem*.
13. Jackson, *Painter's Country,* 19.
14. Buchanan, *Morrice*, chapitre IX.
15. Harper, *La peinture au Canada*, 248.
16. Donald Buchanan, « James Wilson Morrice, Painter of Quebec and the World », *Educational Record of the Province of Quebec*, LXXX, No 3 (1954), 164.
17. Clarence Gagnon, « Morrice as Painter », coupure de presse non identifiée, Archives G.N.C.
18. Il est difficile d'évaluer l'influence de Cullen et de Morrice sur les peintres torontois. On voyait souvent leurs tableaux dans des expositions et Jackson dit beaucoup de bien d'eux lorsqu'il vint à Toronto en 1913. Harris, MacDonald et Lismer les mentionnent à un moment ou à un autre mais il est impossible de savoir à quel point ils en subirent l'influence.
19. Jackson, *Painter's Country*, 73.
20. Le Groupe du Beaver Hall, fondé en 1921, comprenait des peintres comme Edwin Holgate, Randolph Hewton, Clarence Gagnon, Mabel May et Lilias Newton. Malheureusement, ce groupe ne put jamais s'affirmer et fut dissout quelques années plus tard.
21. « Jackson Says Montreal Most Bigoted City », Toronto *Star*, 10 septembre 1927.
22. *Idem*.
23. Jackson, *Painter's Country*, 5.
24. Arthur Lismer, *Canadian Picture Study* (1930), 21.
25. Jackson, *Painter's Country*, 16.
26. Housser, *Canadian Art Movement*, 79-82. A.Y. Jackson, « J.E.H. MacDonald », *Canadian*

Forum, XIII, No 13 (1933), 136, affirme avoir vu pour la première fois un tableau de MacDonald à une exposition montréalaise et que « peu de temps après il commença à m'écrire ». L'événement eut probablement lieu en 1910, après le retour d'Europe de Jackson. En 1913 (12 mars et 4 avril), Jackson écrivit à Eric Brown pour lui suggérer d'acheter des tableaux de peintres canadiens modernes. Ces lettres se trouvent aux archives de la G.N.C.
27. Voir les tableaux de peintres comme Elmer Schofield, E.W. Redfield et George Bellows, reproduits dans le magazine *Studio*, en 1912 et 1913.
28. Jackson, *Painter's Country*, 27.
29. Toronto, A.G.T., *A.Y. Jackson Paintings 1902-1953* (1953), 5.
30. F.B. Housser, *A Canadian Art Movement* (1926), 77.
31. *Idem*, 78.

CHAPITRE 3

1. Voir W. Colgate, *Canadian Art* (1943), pour un bref historique de ces clubs.
2. Voir W. Colgate, *The Toronto Art Students' League, 1886-1904* (1954).
3. Lettre de J.E.H. MacDonald à F. Housser, du 20 décembre 1926, commentant *A Canadian Art Movement* de Housser, qui venait d'être publié. Cette lettre ne fut jamais envoyée et se trouve en possession de Thoreau MacDonald.
4. MacDonald, lettre à Housser, 20 décembre 1926.
5. *Idem*.
6. *Idem*.
7. Voir *Canadian Art Club 1907-11* (1911), 4. Discours prononcé par D.R. Wilkie à l'occasion de la première exposition en février 1908.
8. *Idem*. Essai sur le « Canadian Art Club » par James Mavor.
9. Augustus Bridle, *The Story of the Club* (1945), 5. Le Club s'est installé dans de nouveaux locaux sur la rue Elm, en 1920, où il se trouve encore aujourd'hui.
10. *Idem*, 10.
11. Harris était inscrit parmi les «membres à charte : 1908-09 » (Bibliothèque de l'Art and Letters Club) et en fit partie à la fin de 1908 ou au début de 1909. La plupart des premiers renseignements biographiques sur Harris viennent d'une lettre écrite par sa femme Bess à J. Russell Harper, le 14 juillet 1962, aux archives de la G.N.C. Toutes les dates données ici ne sont pas exactes. Ainsi, Bess Harris et la plupart des autres sources disent que Harris est revenu d'Europe en 1910 après avoir visité le Proche-Orient et les camps de bûcherons du Minnesota en 1909. Cependant, son voyage en Palestine et en Arabie s'est déroulé en janvier 1908. Il est probablement retourné chez lui pendant une brève période avant d'aller dans le Minnesota durant l'hiver 1908-09. À l'été 1909, il vivait à Toronto. Tous mes remerciements à Charles Hill pour ses recherches sur les premières années d'activité de Harris.
12. *Harper's Magazine*, juillet 1908, 165-174 ; octobre 1908, 651-660 ; novembre 1908, 918-928 ; décembre 1908, 198-209 ; février 1909, 449-458 ; mars 1909, 516-529 ; avril 1909, 782-854. Pour les illustrations du camp de bûcherons du Minnesota, voir l'article de Norman Duncan, « Higgen's — A Man's Christian », *Harper's Magazine*, juillet 1909, 165-179.
13. Voir John A.B. McLeish, *September Gale* (1955), 24.
14. Voir Sybille Pantazzi, « Book Illustration and Design by Canadian Artists, 1890-1940 », *National Gallery of Canada Bulletin*, IV, No 1 (1966), 6-24.
15. McLeish, *September Gale*, 25.
16. Robson a écrit de courtes monographies sur Thomson, MacDonald et Jackson ainsi qu'un ouvrage plus volumineux sur *Canadian Landscape Painters*, en 1932. Son but était de donner une « appréciation d'interprétation » et non une analyse critique. De ce point de vue, on ne peut considérer le livre de Robson comme une étude mais comme un outil pour mieux comprendre un tableau en particulier.
17. Thoreau MacDonald, *The Group of Seven* (1944), 2.

18. Le père de MacDonald était né en Nouvelle-Écosse et sa mère était anglaise. Voir E.R. Hunter, *J.E.H. MacDonald* (1940), 2.
19. Cité par Nancy Robertson Dillow dans son manuscrit inédit sur *J.E.H. MacDonald* (révisé en 1969). Je lui suis très reconnaissant d'avoir eu la permission de me servir des renseignements qu'il contient ; c'est l'étude la plus complète et la plus fouillée des premières années de MacDonald.
20. Cette date est incertaine. Sur Thomson, voir Blodwen Davies, *A Study of Tom Thomson* (1935) et R.H. Hubbard, *Tom Thomson* (1962).
21. Lettre de Leonard Rossell sur les peintres travaillant chez Grip Ltd, G.N.C.
22. McLeish, *September Gale*, 16. McLeish est la source la plus sûre en ce qui concerne la biographie de Lismer.
23. Lettre de MacDonald à Housser, 20 décembre 1926.
24. McLeish, *September Gale*, 29.
25. Cité dans « Varley » de MacKenzie Porter, *Maclean's Magazine*, 7 novembre 1959.
26. *Idem*.
27. A. Lismer, « The Early Years », *F.H. Varley, Paintings 1915-1954*, Toronto, A.G.C. (1954), 4.
28. Il existe peu de documents sur les premières années de Johnston et je suis reconnaissant à son fils, Paul Rodrik, des informations qu'il m'a données sur son père.
29. Robson, *Canadian Landscape Painters*, 146.
30. Lettre de L. Rossell, sur les peintres de chez Grip Ltd, Archives G.N.C.
31. Au cours d'une conversation avec l'auteur, le 19 août 1969. Presque rien n'a été publié sur Carmichael. Voir Colin S. MacDonald, *A Dictionary of Canadian Artists*, vol. 1 (1967) 116-117.
32. Voir Albright Art Gallery de Buffalo, *Exhibition of Contemporary Scandinavian Art*, 4-26 janvier 1913. Les exemplaires de ce catalogue sont très rares et l'un de ceux qui existent encore se trouve à la bibliothèque de la G.N.C.
33. Ce catalogue est en la possession de Thoreau MacDonald qui m'a aimablement permis de le consulter.
34. L. Harris, « The Group of Seven in Canadian History », *Canadian Historical Association Report*, 16-19 juin 1948, 31. Un texte presque identique a été publié en 1964 par Rous & Mann sous le titre *The Story of the Group of Seven*.
35. J.E.H. MacDonald, *Lecture on Scandinavian Art*, à l'A.G.T., le 17 avril 1931 (dactylographié).
36. *Idem*, 2.
37. *Idem*.
38. A. Lismer, « Canadian Art, An Informal History », à l'émission *Wednesday Night* de CBC, 14 juin 1950 (transcription).
39. Au cours d'une conversation avec l'auteur, en septembre 1969, et tel que rapporté à plusieurs reprises à Robert McMichael. Cependant, Jackson connaissait certainement cette exposition et en parla aux autres peintres torontois.
40. Voir « Studio Talk », *The Studio*, LVII, No 238 (1913), 335-336 ; et A. Branting, « Modern Tapestry Work in Sweden », *The Studio*, LVIII, No 239 (1913), 102-111.
41. R.H. Hubbard, *Development of Canadian Art* (1963), 88.
42. L. Harris, « The Group of Seven ». Discours prononcé à la Vancouver Art Gallery, en avril 1954, et diffusé à CBU, Vancouver, le 15 septembre 1954.
43. MacDonald, *Lecture on Scandinavia Art* (1931), 2.
44. Harris, « Group of Seven » (1948), 31.
45. Lettre au Dr M.J. McRuer, oblitérée le 17 octobre 1912, aux archives M.C.C. Thomson écrit : « Nous avons basculé dans des rapides presque en fin de notre expédition et avons presque tout perdu. Nous n'avons sauvé que deux rouleaux de films sur environ 14 douzaines. »
46. H.R. MacCallum, « Tom Thomson, Painter of the North », *Canadian Magazine*, L (1918), 376.
47. Dennis Reid, *The MacCallum Bequest of Paintings by Tom Thomson and other Canadian Painters*, Ottawa, G.N.C. (1969).
48. Extraits de lettres de Carmichael à sa femme, rassemblées par elle sous forme de manuscrit, archives M.C.C. La demande de MacCallum est formulée dans une lettre du 6 février 1915.
49. Les Huit de New York, plus tard surnommés

l'École « Ash Can », avaient pris plus tôt le même cheminement que le Groupe des Sept allait suivre au cours des années 20. Ils rejetèrent les modèles européens, brisèrent la puissance de l'académisme et s'efforcèrent de créer une peinture distinctivement américaine. Vers 1904, on les qualifia d'« apôtres de la laideur » et ils subirent des attaques encore plus violentes que le Groupe.

50. Bridle, *Story of the Club*, 16.
51. Harris, « Group of Seven » (1948), 36.
52. McLeish, *September Gale*, 75-76.
53. Lettre de Bess Harris à J. Russell Harper, 14 juillet 1962, Archives G.N.C.
54. À l'occasion de l'exposition de plusieurs de ses croquis à l'Art and Letters Club en novembre 1911, Jefferys en fera l'éloge dans *The Lamps* (décembre 1911), 12, en disant : « La peinture de M. MacDonald est naturelle, aussi naturelle que les rochers, la neige, les pins ou les excursions en forêt qui forment la plupart de ses thèmes. » Cette exposition eut une grande influence sur les peintres de Toronto et sur Harris en particulier. Après l'exposition, MacCallum et Harris persuadèrent MacDonald de consacrer tout son temps à la peinture.
55. Nancy Robertson Dillow, *MacDonald*, manuscrit, Appendice E, listes des reproductions dans *The Studio*, de 1900 à 1910, sur un thème industriel. Pour une étude détaillée de *Rails et circulation*, voir les pages 26-38 du manuscrit et *MacDonald*, Toronto, A.G.T., (1965), 8-9.
56. Dorothy Hoover, *J. W. Beatty* (1948), 15-23. Beatty rencontra Thomson en 1910 et ils firent de nombreux croquis ensemble.
57. On discute encore du montant qu'il reçut pour cette toile mais Ottelyn Addison dans *Tom Thomson : The Algonquin Years* (1969), 89, dit que les minutes de l'O.S.A., en date du 6 mai 1913, indiquent 250$.
58. Voir McLeish, *September Gale*, 50. Plusieurs peintres se souviennent avoir vu les billets accrochés au mur comme Robert McMichael l'a raconté à l'auteur en mars 1970.
59. Fergus Kyle, « The Ontario Society of Artists », *Yearbook of the Arts in Canada* (1913), 186-187.
60. McLeish, *September Gale*, 32.
61. Jackson, *Painter's Country*, 28.
62. *Idem*, 30.
63. *Idem*.
64. *Idem*, 31.
65. *Idem*, 56.
66. Cité dans Housser, *Canadian Art Movement*, 71.
67. Cité dans Montréal, M.B.A.M., *John Lyman* (1963), Chronologie.
68. H.F. Gadsby, « The Hot Mush School », Toronto *Star*, 12 décembre 1913.
69. *Idem*.
70. J.E.H. MacDonald, « The Hot Mush School, A Rebuttal », Toronto *Star*, 20 décembre 1913.
71. *Idem*.
72. *Idem*.
73. Cité dans Housser, *Canadian Art Movement*, 48.
74. Hector Charlesworth, « O.S.A.'s Exhibition, 1915 », *Saturday Night*, 20 mars 1915.
75. Gadsby, « The Hot Mush School ».
76. Housser, *Canadian Art Movement*, 66.
77. Jackson, *Painter's Country*, 33.
78. Extraits d'une lettre de Carmichael à sa femme, le 14 février 1915, Archives M.C.C.
79. Jackson, *Painter's Country*, 33.
80. Voir Naomi Jackson Groves, *A.Y.'s Canada* (1968), 105. Le Dr Jackson rapporte qu'en 1918, A.Y. Jackson déclare qu'il faisait −40°C; en 1930, −43°C et, en 1958, près de −45°C !
81. Addison, *Thomson*, 10. En 1968, la superficie du parc était d'environ 7 800 km2, presque le double de la grandeur originale.
82. Joseph Adams, *Ten Thousand Miles through Canada* (Londres, Methuen, 1912), cité dans Addison, *Thomson*, 11.
83. Lettre de Jackson à MacDonald, oblitérée le 6 octobre 1914, appartenant à Thoreau MacDonald.
84. Lettre de Thomson à MacCallum, du 6 octobre 1914, Correspondance MacCallum, Archives G.N.C.
85. Lettre de Lismer au Dr MacCallum, sans date, Correspondance MacCallum, Archives G.N.C.
86. Lettre de Varley à MacCallum, sans date, Correspondance MacCallum, Archives G.N.C.

87. Jackson, *Painter's Country*, 38.
88. A.Y. Jackson, « Arthur Lismer — His Contribution to Canadian Art », *Canadian Art*, VII, No 3 (1950), 89.

CHAPITRE 4

1. Jackson, *Painter's Country*, 38.
2. A.Y. Jackson, introduction à *Exhibition of Paintings by the late Tom Thomson*, Montréal, The Arts Club, 1919.
3. A.Y. Jackson, « Arthur Lismer », 91.
4. « Studio Talk », *The Studio*, LVII, No 238 (1913), 336.
5. Dennis Reid, *MacCallum Bequest*, 58-71. Pour la parenté entre les panneaux décoratifs de Thomson et l'*Art Nouveau* européen, voir *Forest Undergrowth III* (G.N.C.) et *A Decorative Painting* de Hans Christiansen dans *Jugend*, 1898.
6. Bess Harris et Peter Colgrove, éditeurs, *Lawren Harris* (1969), 45.
7. Cité dans N. Robertson Dillow, *MacDonald*, manuscrit (1969), 77. Commentaire de MacDonald dans une conférence à l'Art and Letters Club.
8. Certains membres de la famille Thomson disent qu'il ne fut pas accepté à cause de ses pieds et qu'il en fut chagriné. Voir Addison, *Thomson*, 37.
9. Hubbard, *Thomson*, 9.
10. Au cours d'une conversation avec l'auteur, septembre 1969.
11. Lettre de Thomson à MacCallum, en date du 22 juillet 1915. Cité également dans Hubbard, *Thomson*, 9.
12. Lettre de Thomson à MacCallum, du 9 septembre 1915, Archives G.N.C. Cité également dans Hubbard, *Thomson*, 10.
13. Voir Groves, *A.Y.'s Canada*, 106-107. En 1962, la cabane fut déménagée sur le terrain du musée de la Collection McMichael, à Kleinburg, où elle se trouve toujours.
14. Davies, *Thomson* (1935), 95-96.
15. *Idem*, 96.
16. Harris, « Group of Seven » (1948), 33.
17. Notes dactylographiées par Thoreau MacDonald sur Tom Thomson, Archives M.C.C.
18. Lettre de Thomson à MacCallum, 24 octobre 1916, Archives G.N.C. Cité également dans Hubbard, *Thomson*, 11.
19. Voir Davies, *Thomson* 1935), 118-119.
20. Branting, « Tapestry Work in Sweden », 109.
21. Voir la lettre écrite par Henry Thomson à Blodwen Davies (mais jamais envoyée) aux Archives M.C.C. Il décrit les années que Tom Thomson passa à Seattle et raconte que ce dernier « regardait tout le temps des magazines en s'intéressant particulièrement à la publicité, du point de vue décoratif ».
22. A. Lismer, « Tom Thomson 1877-1917, A Tribute to a Canadian Painter », *Canadian Art*, V, No 2 (1947), 60.
23. « Power and Poetry in Art Galleries », *Mail and Empire*, 13 mars 1915.
24. H. Charlesworth, « O.S.A.'s Exhibition, 1915 ».
25. Harold Town, « The Pathfinder », *Great Canadians, A Century of Achievement*, Bibliothèque du Centenaire du Canada (1965), 110.
26. Lismer, « Thomson » (1947), 171-172.
27. MacCallum, « Tom Thomson », 378.
28. Lettre de Jackson à Eric Brown, vers 1930, Archives G.N.C.
29. A. Lismer, « Tom Thomson, (1877-1917), Canadian Painter », *Educational Record of the Province of Quebec*, LXXX, No 3 (1954), 171.
30. On ne connaît pas en toute certitude l'emplacement exact des lieux ni la date d'exécution de ces tableaux. Voir Addison, *Thomson* (1969), 54-55.
31. Lettre de Thomson à MacCallum, du 7 juillet 1917, Archives G.N.C. Cité également dans Hubbard, *Thomson*, 13.
32. Davies, *Thomson* (1935), 123.
33. Le 6 février 1969, la chaîne CBC présenta une émission spéciale d'une heure, intitulée « Was Tom

Thomson Murdered? (Tom Thomson a-t-il été assassiné?) ». Voir également R.P. Little, *The Tom Thomson Mystery* (1970), qui traite de cette affaire. Bien que le coroner ait conclu à la mort accidentelle par noyade, le juge Little croit que Tom Thomson a été assassiné par Martin Bletcher avec lequel il s'était disputé la veille. On soupçonne également que le corps de Thomson n'a jamais été transféré à Owen Sound, ce qui ajoute au mystère.
34. Voir Davies, *Thomson* (1935), 55.
35. On connaît de nombreux exemples d'articles romanesques sur Thomson, dont le meilleur est certainement celui de Ray Atherton, « The Man in the Canoe », *Canadian Art* (1947), 57-58. Également le livre de Blodwen Davies, *A Study of Tom Thomson, The Story of a Man who Looked for Beauty and for Truth in the Wilderness* (1935). Malgré son romantisme, ce livre sur Thomson est un ouvrage de valeur.
36. H. Charlesworth, « Pictures That Can Be Heard », *Saturday Night*, 18 mars 1916.
37. J.E.H. MacDonald, « Bouquets from a Tangled Garden », *Globe*, 27 mars 1916.
38. H. Charlesworth, « Pictures That Can Be Heard ».
39. MacDonald, « Bouquets from a Tangled Garden ».
40. Voir N. Robertson Dillow, *MacDonald*, manuscrit, 57-66.
41. H. Charlesworth, « Pictures That Can Be Heard ».
42. MacDonald, « Bouquets from a Tangled Garden ».
43. R.F. Wodehouse, *Checklist of the War Collections*, G.N.C. (1967), et Paul Konody, « On War Memorials », *Art and War*, Archives militaires canadiennes (1919).
44. A.Y. Jackson, « Reminiscences of Army Life, 1914-1918 », *Canadian Art*, XI, No 1 (1953), 9.
45. A.Y. Jackson, « The War Memorials : A Challenge », *The Lamps*, décembre 1919, 77.
46. « Recognition for Canadian Artists » par « T » dans *Nation* de Londres ; reproduit dans *The Lamps*, décembre 1919, 82.
47. Voir B. Fairley, « Canadian War Pictures », *Canadian Magazine*, LIV (1919), 3-11, et B. Fairley, « F.H. Varley », *Our Living Tradition* (1959), 162-163.
48. Cité dans McLeish, *September Gale*, 67-68.
49. Cité dans Housser, *Canadian Art Movement*, 133. Cette déclaration a paru dans un article de sir Claud Philips dans le *Daily Telegraph*.
50. McLeish, *September Gale*, 67-68.
51. Lettres de Harris à MacCallum, Archives M.C.C.
52. La date généralement donnée pour cette randonnée est l'automne 1917 mais Dennis Reid a récemment fait remarquer que tous les croquis exécutés au cours de ce voyage sont des scènes de printemps, donc elle a eu lieu en avril ou mai 1918.
53. Lettres de Harris à MacCallum, Archives M.C.C.
54. J.E.H. MacDonald, « A.C.R. 10557 », *The Lamps*, décembre 1919, 33.
55. *Idem*, 37.
56. Toronto, A.G.T., *Algoma Sketches and Paintings — J.E.H. MacDonald ARCA, Lawren Harris, Frank Johnston* (mai 1919).
57. *Idem*.
58. H. Charlesworth, « Painters-Etchers and Others », *Saturday Night*, mai 1919.
59. « Seven Artists Invite Criticism », *Mail and Empire*, 10 mai 1920.
60. A Bridle, « Are These New Canadian Painters Crazy? » *Canadian Courier*, 22 mai 1920.
61. B. Fairley, « Algonquin et Algoma », *The Rebel*, No 6 (avril 1919), 77.
62. Jackson, *Painter's Country*, 56-57.
63. A.Y. Jackson, « Sketching in Algoma », *Canadian Forum*, mars 1921, 175.
64. Jackson, *Painter's Country*, 57.
65. Harris fut le seul autre membre du Groupe à peindre des portraits dont les plus connus sont ceux de Dr MacDonald, Salem Bland, Dr John Robins, Eden Smith, Mme Leslie Wilson, Mme Holden, Bess Harris, Thoreau MacDonald.
66. Conversation entre l'auteur et Barker Fairley, août 1969, enregistrée.
67. D.W. Buchanan, « The Hart House Collection », *Canadian Art*, V, No 2 (1947), 63-68 ; J. Russell Harper, *Canadian Paintings in Hart House* (1955) ; J. Adamson, *The Hart House Collection of Canadian Paintings* (1969).
68. B. Fairley, « Some Canadian Painters — F.H.

Varley », *Canadian Forum*, avril 1922, 596.
69. Cité dans Porter, « Varley ».
70. Bridle, « Are The New Canadian Painters Crazy? »

CHAPITRE 5

1. Jackson, *Painter's Country*, 63.
2. Voir Toronto, A.G.T., *MacDonald*, 14.
3. Jackson, *Painter's Country*, 63.
4. Harris, qui fut sans aucun doute l'âme de la fondation du Groupe des Sept, a certainement apprécié la
symbolique et la mystique de ce chiffre 7.
5. Jackson, *Painter's Country*, 63.
7. Jackson, *Painter's Country*, 64.
8. Harris, « Group of Seven » (1948), 37.
9. Lismer, « Canadian Art, An Informal History »,
Wednesday Night, CBC, 14 juin 1950 (transcription).
10. Dans certains cas, des auteurs ont choisi des extraits
de critiques favorables en les présentant de telle manière
qu'ils paraissent être péjoratifs pour le Groupe. Comparez
le compte rendu de Housser sur la déclaration de
Bridle (*A Canadian Art Movement*, 159) à l'article
original (*Canadian Courier*, 22 mai 1920).
11. Bridle, « Are These New Canadian Painters Crazy? »
12. Lismer, « Canadian Art », CBC, 14 juin 1950.
13. Jackson, *Painter's Country*, 64.
14. Voir McLeish, *September Gale*, 80.
15. Harris, « Group of Seven » (1948), 33.
16. Lismer, « Canadian Art », CBC, 14 juin 1950.
17. Après leurs premières expositions, les Sept voulurent
promouvoir leur genre de peinture au Canada et aux
États-Unis. Des expositions itinérantes parcoururent
les États-Unis en 1920-21 et 1923-24, et le Canada en
1922-23. Entre 1920 et 1922, environ quarante petites
expositions furent présentées un peu partout au Canada.
Merci à Dennis Reid de ce renseignement important.
19. McLeish, *September Gale*, 72-73.
20. W.I. Grant, « The Present Intellectual Status of
Canada », *Queen's Quarterly*, XXIX (1921), 85.
21. « Arts and Artists », *Globe*, 9 mai 1921.
23. A. Bridle, « Pictures of Group of Seven Show 'Art
Must Take the Road' » Toronto *Star*, 20 mai 1922.
24. *Idem.*
25. Maud Brown, *Breaking Barriers, Eric Brown and
the National Gallery*, 1964.
26. H. Charlesworth, « The National Gallery, a National
Reproach », *Saturday Night*, 9 décembre 1922.
27. Sir Edmund Walker, « Canada's National Gallery »,
lettre à l'éditeur, *Saturday Night*, 23 décembre 1922.
La réponse de Charlesworth à cette lettre se trouve à la
même page.
28. Cette lettre est signée par A.Y. Jackson, R.F. Gagen
et A.H. Robson et des extraits en sont cités dans
McLeish, *September Gale*, 79, dont la partie reproduite
ici. Voir Brown, *Breaking Barriers*, 65.
29. Brown, *Breaking Barriers*, 69-71.
30. On notera que Eric Brown se dépensa beaucoup
pour informer la critique britannique de cette exposition,
en lui envoyant du matériel publicitaire. Il faut noter
qu'on n'a jamais passé au crible la valeur des critiques
anglais. À cette époque, la peinture était à un bas niveau
en Angleterre, ce qui eut une certaine influence sur la
qualité de la critique. Ces critiques étaient certes
incapables de situer les œuvres canadiennes par rapport
aux autres mouvements du XXème siècle mais n'en
firent pas moins des comparaisons avec la Suède et la
Russie. L'un des meilleurs articles sur l'exposition est
celui de Rupert Lee, « Canadian Pictures at Wembley »,
Canadian Forum, IV, No 41 (1924), 338-339.
31. Les autres tableaux à l'étude pour acquisition
étaient *Hiver, Ste-Anne-de-Beaupré* de Morrice ; *Le vent
d'Ouest* de Queen's ; *Bourrasque de septembre* de
Lismer ; *Barrage de castors* de MacDonald.
32. Voir *Press Comments on the Canadian Section of
Fine Arts, British Empire Exhibition*, 1924 et 1925.
Dossier G.N.C.

33. Accusation lancée par la critique britannique en
1910 après l'envoi par l'A.R.A.C. d'une exposition en
Angleterre. Voir Housser, *Canadian Art Movement*, 11.
34. « Canada's Art at Empire Fare », *Saturday Night*,
15 septembre 1923.
35. H. Charlesworth, « Canadian Pictures at Wembley »,
éditorial, *Saturday Night*, 17 mai 1924. Cité également
dans McLeish, *September Gale*, 83-84. Voir également
les autres éditoriaux du *Saturday Night* : « Freak Pictures
at Wembley », 13 septembre 1924 ; « Canada and her
Paint Slingers », 8 novembre 1924.
36. « School of Seven Exhibit is Riot of Impressions »,
Star Weekly, 10 janvier 1925.
37. *Idem.*
38. H. Charlesworth, « The Group System in Art, New
Canadian 'School' as Exemplified in the Show of
'Seven' », *Saturday Night*, 29 janvier 1925. Charlesworth
n'écrivit aucun article sur les expositions précédentes du
Groupe, probablement pour exprimer son
mécontentement mais sans qu'on en soit vraiment
certain.
39. *Idem.*
40. *Idem.*
41. *The Rebel* parut de 1916 à 1920 où il fut détrôné
par le *Canadian Forum* qui existe toujours. *The Canadian
Bookman* fut publié de 1919 à 1939. Au sujet du rôle
du *Canadian Forum* dans l'histoire du Groupe, voir
M.R. Davidson, « A New Approach to the Group of
Seven », *Journal of Canadian Studies*, IV, No 4 (1969),
9-16. Cet article repose sur une thèse pour l'obtention
d'une maîtrise ès arts, Institut des études canadiennes,
Université Carleton, avril 1969. Je remercie Mlle
Davidson de m'avoir permis de lire sa thèse. Le Groupe
a également publié de nombreuses illustrations originales
dans le *Canadian Forum*. Voir Joan Murray, « Graphics
in the Forum », (avril-mai 1970), 42-44.
42. B. Fairley, « The Group of Seven », *Canadian
Forum*, V. No 53 (février 1925), 144.
43. *Idem*, 146.
44. « If Cow Can Stay in Parlour, Then Why Can't
Bull Moose? » Toronto *Star*, 27 février 1925.
45. *Idem.*
46. « Painters Demand the Head of Art Dictator »,
Toronto *Star*, 20 novembre 1926.
47. Voir la bibliographie du catalogue d'exposition
The Group of Seven, Ottawa, G.N.C., juin 1970, par
Dennis Reid, avec une liste à jour des expositions
itinérantes. La première exposition importante à
Montréal n'eut lieu qu'en 1930. Après 1925, le Groupe
cessa de réaliser et de publier son catalogue et le nombre
des artistes invités s'accrût.
48. Voir James A. Cowan, « Hymnie, Solly and a Pair
of Truck-Drivers Take Part-Time Job as High Art
Critic », *Star Weekly*, 31 janvier 1925. Voir aussi Toronto
Star, 28 avril 1930, pour une entrevue avec un cow-boy
de l'Ouest, du nom de « Shorty Campbell » qui donne
ses impressions sur le Groupe.
49. La réaction choquée des peintres de Vancouver
envers le Groupe eut lieu en 1928 et non pas en 1932
comme l'affirme Jackson dans *Painter's Country*, 188.
Le chaleureux accueil reçu par Lismer dans sa tournée
de 1932 est décrit en détail dans McLeish, *September
Gale*, 105-118.
50. Cette même année, Lismer publia *A Short History
of Painting with a Note on Canadian Art*. Ces deux
livres ont joué un rôle prépondérant dans la diffusion
des idées du Groupe à travers le Canada.
51. Les paroles anglaises de l'hymne national du
Canada sont de Robert Stanley Weir.
52. Harris, « Group of Seven » (1948), 31.
53. J.E.H. MacDonald, « The Canadian Spirit in Art »,
The Statesman, I, No 35 (22 mars 1919), 6-7.
54. Harris, « Group of Seven » (1948), 30.
55. H. Kenner, « The Case of the Missing Face » dans
Our Sense of Identity, édité par M. Ross (1954), 203.
56. Les liens avec les transcendantalistes sont très
étroits. En particulier, MacDonald et Harris pouvaient
discuter des œuvres de Whitman, Thoreau et Emerson.
Ces écrivains ont répandu les mêmes idées : 1) l'art
est étroitement dépendant de la nature ; 2) l'art doit
être distinctivement américain ; 3) l'art doit rompre ses
liens avec l'Europe. Tous les membres du Groupe
avaient lu des livres comme *Feuilles d'herbe* de Whitman.
Housser (*Canadian Art Movement*) fait de nombreuses

comparaisons entre le Groupe et les transcendantalistes.
57. E.W. Grier, « Canadian Art: A Resume », *Yearbook
of Canadian Art* (1913), 246.
58. Londres, *Times*, 1924, cité dans McLeish, *September
Gale* (1955), 82.
59. R.C. Harris, « The Myth of the Land in Canadian
Nationalism », dans *Nationalism in Canada*, édité par
Peter Russell, 27-46.
60. Voir Emily Carr, *Growing Pains* (1946), 238 (première
publication brochée en 1966. Les pages mentionnées sont
celles de l'édition brochée).
61. « Jackson Says Montreal Most Bigoted City »,
Toronto *Star*, 10 septembre 1927.
62. De nombreux auteurs exprimèrent dans des
périodiques comme *Canadian Forum* leur foi dans le
Canada. Voir Davidson, « New Approach », 10.
63. Article critique sur les peintures américaines de
l'Exposition internationale de Paris, 1867.

CHAPITRE 6

1. Harris, « Group of Seven » (1948), 32.
3. Lawren Harris, *Contrasts* (1922), 57. Russel Harper
dans son essai « 1913-1921, The Development », Ottawa,
G.N.C., *Harris* (1963), 11-12, soutient le point de vue
que Harris se soucie du contenu social et relie ce poème
à *Black Court, Halifax*. La seule œuvre de Harris qui
évoque un caractère social est une gravure intitulée
Baie des Glaces, reproduite dans *Canadian Forum*
(juillet 1925), 303.
4. La similitude avec des tableaux du peintre
métaphysique De Chirico (voir *L'angoisse du départ*,
vers 1913-1914), est frappante. Il existe aussi une
ressemblance superficielle avec les œuvres du peintre
américain Georgia O'Keefe. De toutes façons, il n'y a
aucun moyen de prouver quelle influence, s'il y en a
une, a provoqué ce changement dans le style de Harris.
5. Notes de Thoreau MacDonald sur son père, dans
Hunter, *MacDonald*, 32.
6. Robert Ayre, « Arthur Lismer », *Canadian Art*, IV,
No 2 (1947), 51.
7. Jackson, *Painter's Country*, 69-83.
8. *Idem*, 73.
9. *Idem*, 75.
10. Lismer, introduction à *A.Y. Jackson*, Toronto,
A.G.T., 7.
11. Lismer, introduction à *A.Y. Jackson*, Montréal,
Galerie Dominion (1946).
12. Charles Comfort, « Georgian Bay Legacy », *Canadian
Art*, VIII, No 3 (1951), 106.
13. À cette époque, MacDonald expérimentait aussi
ces techniques et il est possible qu'il y eut échange
d'influence.
14. A.Y. Jackson, avant-propos à Percy J. Robinson,
The Georgian Bay (1966).
15. Housser, *Canadian Art Movement*, 166.
16. McLeish, *September Gale*, 76.
17. Cité dans Groves, *A.Y.'s Canada*, 110, de « Jackson
et Casson », émission CBC, 21 juillet 1966.
18. Cité dans McLeish, *September Gale*, 125.
19. *Idem*, 107.
20. L. Harris, introduction à *Lismer*, Toronto, A.G.T.
(1950), 10.
21. *Idem*, 28.
22. La chronologie de ces voyages n'est pas certaine.
Jackson, au cours d'une conversation avec l'auteur et
Robert McMichael (mars 1970), déclara qu'il avait fait
deux voyages en fourgon, ce qui donnerait un total de
trois voyages, étant donné qu'il n'a pas participé au
premier. Nancy Robertson, dans sa chronologie de

MacDonald Retrospective (Toronto Art Gallery, 1965), dit que les peintres ont pris deux fois le fourgon (1918 et 1919) et qu'ils ont loué un cottage au lac Mongoose en 1920. Dennis Reid, dans le catalogue de l'exposition du *Groupe des Sept* (Ottawa, G.N.C., juin 1970), dit qu'ils firent d'autres voyages au printemps 1920 et 1921.

23. Fairley, « Algonquin et Algoma », 281.

24. Lettre de Johnston à sa femme, du 6 octobre 1919, appartenant à Paul Rodrik.

25. Harris « Group of Seven » (1948), 34.

26. Jackson, *Painter's Country*, 65.

27. « Seven Artists Invite Criticism », *Mail and Empire*, 10 mai 1920.

28. « Art and Artists », *Globe*, 11 mai 1920.

29. Lemoine FitzGerald fut très impressionné par l'œuvre de Johnston et lui écrivit une lettre le 19 octobre 1921, dans le train qui le menait vers l'Est : « J'admire la vérité que vous avez saisie dans vos tableaux ainsi que leur valeur décorative. » (Lettre en possession de Paul Rodrik.)

30. « Johnston Never Member of the Group of Seven », *Star Weekly*, 11 octobre 1924.

31. La raison pour laquelle Johnston aurait changé son prénom Frank en Franz serait son goût pour la numérologie, selon lui Lawren dans une entrevue publiée par un journal de St. Catharines; Archives G.N.C.

32. Jackson, *Painter's Country*, 56. Cette citation est trompeuse en ce sens que Jackson ne dit rien de la grande connaissance de MacDonald des sciences de la nature, etc. Voir Thoreau MacDonald, introduction à *MacDonald*, Hunter, xi.

33. MacDonald admirait Van Gogh et d'autres artistes de cette époque et, selon Thoreau MacDonald, avait des reproductions de leurs tableaux sur les murs de son atelier. Cependant, il n'aimait pas les « modernistes » comme Cézanne.

34. MacDonald donna une conférence sur Whitman à la Public Reference Library, en octobre 1926, et une autre sur *The Relation of Poetry to Painting with Special Reference to Canadian Painting*, en octobre 1929. Thoreau MacDonald (Hunter, *MacDonald*) dit que le poète favori de son père était Burns.

35. Cité dans Toronto, A.G.T., *MacDonald*, 11.

36. Walt Whitman, *Leaves of Grass* (Feuilles d'herbe), édition critique par H.W. Blodgett et S. Bradley (New York, University Press, 1965), 181.

37. Il est tentant de voir une influence orientale dans ce croquis mais, malheureusement, rien n'indique que MacDonald se soit intéressé à la peinture orientale.

38. Voir les tableaux de Gauguin, Émile Bernard, Paul Serusier, Maurice Denis et autres peintres de l'École de Pont-Aven et des Nabis. MacDonald les connaissait probablement presque tous par les reproductions dans les magazines et autres.

39. J.E.H. MacDonald, « Interior Decorations of St. Anne's Church Toronto », Journal, *Royal Architectural Institute of Canada*, tiré à part, 1925; et Carol Lindsay, « A Rediscovered Gallery of Group of Seven Paintings », *Star Weekly*, 10 février 1962. MacDonald continua également d'illustrer de nombreux livres comme I. MacKay, *Fires of Driftwood* (1922); M. Pickthall, *The Wood Carver's Wife* (1922); A. MacMechan, *The Book of Ultima Thule* (1927); L.G. Salverson, *Lord of the Silver Dragon* (1927). Voir aussi J.E.H. MacDonald, *Bookplate Designs* (Thornhill, Woodchuck Press, 1966).

40. Cité dans Hunter, *MacDonald*, xi.

41. Harris, « Group of Seven » (1948), 34.

42. Lettre de Bess Harris à Russell Harper, 14 juillet 1962, Archives G.N.C.

43. Harris et Lismer faisaient partie de la Société théosophique canadienne. Lorsque la théosophie passa de mode dans les années 30, les deux peintres minimisèrent les liens qu'ils avaient eus avec la Société. Plusieurs autres étaient de l'Église scientifique dont MacDonald, Johnston et Carmichael.

44. Kandinsky publia son *Über das Geistige in der Kunst* (Du spirituel dans l'art), en 1912; traduit en anglais et en français en 1914.

45. Cité dans Ottawa, G.N.C., *Harris* (1963), 20.

46. Pour des livres en anglais sur la théosophie, voir H.P. Blavatsky, *The Key to Theosophy* (Pasadena, Theosophical Society Press, 1946) et C.W. Leadbeater, *A Textbook of Theosophy* (Adyas, Inde, Theosophical Publishing House, 1914).

47. L. Harris, « Theosophy and Art », *Canadian Theosophist*, XIV, No 5 (1933), 130.

48. Cité dans Housser, *Canadian Art Movement*, 190.

49. Cité dans Harris et Colgrove, *Harris*, 14.

50. Jackson, *Painter's Country*, 59.

51. A.Y. Jackson, introduction à *Lawren Harris, Paintings 1910-1948*, 11 Toronto, A.G.T.

52. Ottawa, G.N.C., *Harris* (1963), 32.

53. Harris, *Contrasts* (1922), 91. Extrait d'un poème intitulé « Darkness and Light ». Mentionné également dans Dennis Reid, « Lawren Harris », *Artscanada*, XXV, No 5 (1968), 15.

54. Jackson, *Painter's Country*, 58. Pour une étude plus détaillée de ces randonnées, voir le catalogue d'exposition *The Group of Seven and Lake Superior* (1964), Port Arthur, Ontario. Introduction de William Harris.

55. Paul Duval, *Alfred Joseph Casson* (1951), 18.

56. Duval, *Casson*, 27.

57. Entrevue avec A.J. Casson, enregistrée par l'auteur, août 1969.

58. « New Member is Added to Group of Seven », *Mail and Empire*, 8 mai 1926.

59. Voir Paul Duval, *Canadian Water Colour Painting* (1954).

60. Harris, « Group of Seven » (1948), 35, et Jackson, *Painter's Country*, 106-109.

61. Cité dans Harris et Colgrove, *Harris*, 62.

62. A.Y. Jackson, « Artists in the Mountains », *Canadian Forum*, V, No 52 (1925), 114.

63. Cité dans Harris et Colgrove, *Harris*, 76.

64. L. Harris, « Revelation of Art in Canada », *Canadian Theosophist*, VIII, No 5 (1926), 86.

65. Cité dans Housser, *Canadian Art Movement*, 193-194.

66. Jackson, *Painter's Country*, 109-113.

67. Carr, *Growing Pains*, 238.

68. *Idem*.

69. Ce tableau est reproduit dans *The Downfall of Temlaham* (La chute de Temlaham), Marius Barbeau (1928).

70. *La Violoncelliste* fut exposé à Wembley en 1924. Il n'existe que peu de littérature sur Holgate. Voir MacDonald, *Dictionary*, II, 453-455.

71. Carr, *Growing Pains*, 233.

72. *Idem*, 234.

73. Emily Carr, *Hundreds and Thousands, The Journals of Emily Carr* (1966), 6-7.

74. *Idem*, 15-16.

75. *Idem*, 5.

76. *Idem*, 6.

77. Lettre de Varley au Dr Arnold Mason, du 28 janvier 1928, Archives M.C.C.

78. Jock Macdonald, introduction à *Varley* (1954), 7, Toronto, A.G.T. Voir aussi Ottawa, G.N.C., *Jock Macdonald, Retrospective Exhibition*, 1969-70, exposition et catalogue : R. Anne Pollock et Dennis Reid.

79. D'après une conférence inédite donnée par Fred Amess sur Varley, mentionnée dans Harper, *La peinture au Canada* (1966), 296.

80. Cité dans Donald Buchanan, « The Paintings and Drawings of F.H. Varley », *Canadian Art*, VII, No 1 (1949), 3.

81. Cité dans Harper, *La peinture du Canada*, 296.

82. Cité dans Porter, « Varley ».

83. J.B. Salinger, « Freedom Fills Work by Group of Seven », *Mail and Empire*, 4 avril 1930.

84. Cité dans Porter, « Varley ».

85. « Canadian Artists Exhibit Widely », Sault-Ste-Marie *Star*, 2 juin 1927. Jackson ne fut pas le premier artiste à peindre le Nord. William Hind fit des croquis au Labrador en 1890 et de nombreux autres peintres visitèrent l'Arctique dans les années suivantes (voir Harper, *La peinture au Canada*, 163-168). Rockwell Kent, peintre américain que Jackson admirait beaucoup, fit également des tableaux sur l'Arctique. En avril 1934, l'A.G.T. organisa une exposition des toiles de Kent et les Sept le rencontrèrent à une réception donnée par Harris. Il existe une grande parenté entre l'œuvre de Kent et celles du Groupe.

86. « Toronto Artist After Distinct Values in Art »,

Regina, Saskatchewan, *Leader Post*, 30 juillet 1927.

87. C. Greenaway, « Painter Says Canada Does Not Appreciate Artic Possessions », Toronto *Star*, 10 septembre 1927.

88. *Idem*.

89. Jackson, *Painter's Country*, 124.

90. F.G. Banting, introduction à *The Far North, A Book of Drawings by A.Y. Jackson* (1927).

91. *Idem*.

92. Harris « Group of Seven » (1948), 36.

93. Jackson, *Painter's Country*, 132.

94. J.B. Salinger, « Far North is Pictured by Two Artists », Regina, Saskatchewan, *Leader Post*, 1er mai 1931.

95. Harris, « Revelation of Art in Canada », 86.

96. *Idem*.

97. Jackson, *Painter's Country*, 146-153.

98. Voir l'article de Robert Ayre sur FitzGerald, « Painter of the Prairies », *Weekend*, VII, No 12 (22 mars 1958). Une émission sur ce thème est passée à la chaîne CBC, réseau Midwest, le 1er décembre 1945.

99. Voir chapitre VI, Note 28.

100. FitzGerald était enchanté d'avoir été admis dans le Groupe (voir lettre à H.O. McCurry, directeur de la G.N.C., 6 juillet 1932). Selon l'article de J.B. Salinger dans *Canadian Forum*, XII, No 136 (janvier 1932), 143, le Groupe « cessa d'exister » en décembre 1931, ce qui voudrait dire que FitzGerald n'en aurait jamais vraiment fait partie. Cependant, le Groupe ne s'est pas dissout à ce moment-là et existera comme tel jusqu'à la première exposition du Groupe des peintres canadiens en novembre 1933.

101. Ayre, « Painter of the Prairies ».

CHAPITRE 7

1. T.M. (Thoreau MacDonald), « Decline of the Group of Seven », *Canadian Forum*, XII, No 136 (janvier 1932), 144.

2. Salinger, « Group of Seven », 143.

3. *Idem*.

4. Conversation entre Thoreau MacDonald et l'auteur, en juillet 1969. En 1921, Jackson avait suggéré la possibilité de former un « groupe canadien », dans une lettre à Eric Brown (avril 1924), Archives G.N.C.

5. « Now Represents Spirit of Cahadian Art, Group of Seven Not Separate Entity », Ottawa, *Evening Citizen*, 24 avril 1930.

6. Cité dans Harper, *La peinture au Canada*, 365.

7. Kenner, « The Missing Face », 206.

8. Voir Toronto, A.G.T., *Catalogue of an Exhibition of Paintings by Canadian Group of Painters*, novembre 1933. Dans l'avant-propos, on mentionne que l'addition des portraits et des personnages maintiendrait « la peinture dans le fourgon de notre marche en avant en tant que nation ».

9. Toronto, A.G.T., *Canadian Group* (novembre 1933), Introduction.

10. John Lyman, « Canadian Art, Letter to the Editor », *Canadian Forum*, XII, No 140 (mai 1932), 313-314. Certains auteurs, dont Jackson (*Painter's Country*, 142), ont soutenu que les difficultés rencontrées par le Groupe des peintres canadiens furent causées par la Crise et par la Seconde Guerre mondiale. Cependant, on ne peut pas blâmer seulement ces deux facteurs de la pauvreté de la peinture au Canada aux cours des années 30 et 40. Les États-Unis passèrent par les mêmes épreuves et n'en produisirent pas moins des œuvres qui sont parmi les plus originales de ce siècle.

11. Jackson, *Painter's Country*, 139.

12. Voir Jackson, *Painter's Country*, 139-140, à propos des réactions contemporaines à cette exposition.

13. « Modern Art and Aesthetic Reactions », *Canadian Forum*. VII, No 80 (mai 1927), 239-241; « An

Appreciation » de Lawren Harris; « An Objection » de Franz Johnston.

14. Thomas R. Lee, « Bertram Brooker, 1888-1895 », *Canadian Art*, XIII, No 3 (1956), 287-291.

15. L. Harris, « An Essay on Abstract Painting », *Journal of the Royal Architectural Society Institute of Canada*, XXVI, No 1, (1949), 3-8. Cet essai fut également publié dans *Canadian Art*, VI, No 3 (1949), 103-107. En 1954, il fut publié sous forme de brochure par Rous & Mann Press Ltd et sous le titre *A Disquisition on Abstract Painting*.

16. Harris, « Essay on Abstract Painting », 103.

17. Voir chapitre VI, note 44. Il y a une grande similitude entre les *Compositions* de Kandinsky et celles de Harris.

18. Voir Harris, « Essay on Abstract Painting », 105.

19. Harris, « Revelation of Art in Canada », 86.

20. G.C. MacInnes, « Upstart Crows », *Canadian Forum*, XVI, No 184 (mai 136), 14-16, est un exemple de

réaction défavorable aux peintures de Harris à cette dernière époque.

21. Harris, « Essay on Abstract Painting », 104.

22. Fairley, « Lawren Harris », 278.

23. Northrop Frye, introduction à *Harris*, Harris et Colgrove.

24. Harris et sa femme ont participé au choix des photographies et des illustrations de l'ouvrage intitulé *Lawren Harris*, préparé par Bess Harris et Peter Colgrove (1969). Les trois photos de Harris dans ce livre le montrent toutes marchant sur un glacier. Harris est mort en janvier 1970 et est enterré près de sa femme, Bess, à Kleinburg.

25. Jackson, *Painter's Country*, 142.

26. Groves, *A Y's Canada*, 8.

27. Pour la liste des livres illustrés par Jackson, voir *Who's Who in Ontario Art*. Le film *Canadian Landscapes* a été fait par les Crawley en 1941 pour l'Office National du Film. Voir Jackson, *Painter's Country*, 186.

28. Lismer, introduction à *Jackson* (1953), 7, Toronto, A.G.T.

29. McLeish, *September Gale*, 103-118.

30. *Idem*, 174-180.

31. Jackson, « Arthur Lismer », 89.

32. Cité dans Porter, « Varley ».

33. Voir E.S. Carpenter, « Varley's Arctic Sketches », *Canadian Art*, XVI, No 2 (1959), 93-100, et *Eskimo* (1959) du même auteur, avec peintures et croquis de Frederick Varley.

34. Porter « Varley ».

35. Cité dans Josephine Hambleton, « Frederick Horseman Varley », Kingston *Whig Standard*, 12 janvier 1948.

36. Jackson, « Sketching in Algoma », 175.

37. Frank Underhill, « False Hair on the Chest », *Saturday Night*, 3 octobre 1936.

38. Harris, « Group of Seven » (1948), 32.

39. Fairley, « Varley » (1959), 169.

BIBLIOGRAPHIE

OUVRAGES D'INTÉRÊT GÉNÉRAL

LIVRES

Adamson, Jeremy. *The Hart House Collection of Canadian Paintings*. Toronto: University of Toronto Press, 1969.

Barbeau, Marius. *The Downfall of Temlaham*. Toronto: Macmillan Co., 1928.

Bridle, Augustus. *The Story of the Club*. Toronto: The Arts and Letters Club, 1945.

Brooker, Bertram. *Yearbook of the Arts in Canada*, Vol. I, II. Toronto, Macmillan Co., 1928-29, 1936.

Brown, Eric. *Canadian Art and Artist, A Lecture*. Ottawa: Galerie Nationale du Canada, 1925.

Brown, Eric et Jacob, Fred R. *A Portfolio of Canadian Art*. Toronto: Rous & Mann, 1926.

Browh, Maud. *Breaking Barriers, Eric Brown and the National Gallery*. Toronto: Society for Art Publications, 1964.

Buchanan, Donald W. *Canadian Painters from Paul Kane to the Groupe of Seven*. Oxford et Londres: Phaidon Press, 1945.

——————. *The Growth of Canadian Painting*. Londres et Toronto: Collins, 1950.

——————. *Canadian Art Club, 1907-1911*. Toronto: Canadian Art Club, 1911.

Canadian Drawings by Members of the Group of Seven. Toronto: Rous & Mann, 1925.

Chauvin, Jean. *Ateliers: études sur vingt-deux peintres et sculpteurs canadiens*. Montréal: L. Carrier, 1928.

Colgate, William. *The Toronto Art Students' League, 1886-1904*. Toronto: Ryerson Press, 1954.

——————. *Canadian Art: Its Origin and Development*. Toronto: Ryerson Press, 1943.

Duval, Paul. *Canadian Drawings and Prints*. Toronto: Burns & MacEachern Ltd, 1952.

——————. *Canadian Watercolour Painting*. Toronto: Burns & MacEachern Ltd, 1954.

——————. *Group of Seven Drawings*. Toronto: Burns & MacEachern Ltd, 1965.

Hammond, M.O. *Painting and Sculpture in Canada*. Toronto: Ryerson Press, 1930.

Harper, J. Russell. *Canadian Painting in Hart House*. Toronto: Hart House Art Committee, 1955.

——————. *La peinture au Canada, des origines à nos jours*. Québec: Presses de l'Université Laval, 1966.

Harris, Lawren Stewart. *The Story of the Group of Seven*. Toronto: Rous & Mann Press, 1964.

Holme, Charles éd. *Art of the British Empire Overseas*. Londres: The Studio Ltd, 1917.

Housser, F.B. *A Canadian Art Movement, The Story of the Group of Seven*. Toronto: Macmillan Co., 1926.

Hubbard, R.H. *An Anthology of Canadian Art*. Toronto: Oxford University Press, 1959.

——————. *The National Gallery of Canada, Catalogue of Paintings and Sculpture, Volume III: Canadian School*. Ottawa: Galerie Nationale du Canada, 1960.

——————. *The Development of Canadian Art*. Ottawa: Galerie Nationale du Canada, 1963.

Jackson, A.Y. *A Painter's Country*. Toronto: Clarke Irwin & Co. Ltd, 1958 (première édition brochée en 1964).

Kilbourn, Elizabeth. *Great Canadian Painting, A Century of Art*. Bibliothèque du Centenaire du Canada. Toronto: McClelland & Stewart, 1966.

Lambert, Richard Stanton. *The Adventure of Canadian Painting*. Toronto: McClelland & Stewart, 1947.

The Lamps. Toronto: réalisé et publié par l'Arts and Letters Club, décembre 1919.

Lismer, Arthur. *A Short History of Painting, with a Note on Canadian Art*. Toronto: Andrews Bros, 1926.

——————. *Canadian Picture Study*. Toronto: Art Gallery of Ontario, 1930.

McLeish, John. *September Gale, A Study of Arthur Lismer of the Group of Seven*. Toronto: J.M. Dent & Sons, 1955.

MacDonald, Colin S. *A Dictionary of Canadian Artists*. Ottawa: Canadian Paperbacks, 1967.

MacDonald, Thoreau. *The Group of Seven*. Canadian Art Series. Toronto: Ryerson Press, 1944.

McInnes, Graham, C. *A Short History of Canadian Art*. Toronto: Macmillan Co., 1939.

——————. *Canadian Art*. Toronto: Macmillan Co., 1950.

MacTavish, Newton. *The Fine Arts in Canada*. Toronto: Macmillan Co., 1925.

Press Comments on the Canadian Section of Fine Arts. Exposition de l'Empire britannique, 1924-1925. Ottawa: Galerie Nationale du Canada, 1925.

Reid, Dennis. *The MacCallum Bequest of paintings by Tom Thomson and other Canadian Painters and the Mr. & Mrs. H.R. Jackman Gift on the murals from the late Dr MacCallum's cottage painted by some of the Group of Seven*. Ottawa: Galerie Nationale du Canada, 1969.

——————. *The Group of Seven*. Exposition. Ottawa: Galerie Nationale du Canada, 1970.

Robson, A.H. *Canadian Landscape Painters*. Toronto: Ryerson Press, 1932.

Ross, Malcolm, éd. *Our Sense of Identity — A Book of Canadian Essays*. Toronto: Ryerson Press, 1954.

Russell, Peter, éd. *Nationalism in Canada*. Toronto: McGraw Hill, 1966.

Yearbook of Canadian Art. Réalisé par l'Arts and Letters Club de Toronto. Londres: J.M. Dent & Sons, 1913.

ARTICLES

Abell, Walter. « Canadian Aspirations in Painting », *Culture*, III (1942), 172-182.

Alford, E.J.G. « Trends in Canadian Art », *University of Toronto Quarterly*, XIV, No 2 (janvier 1945), 168-180.

——————. « The Development of Painting in Canada », *Canadian Art*, II, No 3 (1945), 95-103.

Amaya, Mario. « Canada's Group of Seven », *Art in America*, LVIII, No 3 (mai-juin 1970), 122-125.

Anderson, Patrick. « A Poet and Painting », *Canadian Art*, IV, No 3 (1947), 104-107.

Ayre, Robert. « The Canadian Group of Painters », *Canadian Art*, VI, No 3 (1949), 98-102.

——————. « Artist's Island », Magazine *Weekend*, III, No 41 (1953), 26-30.

Bailey, A.G. « Literature and Nationalism after Confederation », *University of Toronto Quarterly*, XXV, No 4 (juillet 1956), 409-424.

Barbeau, Charles Marius. « Backgrounds in Canadian Art », Ottawa: *Société Royale du Canada*, XXXV, 3ème série, Sect. 11 (1941), 29-39.

Bell, M. « Toronto's Melting Pot », *Canadian Magazine*, XLI (1913), 234.

Binkley, Mildred B. « Bibliography: Canadian artists and modern art movements », *Ontario Library Review*, XIV, No 2 (1929), 42-46.

Branting, Agnes. « Modern Tapestry-Work in Sweden », *The Studio*, LVIII, No 240 (mars 1913), 102-111.

Bridle, Augustus. « The Drama of the Ward », *Canadian Magazine*, XXXIV (1909-10), 3-8.

——————. « How the Club Came to Be », *The Lamps* (décembre 1919), 7-14.

Brown, Eric. « Landscape Art in Canada », *Art of the British Empire Overseas*. Édition spéciale de Studio (1917), 3-8.

——————. « The National Art Gallery of Canada at Ottawa », *The Studio*, LVIII, No 239 (1913), 15-21.

——————. « La jeune peinture canadienne », *L'Art et les Artistes*, No 75 (mars 1927), 181-195.

——————. « Canada's National Painters », *The Studio*, CIII, No 471 (juin 1932), 311-323.

Brown Maud. « I Remember Wembley », *Canadian Art*, XXI, No 4 (1964), 210-213.

Buchanan, Donald W. « The Story of Canadian Art », *Canadian Geographical Journal*, XVII, No 6 (1938), 273-294.

——————. « Variations in Canadian Landscape Painting », *University of Toronto Quarterly*, X, No 1 (octobre 1940), 39-45.

——————. « The Gentle and The Austere, A Comparison in Landscape Painting », *University of*

Toronto Quarterly, XI, No 1 (octobre 1941), 72-77.

——————. « Canadian Painting Finds an Appreciative Public », *Culture*, XII (1951), 51-55.

Carver, Humphrey. « Exhibition at the Toronto Art Gallery », *Canadian Forum*, XI, No 130 (juillet 1931), 379-380.

Colgate, William. « The Toronto Art Students' League: 1886-1904 », *Ontario History*, XIV, No 1 (1953), sans pagination.

Comfort, Charles. « Georgian Bay Legacy », *Canadian Art,* VIII, No 3 (1951), 106-109.

Davidson, Margaret R. « A New Approach to the Group of Seven », *Journal of Canadian Studies*, IV, No 4 (novembre 1969), 9-16.

Davies, Blodwen. « Art and Esotericism in Canada », *The Canadian Theosophist*, XVIII (1937), 57-58.

Dick, Stewart. « Canadian Landscape of Today », *Apollo*, XV, No 90 (juin 1932), 281-283.

Fairley, Barker. « Algonquin and Algoma », *The Rebel*, III, No 6 (6 avril 1919), 279-282.

——————. « Canadian War Pictures », *Canadian Magazine*, LIV (1919), 3-11.

——————. « At the Art Gallery, I. The Canadian Section of the War Pictures, II. The Royal Canadian Academy », *The Rebel*, IV, No 3 (décembre 1919), 123-127.

——————. « Artists and Authors », *Canadian Forum*, II, No 15 (1921), 460-463.

——————. « The Group of Seven », *Canadian Forum*, V, No 53 (février 1925), 144-147.

——————. « The Group of Seven », éditorial. *Canadian Forum*, VII, No 77 (février 1927), 136.

——————. « Canadian Art; Man Versus Landscape », *Canadian Forum*, XIX, No 227 (décembre 1939), 284-286.

—————— ————. « What is Wrong with Canadian Art? » *Canadian Art*, VI, No 1 (1948), 24-29.

——————. « Canadian Art: Man vs. Landscape », *Our Sense of Identity*. Édité par M. Ross (1954), 230-234.

Ford, Harriot. « The Royal Canadian Academy of Arts », *Canadian Magazine* (mai 1894), 45-50.

Frye, H.N. « Canadian Watercolours », *Canadian Forum*, XX, No 231 (avril 1940), 14.

——————. « The Pursuit of Form », *Canadian Art*, VI, No 2, (1948), 54-57.

Gordon, M. « The Group of Seven », *New Frontiers* (printemps 1953), 20-26.

Gowans, Alan. « The Canadian National Style », *The Shield of Achilles: Aspects of Canada in the Victorian Age*. Édité par W.I. Morton. Toronto: McClelland & Stewart, 1968, 208-219.

Grant, W.L. « The Present Intellectual Status of Canada », *Queen's Quarterly*, XXIX (juillet 1921), 84-95.

Grier, E. Wyly. « Canadian Art: A Resumé », *Yearbook of Canadian Art* (1913), 241-248.

Harper, J. Russell. « From Confederation through the Wars », *Canadian Art*, XIX, No 6 (1962), 420-435.

——————. « Tour d'horizon de la peinture canadienne », *Vie des Arts*, No 26 (1962), 28-37.

Harris, Lawren. « Revelation of Art in Canada », *Canadian Theosophist*, VII, No 5 (1926), 85-88.

——————. « The Group of Seven in Canadian History », *Canadian Historical Association* (juin 1948), 28-38.

——————. « An Essay on Abstract Painting », *Journal of the Royal Architectural Institute of Canada*, 26 (1949), 3-8.

——————. « An Essay on Abstract Painting », *Canadian Art*, IV, No 3 (1949), 103-107.

Hodgson, John Ivan. « Royal Academy Report on the Canadian Pictures at the Colonial and Indian Exhibition at South Kensington », *Canada-Parliament Sessional Papers*, 12 (1886), 60-68.

Holmes, Robert. « Toronto Art Students' League », *Canadian Magazine*, IV, No 2 (décembre 1894), 171-188.

Housser, Bess. « In the Realm of Art: Impressions of the Group of Seven », *Canadian Bookman*, VII, No 2 (février 1925), 33.

Housser, F.B. « The Group of Seven Exhibition », *Canadian Bookman*, VIII, No 6 (juin 1926), 176.

——————. « The Amateur Movement in Canadian Painting », *Yearbook of The Arts in Canada* (1928-29), 81-90.

——————. « Walt Whitman and North American Idealism », *Canadian Theosophist*, XI (1930), 103-106.

——————. « The Group of Seven and its Critics », *Canadian Forum*, XII, No 137 (février 1932), 183-184.

Hubbard, R.H. « The National Movement in Canadian Painting », *Group of Seven*. Exposition, Vancouver Art Gallery (1954), 13-17.

—————— ————. « Growth in Canadian Art », *The Culture of Contemporary Canada*. Édité par Julian Park. Toronto et Ithaca: Cornell University Press, 1957.

Jackson, Alexander Young. « The Development of Canadian Art », *Royal Society of Arts*, XCVII, No 4786 (1949), 129-143.

Jefferys, C.W. « The Toronto Exhibition of Little Pictures », *Yearbook of Canadian Art* (1913), 191-196.

Kenner, Hugh. « The Case of the Missing Face », *Our Sense of Identity*. Édité par M. Ross (1954), 203-208.

Konody, Paul. « On War Memorials », *Art and War*. Londres: Archives militaires canadiennes, 1919.

Kyle, Fergus. « The Ontario Society of Artists », *Yearbook of Canadian Art* (1913), 187-190.

Lamb, Mortimer. « Studio Talk », *The Studio*, LXVII, No 275 (février 1916), 63-70.

Langton, W.A. « A Canadian Art Movement », *Willison's Monthly*, juillet 1927, 66-69.

Lee, Rupert. « Canadian Pictures at Wembley », *Canadian Forum*, IV, No 41 (février 1924), 338-339.

——————. « Canadian Pictures at Wembley », *Canadian Forum*, V, No 6 (septembre 1925), 368-370.

Lyman, John. « Canadian Art », lettre à l'éditeur. *Canadian Forum*, XII, No 140 (mai 1932), 313-314.

MacCallum, H.R. « The Group of Seven: A Retrospect », *Queen's Quarterly*, mai 1933, 242-252.

MacDonald, J.E.H. « The Canadian Spirit in Art », *The Statesman*, I, No 35 (1919), 6-7.

MacKay, Alice. « The Second Annual Exhibition of Canadian Art », *Canadian Homes and Gardens*, avril 1927, 32.

McInnes, Graham C. « Upstart Crows », *Canadian Forum*, XVI, No 184 (mai 1936), 14-16.

——————. « Art and philistia; some sidelights on æsthetic taste in Montreal and Toronto, 1880-1910 », *University of Toronto Quarterly*, VI, No 4 (juillet 1937), 516-524.

—————— ————. « The Art of Canada », *The Studio*, CXIV, No 533 (août 1937), 55-72.

—————— ————. « The Canadian Artist and his Country », *The Geographical Magazine*, XVI, No 8 (décembre 1943), 396-407.

— —————— . « Can Lusty Nationalism Foster Best in Art? » *Saturday Night*, 3 mars 1945.

——————. « Canadian Group of Painters », *Canadian Art*, III, No 2 (1946), 76-77.

MacTavish, Newton. « Some Canadian Painters of the Snow », *The Studio*, LXXV, No 309 (décembre 1918), 78-82.

Massey, Vincent. « Art and Nationality in Canada », *Société Royale du Canada*, XXIV, 3ème série (1930), XLIX-LXXII.

Mellen, Peter. « Tribute to the Modest Collector », *Canadian Collection*, III, No 9 (septembre 1968), 20-21.

Morgan-Powell, S. « Montreal Art Association; Spring Exhibition », *Yearbook of Canadian Art* (1913), 231-236.

Montagnes, Ian. « The Hart House Collection of Canadian Art », *Canadian Art*, XX, No 4 (1963), 218-220.

Mortimer-Lamb, H. « Canadian Artists at War », *The Studio*, LXV, No 270 (octobre 1915), 259-264.

Murray, Joan. « Victorian Canada », *Canadian Antiques Collector*; Part I, V, No 2 (février 1970), 10-14; Part II, V, No 3 (mars 1970), 16-20; Part III, V, No 4 (avril 1970), 16-20.

——————. « Graphics in the Forum, 1920-1951 », *Canadian Forum*, avril-mai 1970, 42-45.

Newton, Eric. « Canadian Art in Perspective », *Canadian Art*, XI, No 3 (1954), 93-95.

Panton, L.A.C. « Seventy-Five Years of Service », *Canadian Art*, IV, No 3 (1947), 100-103.

Pantazzi, Sybille. « Book Illustration and Design by Canadian Artists 1890-1940 », *Bulletin de la Galerie Nationale du Canada*, IV, No 1 (1966), 6-24.

Richmond, Leonard. « Canadian Art at Wembley »,

The Studio, LXXXIX, No 182 (1925), 16-24.

Robertson, J.K.B. « Canadian Geography and Canadian Painting », *Canadian Geographical Journal*, XXXVIII (1949), 262-273.

Robertson, Nancy, E. « In Search of Our Native Landscape », *Canadian Art*, XXII, No 5 (1965), 38-40.

Salinger, J.B. « Comment on Art — The Group of Seven », *Canadian Forum*, XII, No 136 (janvier 1932), 142-143.

——————. « Geography and Art and Shore », *Canadian Forum*, XII, No 144 (septembre 1932), 463.

Sherwood, W.A. « A National Spirit in Art », *Canadian Magazine*, III (octobre 1894), 498-500.

——————. « The Influence of the French School on Recent Art », *Canadian Magazine*, III (octobre 1893), 638-641.

Suddon, Alan et Stewart, Laura. « Who's Who in Ontario Art », *Ontario Library Review*, novembre 1964-février 1965.

Talberg, A. « Modern Painting in Sweden », *The Studio*, XXXI, No 132 (mars 1904), 97-112.

T.M. (Thoreau MacDonald). « The Decline of the Group of Seven », *Canadian Forum*, XII, No 136 (janvier 1932), 144.

Turner, E.H. « A Current General Problem... » *Canadian Art*, XX, No 2 (1963), 108-111.

Turner, Percy Moore. « Painting in Canada », *Canadian Forum*, III, No 27 (décembre 1922), 82-84.

DOCUMENTATION PAR PEINTRE

BEATTY, J.W.

Hoover, Dorothy. *J.W. Beatty*. Canadian Artist Series. Toronto: Ryerson Press, 1948.

Toronto, Art Gallery of Toronto. *Catalogue of Memorial Exhibitions of the work of Clarence Gagnon, RCA, J.W. Beatty, RCA, OSA*. Octobre-novembre 1942.

CARMICHAEL, FRANKLIN

Toronto, Art Gallery of Toronto, *Franklin Carmichael Memorial Exhibition*. Introduction de F.S. Haines, mars 1947.

CARR, EMILY

Carr, Emily. *Klee Wyck*. Toronto: Oxford University Press, 1941.

——————. *Klee Wyck*. Montréal: Cercle du Livre de France, Les Deux Solitudes, 1973.

——————. *Growing Pains: The Autobiography of Emily Carr*. Toronto: Oxford University Press, 1946.

——————. *Hundreds and Thousands; the Journals of Emily Carr*. Toronto: Clarke-Irwin, 1966.

Dilworth, Ira and Harris, Lawren. *Emily Carr, Her Paintings and Sketches*. Toronto: Oxford University Press, 1945.

CASSON, A.J.

Casson, A.J. « The Possibilities of Silk Screen Reproduction ». *Canadian Art*, VII, No 1 (1949), 12-14.

Duval, Paul. *Alfred Joseph Casson*. Toronto: Ryerson Press, 1951.

« Who's Who in Ontario Art » — A.J. Casson ». *Ontario Library Review*, mai 1952.

CULLEN, MAURICE

Gour, Romain. *Maurice Cullen, un maître de l'art au Canada*. Montréal: Éditions Éoliennes, 1952.
Hamilton, Art Gallery of Hamilton. *Maurice Cullen, 1866-1934*. Catalogue d'exposition. Introduction de Robert Pilot. Exposition présentée également à l'Art Gallery of Toronto, au Musée des Beaux-Arts de Montréal et à la Galerie Nationale du Canada.
MacTavish, Newton. « Maurice Cullen : A Painter of the Snow », *Canadian Magazine*, avril 1912, 537-544.
Pilot, Robert. « Maurice Cullen, RCA », *Educational Record of the Province of Quebec*. LXXX, No 3 (1954), 136-141.
Watson, W.R. *Maurice Cullen, RCA*. Toronto: Ryerson Press, 1931.
─────. « The Art of Maurice Cullen », *Canadian Review of Music and other Arts*, janvier 1943, 10.

FITZGERALD, L.L.

Ayre, Robert. « Painter of the Prairies », *Weekend Magazine*, VIII, No 12 (22 mars 1958).
Eckhardt, Ferdinand. « The Technique of L.L. FitzGerald », *Canadian Art*, XV, No 2 (1958), 114-119.
FitzGerald, L. « Painters of the Prairie », *émission* CBC, réseau Midwest, 1er décembre 1954 (transcription).
Harris, Lawren. « FitzGerald's Recent work », *Canadian Art*, III, No 1 (1945), 13.
Winnipeg, Winnipeg Art Gallery. *L.L. FitzGerald, 1890-1956. A Memorial Exhibition, 1956*. Avant-propos d'Alan Jarvis; introduction de Ferdinand Eckhardt. Exposition présentée également au Musée des Beaux-Arts de Montréal, à l'Art Gallery of Toronto et à la Galerie Nationale du Canada.
Winnipeg, Winnipeg Art Gallery. *A New FitzGerald*. Catalogue d'exposition, avril-mai 1963.

GAGNON, CLARENCE

Gauvreau, Jean-Marie. *Clarence A. Gagnon*. Conférence donnée à la Galerie Nationale du Canada, décembre 1942 (dactylographiée).
Ottawa, Galerie Nationale du Canada. *Clarence A. Gagnon, 1881-1942, Memorial Exhibition*. 1942.
Robson, A.H. *Clarence A. Gagnon*. Canadian Artist Series. Toronto: Ryerson Press, 1938.
Toronto, Art Gallery of Toronto. *Catalogue of Memorial Exhibitions of the Work of Clarence Gagnon, RCA, J.W. Beatty, RCA, OSA*. Octobre-novembre 1942.

HARRIS, LAWREN

Adeney, Marcus. « Lawren Harris, An Interpretation », *Canadian Bookman*, X, No 2 (février 1928), 42-43.
Bell, Andrew. « Lawren Harris — A Retrospective Exhibition of His Painting 1910-1948 », *Canadian Art*, VI, No 2 (1948), 51-53.
Fairley, Barker. « Some Canadian Painters: Lawren Harris », *Canadian Forum*, I No 9 (juin 1921), 275-278.
Harris, Bess et Colgrove, Peter, éd. *Lawren Harris*. Toronto: Macmillan Co., 1969.
Harris, Lawren. « Heming's Black and White », *The Lamps*, octobre 1911, 11.
─────. « The R.C.A. Reviewed », *The Lamps*, décembre 1911, 9.
─────. « Palmer's Work », *The Lamps*, décembre 1911, 12.
─────. « The Canadian Art Club », *Yearbook of Canadian Art*, 1913.
─────. *Contrasts, A Book of Verse*. Toronto: McClelland & Stewart, 1922.
─────. « Winning a Canadian Background. » (Critique de livre.) *Canadian Bookman*, V, No 2 (février 1923), 37.
─────. « Sir Edmund Walker », *Canadian Bookman*, VI, No 5 (mai 1924), 109.
─────. « The Philosopher's Stone. » (Critique de livre.) *Canadian Bookman*, VI, No 12 (juillet 1924), 163.
─────. « Artist and Audience », *Canadian Bookman*, VIII, No 2 (décembre 1925), 197-198.
─────. « Review of the Toronto Art Gallery Opening », *Canadian Bookman*, VIII, No 2 (février 1926), 46-47.
─────. « Revelation of Art in Canada », *Canadian Theosophist*, VII, No 5 (1926), 85-88.

─────. « Modern Art and Aesthetic Reactions — An Appreciation », *Canadian Forum*, VII, No 80 (mai 1927), 239-241.
─────. « Creative Art and Canada », *Yearbook of the Arts in Canada*. Édité par B. Brooker, 1928-1929.
─────. « Creative Art and Canada », supplément au *McGill News*, Montréal (décembre 1928), 6-13.
─────. « Theosophy and Art », *Canadian Theosophist*, XIV, No 5 (1933), 129-132.
─────. « Emily Carr and Her Work », *Canadian Forum*, XXI, No 25 (décembre 1941), 277-278.
─────. « The Paintings and Drawings of Emily Carr ». *Emily Carr, Her Paintings and Sketches* (1945), 20-28.
─────. « The Group of Seven in Canadian History », *The Canadian Historical Association; Report of the Annual Meeting Held at Victoria and Vancouver*, 16-19 juin 1948, 28-38.
─────. « An Essay on Abstract Painting », *Canadian Art*, VI, No 3 (1949), 103-107.
─────. « Arthur Lismer », *Arthur Lismer: Paintings, 1913-1949*. Toronto: Art Gallery of Toronto (1950), 7-28.
─────. « Art in Canada: An Informal History, Part III by Lawren Harris », CBC, *Wednesday Night*, 21 juin 1950 (transcription).
─────. « The Group of Seven. » Discours donné à la Vancouver Art Gallery, en avril 1954, et diffusé à CBU, Vancouver, le 15 septembre 1954.
─────. « The Story of the Group of Seven ». *Group of Seven*. Catalogue d'exposition. Vancouver: Vancouver Art Gallery, 1954.
─────. *A Disquisition on Abstract Painting*. Toronto: Rous & Mann Press, 1954.
─────. « What the Public Wants », *Canadian Art*, XII, No 1 (1954), 9-13.
─────. *The Story of the Group of Seven*. Toronto: Rous & Mann, 1964.
Hart, William S. *Lawren Harris: Theory and Practice of Abstract Art*. Vancouver: Seymour Press, 1963.
Ottawa, Galerie Nationale du Canada. *Lawren Harris, Retrospective Exhibition*. Avant-propos de Charles Comfort; introduction « 1883-1912 » de Ian McNairn; « 1913-1921, The Development » de Russell Harper; « 1921-1931, From Nature to Abstraction » de Paul Duval; « 1932-1948, Theory and Practice of Abstract Art » de William Hart; « 1940-1963, The Vancouver Period » de John Parnell. 7 juin-8 septembre 1963. Exposition présentée également à la Vancouver Art Gallery.
Reid, Dennis. « Lawren Harris », *Artscanada*, XXV, No 5 (1968), 9-16.
Robins, John. « Lawren Harris », *Canadian Review of Music and other Arts*, III, Nos 3 et 4 (avril et mai 1944), 13-14.
Toronto, Art Gallery of Toronto. *Lawren Harris, Paintings 1910-1948*. Catalogue d'exposition. « Lawren Harris, A Biographical Sketch » de A.Y. Jackson; « The Paintings » de Sydney Key. 16 octobre-14 novembre 1948. Également itinérante avec la Galerie Nationale du Canada.

HOLGATE, EDWIN

Chauvin, Jean. *Ateliers: études sur vingt-deux peintres et sculpteurs canadiens*. Montréal: L. Carrier, 1928.
Haviland, Richard H. « Canadian Art and Artists — Edwin Headly Holgate », *The Montreal Standard*, 23 juillet 1938.

JACKSON, A.Y.

« Adventure in Art. » Éditorial sur le voyage de Jackson dans l'Arctique. *Canadian forum*, VIII, No 86 (novembre 1927), 424.
Ayre, Robert. « A.Y. Jackson — The Complete Canadian », *Educational Record of the Province of Quebec*, LXXX, No 2 (avril-juin 1954), 79-84.
Banting, F.G. Introduction à *The Far North, A Book of Drawings, By A.Y. Jackson*. Toronto: Rous & Mann, 1927.
Barbeau, Charles Marius. *Kingdom of the Saguenay*. Toronto: Macmillan Co., 1936.
Buchanan, D.W. « A.Y. Jackson, the Development of Nationalism in Canadian Painting ». *Canadian*

Geographical Journal, juin 1946, 248-285.
Duval, P. « Canada's senior artist still has zeal of the pioneer », *Saturday Night*, 11 août 1945, 22-23.
Greenaway, C.R. « Jackson Says Montreal Most Bigoted City », Toronto *Star*, 10 septembre 1927.
─────. « Painter Says Canada Does Not Appreciate Arctic Possessions », Toronto *Star*, 10 septembre 1927.
Groves, Naomi Jackson. « A Profile of A.Y. Jackson », *The Beaver*, XV, No 19 (1967), 15-19.
─────. *A.Y.'s Canada*. Toronto: Macmillan Co., 1969.
Hamilton, Art Gallery of Hamilton. *A.Y. Jackson: A Retrospective Exhibition*. Introduction d'Edwin Holgate, mars-avril 1960. Exposition également présentée au London Public Library and Art Museum.
Jackson, A.Y. « Art and Craft », *The Rebel*, III, No 4 (février 1919), 158-159.
─────. « A Volunteer », *The Rebel*, III, No 6 (avril 1919), 256-257.
─────. « An Aesthetic Standard », *The Rebel*, IV, No 1 (octobre 1919), 43.
─────. « Dutch Art in Canada: The Last Chapter », *The Rebel*, IV, No 2 (novembre 1919), 65-66.
─────. « The War Memorials: A Challenge », *The Lamps*, décembre 1919, 75-78.
─────. « Sketching in Algoma », *Canadian Forum*, I, No 6 (mars 1921), 174-175.
─────. « A Policy for Art Galleries », *Canadian Forum*, II, No 21 (juin 1922), 660-662.
─────. « Artist in the Mountains », *Canadian Forum*, V, No 52 (janvier 1925), 112-113.
─────. « Art in Toronto », *Canadian Forum*, VI, No 66 (mars 1926), 180-182.
─────. « War Pictures Again », *Canadian Bookman*, VIII, No 8 (novembre 1926), 340.
─────. « Rescuing our Tottering Totems », *Maclean's Magazine*, 19 décembre 1927.
─────. « There's Still Snow in Quebec », *Ontario College of Art Annual*, 1929.
─────. « Modern Art No Menace », *Saturday Night*, 17 décembre 1932.
─────. « J.E.H. MacDonald », *Canadian Forum*, XIII, No 148 (janvier 1933), 136-138.
─────. « The Tom Thomson Film. » Discours de Jackson à l'occasion de la première à Toronto du film sur Tom Thomson, *West Wind*, en décembre 1943. (Dactylogramme à l'Art Gallery of Ontario).
─────. « Dr MacCallum, loyal friend of art », *Saturday Night*, 11 décembre 1943, 19.
─────. « Sketching on the Alaska Highway », *Canadian Art*, I, No 3 (1944), 88-92.
─────. « Art Goes to the Armed Forces », *The Studio*, CXXIX, No 625 (avril 1945), 120.
─────. « A Record of Total War », *Canadian Art*, III, No 4 (1946), 150-155.
─────. « Lawren Harris, A Biographical Sketch », *Lawren Harris, Paintings, 1910-1948*. Toronto: Art Gallery of Toronto (1948), 6-12.
─────. « Talk on Canadian Art », Toronto: CBC, *Wednesday Night*, 7 juin 1950 (transcription).
─────. « Arthur Lismer — His Contribution to Canadian Art », *Canadian Art*, VII, No 3 (1950), 89-90.
─────. « The Origin of the Group of Seven », *High Flight*. Édité par J.R. McIntosh, F.L. Barret, C.E. Lewis. Toronto: Copp Clark, 1951, 106-162.
─────. « Recollections on My Seventieth Birthday », *Canadian Art*, X, No 3 (1953), 95-100.
─────. « Reminiscences of Army Life », *Canadian Art*, XI, No 1 (1953), 6-10.
─────. « The Birth of the Group of Seven », *Our Sense of Identity*. Édité par M. Ross (1954), 220-230.
─────. « The Group of Seven. » Toronto: émission CBC, avril 1954 (transcription).
─────. « Arthur Lismer », *Educational Record of the Province of Quebec, LXXI (janvier-mars 1955), 13-15.
─────. « Box Car Days in Algoma, 1919-1920 », *Canadian Art*, XIV, No 4 (1957), 136-141.

_____. *A Painter's Country*. Toronto: Clarke-Irwin, 1958 (première édition brochée en 1964).

_____. « A Portfolio of Arctic Sketches », *The Beaver*, XV, No 19 (1967), 6-14.

Lismer, Arthur. « A.Y. Jackson — Retrospective », *Canadian Art*, III, No 3 (1946), 169.

McInnes, G.C. « Fine Jackson Show at the Women's Art Association », *Saturday Night*, 20 janvier 1940.

_____. « A.Y. Jackson », *New World*, I, No 2 (1940), 26.

Miller, Muriel. « A.Y. Jackson, a landscape painter of the Group of Seven », *Onward*, décembre 1938, 477-478.

Montréal, Galerie Dominion. *A.Y. Jackson: Thirty Years of Painting*. Introduction d'A. Lismer. 24 avril-8 mai 1948.

Office National du Film. *Canadian Landscape*. Film sur Jackson, 1941.

Pincoe, Grace. *Alphabetical index to pictures by A.Y. Jackson, in exhibitions from 1904-1953*. Compilation. Bibliothèque de l'Art Gallery of Ontario (manuscrit dactylographié).

Purdy, Alfred W. *North of Summer* (poèmes de la Terre de Baffin avec croquis à l'huile sur l'Arctique par A.Y. Jackson). Toronto: McClelland & Stewart, 1967.

Reid, J. « A.Y. Jackson, Landscape Painter-at-Large; his Brush Interprets Canada's Vastness », *Saturday Night*, 18 avril 1942.

Rivard, Adjutor. *Chez Nous*. Traduit en anglais sous le titre *Our Old Quebec Home*, par N.H. Blake. Illustrations de A.Y. Jackson. Toronto: McClelland & Stewart, 1924.

Robinson, Percy J. *The Georgian Bay*. Avant-propos de A.Y. Jackson. Toronto: à compte d'auteur, 1966.

Robson, A.H. *A.Y. Jackson*. Canadian Artist Series. Toronto: Ryerson Press, 1938.

Toronto, Art Gallery of Toronto. *Catalogue of Arctic sketches by A.Y. Jackson, RCA, and Lawren Harris*, 1930.

Toronto, Art Gallery of Toronto. *A.Y. Jackson, Paintings 1902-1953*. Catalogue d'exposition. « A.Y. Jackson » d'Arthur Lismer, octobre-novembre 1953. Exposition également présentée à la Galerie Nationale du Canada, au Musée des Beaux-Arts de Montréal et à la Winnipeg Art Gallery.

« Who's Who in Ontario Art — A.Y. Jackson », *Ontario Library Review*, août 1954.

JEFFERYS, C.W.

Colgate, William. *C.W. Jefferys*. Toronto: Ryerson Press, 1944.

JOHNSTON, FRANK (FRANZ)

Johnston, Franz. « Modern Art and Aesthetic Reactions — An Objection », *Canadian Forum*, VII, No 80 (mai 1927), 241-242.

« Johnston Never Member of the Group of Seven », *Star Weekly*, 11 octobre 1924.

« One Canadian Artist Deserts Extremist School of Seven », *Star Weekly*, 5 octobre 1924.

Winnipeg Art Gallery. *Exhibition of Paintings and Sketches by Frank H. Johnston*, 1922.

LISMER, ARTHUR

Ayre, Robert. « Arthur Lismer », *Canadian Art*, IV, No 2 (1947), 48-51.

Bell, Andrew. « Lismer's Painting from 1913 to 1949 in Review », *Canadian Art*, VII, No 4 (1950), 91-93.

Graham, Jean. « Mr. Arthur Lismer, A.R.C.A. », *Saturday Night*, 21 mai 1932.

Hunter, E.R. « Arthur Lismer », *Maritime Art*, juillet-août 1943, 137-141, 168-169.

Jackson, A.Y. « Arthur Lismer — His Contribution to Canadian Art », *Canadian Art*, VII, No 4 (1950), 89-90.

_____. « Arthur Lismer », *Educational Record of the Province of Quebec*, LXXI (janvier-mars 1955), 13-15.

Johnston, Ken. « The Professor is a Rebel », *New Liberty*, mai 1951, 32-33, 44-52.

Lismer, A. « Graphic Art », *Yearbook of Canadian Art*, 1913.

_____. « The Canadian War Memorials », *The Rebel*, IV, No 1 (octobre 1919), 40-42.

_____. « Art Education and Art Appreciation », *The Rebel*, III, No 5 (février 1920), 208-211.

_____. « Canadian Art », *Canadian Theosophist*, V, No 12 (1925), 177-179.

_____. « Art a Common Necessity », *Canadian Bookman*, VII, No 10 (octobre 1925), 159-160.

_____. *A Short History of Painting with a Note on Canadian Art*. Toronto: Andrews Bros, 1926.

_____. « An Appreciation », *Yearbook of the Arts in Canada*. Édité par B. Brooker. 1928-1929.

_____. *Canadian Picture Study*. Toronto: Art Gallery of Toronto, 1930.

_____. « The Canadian theme in Painting », *Canadian Comment*, février 1932.

_____. « Art in the Machine Age », *Canadian Comment*, avril 1932.

_____. « Art By the Wayside », *Canadian Comment*, juillet 1932.

_____. « Creative Art », *The New Era in Home and School*, décembre 1932, 359-363.

_____. « The West Wind », *McMaster Monthly*, XLIII (1934), 163-164.

_____. « Education Through Art », *The New Era in Home and School*, décembre 1934, 232-237.

_____. « Education Through Art — The Artist Mind », *Progressive Education Association, Growth and Development: The Basis for Educational Programmes* (1936), 224-230.

_____. *Education Through Art for Children and Adults at the Art Gallery of Toronto*. Toronto: à compte d'auteur, 1936.

_____. « The Place of Art in Education », *The New Education Fellowship, Educational Adaptations in a Changing Society* (1937), 155-167.

_____. « Art in a Changing World », « Art and Creative Education », « Education Through Art ». *Proceedings of the New Education Fellowship Conference, Modern Trends in Education*. Wellington, Nouvelle-Zélande, 1938.

_____. « Child Art in Canada », *The Studio*, LXXIX, No 625 (avril 1945), 118-119.

_____. « Tom Thomson, 1877-1917, A Tribute to a Canadian Painter », *Canadian Art*, V, No 2 (1947), 59-62.

_____. « What is Child Art? » *Canadian Art*, V, No 4 (1948), 178-179.

_____. « Canadian Art: An Informal History, Part II », Montréal: CBC, *Wednesday Night*, 14 juin 1950 (transcription).

_____. « A.Y. Jackson », *A.Y. Jackson Paintings, 1902-1953*. Toronto: Art Gallery of Toronto, 1953, 4-8.

_____. « Tom Thomson, 1877-1917, Canadian Painter », *Educational Record of the Province of Quebec*, LXXX, No 3 (1954), 170-175.

Lord, Barry. « Georgian Bay and the Development of the September Gale Theme in Arthur Lismer's Painting, 1912-1921 », *Bulletin de la Galerie Nationale du Canada*, V, No 1-2 (1967), 28-38.

McLeish, John A.B. *September Gale, A Study of Arthur Lismer*. Toronto: J.M. Dent & Sons, 1955.

Office National du Film. *Lismer*. Film sur Arthur Lismer, Canadian Artists Series, 1952.

Toronto, Art Gallery of Toronto. *Arthur Lismer Paintings 1913-1949*. Introduction de Sydney Key; « Arthur Lismer » de L. Harris, janvier-février 1950. Exposition également présentée à la Galerie Nationale du Canada et au Musée des Beaux-Arts de Montréal.

MacDONALD, J.E.H.

Buchanan, D.W. « J.E.H. MacDonald — Painter of the Forest », *Canadian Geographical Journal*, XXXIII, No 3 (1946), 149.

Colgate, W.G. « Art from Manet to MacDonald », *Bridle and Golfer*, V, No 6 (février 1933), 26-27, 38.

_____. « Personality of a Painter: The Life and Work of J.E.H. MacDonald in Review », *Bridle and Golfer*, XVIII, No 6 (novembre-décembre 1940), 14-15.

Hamilton, Art Gallery of Hamilton. *J.E.H. MacDonald 1873-1932*. Introduction de Thoreau MacDonald (mars 1957).

Hunter, Edmund Robert. *J.E.H. MacDonald: A Biography and Catalogue of His Work*. Canadian Artists Series. Toronto: Ryerson Press, 1940.

_____. « J.E.H. MacDonald », *Educational Record of the Province of Quebec*, LXXX, No 3 (juillet-septembre 1954), 157-162.

Jackson, A.Y. « J.E.H. MacDonald », *Canadian Forum*, XIII, No 13 (janvier 1933), 136-138.

Jefferys, C.W. « MacDonald's Sketches », *The Lamps*, décembre 1911, 12.

Lismer, Arthur. « Memorial Show Proves Greatness of Late J.E.H. MacDonald », *Saturday Night*, 31 janvier 1933.

Longstreth, T. Morris. « The Paintings of J.E.H. MacDonald », *The Studio*, CVIII, No 496 (juillet 1943), 43.

Maclure, John. « Hidden Treasures of a Shy Rebel », *Maclean's Magazine*, 1er novembre 1965.

MacDonald, J.E.H. « The Hot Mush School, in Rebuttal of H.F.G. », Toronto *Star*, 20 décembre 1913.

_____. « Bouquets from a Tangle Garden », *Globe*, 27 mars 1916.

_____. « A Landmark of Canadian Art », *The Rebel*, II, No 2 (novembre 1917), 45-50.

_____. « A Hash of Art », *The Rebel*, II, No 3 (décembre 1917), 90-93.

_____. « A Whack at Dutch Art », *The Rebel*, II, No 6 (mars 1918), 256-260.

_____. « Art Crushed to Earth », *The Rebel*, No 4 (janvier 1918), 150-153.

_____. « Art and Our Friend in Flanders », *The Rebel*, II, No 5 (février 1918), 182-186.

_____. « Mentioned in Dispatches », *The Rebel*, III, No 5 (mars 1919), 205-207.

_____. « The Terrier and the China Dog », *The Rebel*, III, No 2 (décembre 1918), 55-60.

_____. « The Canadian Spirit in Art », *The Statesman*, I, No 35 (1919), 6-7.

_____. « A.C.R. 10557 », *The Lamps* (décembre 1919), 33-39.

_____. « A Happy New Year for Art », *The Rebel*, IV, No 4 (janvier 1920), 155-159.

_____. « The Choir Invisible », *Canadian Forum*, III, No 28 (janvier 1923), 11-113.

_____. « A Glimpse of the West », *Canadian Bookman*, VI, No 11 (novembre 1924), 229-231.

_____. *Walt Whitman*. Notes pour une conférence donnée à la Public Reference Library, en octobre 1926; actuellement la propriété de Thoreau MacDonald.

_____. *Relation of Poetry to Painting with Special Reference to Canadian Painting*. Notes pour une conférence donnée le 20 octobre 1929, aujourd'hui à la bibliothèque de l'Art Gallery of Ontario.

_____. *Scandinavian Art*. Notes dactylographiées pour une conférence donnée le 17 avril 1931 à l'Art Gallery of Toronto. L'original appartient à Thoreau MacDonald et le duplicata au carbone à la bibliothèque de l'Art Gallery of Ontario.

_____. *West by East and Other Poems*. Toronto: Ryerson Press, 1933.

_____. *My High Horse, A Mountain Memory*. Thornhill: Woodchuck Press, 1934.

_____. *J.E.H. MacDonald — Bookplate Designs*. Thornhill: Woodchuck Press, 1966.

McInnes, Graham. « J.E.H. MacDonald, RCA », *New World*, I, No 3 (mai 1940), 26-27.

Middleton, J.E. « J.E.H. MacDonald, an Appreciation. » Supplément à *The Lamps*, décembre 1932.

Montréal, Galerie Dominion. *J.E.H. MacDonald Memorial Exhibition*. Introduction de Max Stern, Ph.D. 20 novembre-3 décembre 1947.

Mulligan, H.A. « J.E.H. MacDonald (1873-1932) », *Canadian Comment*, VI, No 11 (novembre 1937), 27.

Pierce, Lorne. *A Postscription on J.E.H. MacDonald, 1873-1932*. Toronto: Ryerson Press, 1940.

Robson, Albert Henry. *J.E.H. MacDonald*. Toronto: Ryerson Press, 1937.

Robertson, Nancy. *J.E.H. MacDonald*. Manuscrit inédit, texte revisé, 1969.

Toronto, Mellors Gallery. *A Loan Exhibition of the Work of J.E.H. MacDonald, RCA*. Introduction de B. Fairley. 30 octobre-13 novembre 1937.

Toronto, Art Gallery of Toronto. *J.E.H. MacDonald, R.C.A., 1873-1932*. Introduction de Nancy Robertson. 13 novembre-12 décembre 1965. Exposition également présentée à la Galerie Nationale du Canada en 1966.

MacDONALD, THOREAU

Hunter, E.R. *Thoreau MacDonald.* Toronto: Ryerson Press, 1942.

MORRICE, JAMES WILSON

Bath, Holburne of Menstrie Museum. *James Wilson Morrice: 1865-1924.* « The Canadian Nomad » de Denys Sutton. Catalogue de Dennis Reid. 30 mai-29 juin 1968.

Buchanan, Donald W. *James Wilson Morrice.* Canadian Artists Series. Toronto: Ryerson Press, 1947.

——————. « James Wilson Morrice, Painter of Quebec and the World », *Educational Record of the Province of Quebec,* LXXX, No 3 (1954), 163-169.

Gagnon, Clarence. « Morrice as a Painter. » Coupure de presse non identifiée, bibliothèque de la Galerie Nationale du Canada.

Montréal, Musée des Beaux-Arts de Montréal. *J.W. Morrice, 1865-1924.* Introduction de W.R. Johnston, 1965.

Pepper, Kathleen Daly. *James Wilson Morrice.* Préface d'A.Y. Jackson. Toronto et Vancouver: Clarke-Irwin, 1966.

REID, GEORGE

Miner, Muriel Miller. *G.A. Reid, Canadian Artist.* Toronto: Ryerson Press, 1946.

ROBINSON, ALBERT H.

Hamilton, Art Gallery of Hamilton. *Albert H. Robinson, Retrospective Exhibition.* Introduction de Robert Pilot, 1955.

Lee, Thomas R. *Albert H. Robinson, The Painter's Painter.* Montréal: à compte d'auteur, 1956.

SUZOR-CÔTÉ, M.-A. de FOY

Gour, Romain. *Suzor-Côté: artiste multiforme.* Montréal: Éditions Éoliennes, 1950.

Jouvancourt, Hugues de, *Suzor-Côté* (Tirage: 200). Montréal: Éditions la Frégate, 1976.

THOMSON, TOM

Addison, Ottelyn, en collaboration avec Elizabeth Harwood. *Tom Thomson, The Algonquin Years.* Avant-propos d'A.Y. Jackson, dessins et appendice de Thoreau MacDonald. Toronto: Ryerson Press, 1969.

Atherton, Ray. « The Man in a Canoe », *Canadian Art,* V, No 2 (1947), 57-58.

Colgate, William, éd. *Two Letters of Tom Thomson, 1915 and 1916.* Weston, Ont.: The Old Rectory Press, 1946. Également publié dans *Saturday Night,* 9 novembre 1946.

Davies, Blodwen. *Paddle and Palette; The Story of Tom Thomson.* Notes d'Arthur Lismer sur plusieurs tableaux de Thomson. Toronto: Ryerson Press, 1930.

——————. *A Study of Tom Thomson, The Story of a Man who Looked For Beauty and For Truth in the Wilderness.* Toronto: Discus Press, 1935.

——————. « Art and Esotericism in Canada », *Canadian Theosophist,* XVIII (1937), 57-58.

——————. *Tom Thomson, The Story of a Man who Looked For Beauty and For Truth in the Wilderness.* Édition commémorative revisée avec avant-propos d'A.Y. Jackson et croquis d'Arthur Lismer. Vancouver: Mitchell Press, 1967.

Fairley, Barker, (B.F.). « Tom Thomson and Others », *The Rebel,* III, No 6 (mars 1920), 244-248.

Frank, Marion. « Reminiscences of Tom Thomson », *New Frontiers,* V, No 1 (printemps 1956), 22-24.

Hubbard, R.H. *Tom Thomson.* Society for Art Publications. Toronto: McClelland & Stewart Ltd, 1962.

Jackson, A.Y. « The Tom Thomson Film. » Discours d'A.Y. Jackson à l'occasion de la première à Toronto du film sur Tom Thomson, *West Wind,* en décembre 1943 (dactylogramme à la bibliothèque de l'Art Gallery of Ontario).

Lamb, Mortimer. « Studio-Talk: Tom Thomson », *The Studio,* LXXVII, No 317 (août 1919), 119-126.

Lismer, A. « The West Wind », *McMaster Monthly,* XLIII (1934), 163-164.

——————. « Tom Thomson, 1877-1917, A Tribute to a Canadian Painter », *Canadian Art,* V, No 2 (1947), 59-62.

——————. « Tom Thomson », *Educational Record of the Province of Quebec,* XXX, No 3 (juillet-septembre 1954), 170-175.

Little, R.P. « Some Recollections of Tom Thomson and Canoe Lake », *Culture,* XVI (1955), 200-208.

Little, William T. *The Tom Thomson Mystery.* Toronto: McGraw Hill, 1970.

MacCallum, J.M. « Tom Thomson, Painter of the North », *Canadian Magazine,* L (1918), 375-385.

MacDonald, J.E.H. « A Landmark of Canadian Art », *The Rebel,* II, No 2 (novembre 1917), 45-50.

Montréal, The Arts Club. *Catalogue of an Exhibition of Paintings by the Late Tom Thomson.* Avant-propos d'A.Y. Jackson, mars 1919.

Office National du Film. *West Wind.* Film sur Tom Thomson, 1944.

Pringle, Gertrude. « Tom Thomson, The Man. Painter of the Wilds Was a Very Unique Individuality », *Saturday Night,* 10 avril 1926.

Robson, Albert H. *Tom Thomson, Painter of our North Country, 1877-1917.* Canadian Artist Series. Toronto: Ryerson Press, 1937.

Saunders, Audrey. *Algonquin Story, The Story of Tom Thomson.* Toronto: Ministère des Terres et Forêts, 1948.

Toronto, Art Gallery of Toronto. *A Memorial Exhibition of Paintings by Tom Thomson,* 13-19 février 1920.

Toronto, Mellors Gallery. *Tom Thomson: Painter of the North. Loan Exhibition of Works by T. Thomson.* Introduction de J.M. MacCallum, 1937.

Town, Harold. « The Pathfinder », *Great Canadians,* Bibliothèque du Centenaire du Canada. Toronto: McClelland & Stewart Ltd, 1965.

« Was Tom Thomson Murdered? » Émission télévisée, CBC, 6 février 1969.

Windsor, Willistead Art Gallery. *Tom Thomson, 1877-1917.* Octobre-novembre 1957.

VARLEY, F.H.

Buchanan, D.W. « Paintings and Drawings of F.H. Varley », *Canadian Art,* VII, No 1 (1949), 2-5.

Carpenter, E.S. « Varley's Arctic Sketches », *Canadian Art,* XVI, No 2 (1959), 93-100.

——————. *Eskimo.* Croquis et peintures de F.H. Varley. Toronto: University of Toronto Press, 1959.

Duval, Paul. « Vigorous Veteran of Canadian Art — Frederick Horseman Varley », *Saturday Night,* 16 décembre 1944.

Elliot, George. « F.H. Varley's — Fifty Years of His Art », *Canadian Art,* XII, No 1 (1954), 2-8.

Fairley, Barker. « Some Canadian Painters: 'F.H. Varley' », *Canadian Forum,* II, No 19 (avril 1922) 594-596.

——————. « F.H. Varley ». *Our Living Tradition.* Édité par Robert L. McDougall. Toronto: University of Toronto Press, 1959, 151-169.

Hambleton, Josephine. « Frederick Horseman Varley ». Kingston, Ont., *Whig Standard,* 12 janvier 1948.

Office National du Film. *Varley.* Film sur Frederick Varley. Canadian Artists Series, 1952.

Pincoe, Grace. Inédit, I. *Alphabetical Classified Index and Pictures Exhibited,* II. *Chronological Index to Pictures Exhibited.* Compilation en vue de la rétrospective Varley, 1954. Dactylogramme à la bibliothèque de l'Art Gallery of Ontario.

Porter, McKenzie. « Varley », *Maclean's Magazine,* 7 novembre 1959.

« T ». « Recognition for Canadian Artists. » Première publication dans *Nation* et reprise dans *The Lamps,* décembre 1919, 81-82.

Toronto, Art Gallery of Toronto. *F.H. Varley, Paintings 1915-1954.* « The Early Years » d'Arthur Lismer; « The War Records » d'A.Y. Jackson; « The Twenties » d'Arthur Lismer; « Vancouver » de J.W.G. MacDonald; « Toronto, The Later Years » de Charles S. Band; « An Approach to Varley » de R.H. Hubbard. Octobre-novembre 1954. Exposition également présentée à la Galerie Nationale du Canada, au Musée des Beaux-Arts de Montréal, et envoyée en tournée dans l'Ouest.

Varley, F.H. Article sans titre dans *The Paintbox,* Vancouver School of Decorative and Applied Arts (1928), 12.

« Who's Who in Ontario Art — Frederick Horseman Varley », *Ontario Library Review,* Août 1962.

Windsor, Willistead Art Gallery. *F.H. Varley Retrospective,* 1964.

ARTICLES

« New Talent at the Art Exhibition », *Globe,* 9 mars 1912.

« Growth of Canadian Art Revealed by O.S.A. Exhibit », *Mail and Empire,* 9 mars 1912.

« The O.S.A. Exhibition. » Editorial, *Saturday Night,* 16 mars 1912.

P. O'D. (Peter O'Donovan). « A Big Show of Little Pictures », *Saturday Night,* 8 mars 1913.

« Post-Impressionnists Shock Local Art Lovers at the Spring Exhibition ». Montréal, *The Witness,* 26 mars 1913.

Morgan-Powell, S. « Review of the Spring Exhibition », *Montreal Star,* 29 mars 1913.

« Fine Paintings Placed on View », *Mail and Empire,* 5 avril 1913.

« Ontario Society of Artists », *Globe,* 15 avril 1913.

Gadsby, H.F. « The Hot Mush School », Toronto *Star,* 12 décembre 1913.

MacDonald, J.E.H. « The Hot Mush School in Rebuttal of H.F.G. », Toronto *Star,* 20 décembre 1913.

Sibley, C.L. « Greatest Show of Canadian Paintings », *Globe,* 20 décembre 1913.

« The Little Picture Show. » Editorial, *Saturday Night,* 14 février 1914.

« Strength and Beauty in the New Pictures », Toronto *Star,* 14 mars 1914.

Charlesworth, H. « Ontario Society of Artists Annual Exhibition », *Saturday Night,* 21 mars 1914.

« Power and Poetry in Art Galleries », *Mail and Empire,* 13 mars 1915.

« Color and Originality at the O.S.A. Exhibition », *Globe,* 13 mars 1915.

Charlesworth, H. « O.S.A.'s Exhibition, 1915 », *Saturday Night,* 20 mars 1915.

« Some Pictures at the Art Gallery », Toronto *Star,* 11 mars 1916.

« Extremes Meet at O.S.A. Show », *Globe,* 11 mars 1916.

« Ontario Artists Do Daring Work », *Mail and Empire,* 11 mars 1916.

« The New Schools of Art », Toronto *Star,* 16 mars 1916.

Charlesworth, H. « Pictures That Can be Heard », *Saturday Night,* 18 mars 1916.

MacDonald, J.E.H. « Bouquet from a Tangled Garden », *Globe,* 27 mars 1916.

« Ontario Artists do Vigourous Work », *Mail and Empire,* 10 mars 1917.

Charlesworth, H. « Good Pictures at the O.S.A. Exhibition », *Saturday Night,* 24 mars 1917.

Bridle, Augustus. « Canadian Artists to the Front », *Canadian Courier,* 16 février 1918.

« Younger Artists Come to the Front », Toronto *Star,* 8 mars 1919.

« Picture Gallery is a Riot of Color », *Mail and Empire,* 10 mars 1919.

« Etchings Predominate at Art Exhibition », Toronto *Star,* 3 mai 1919.

Charlesworth, H. « Painters-Etchers and Others », *Saturday Night,* 17 mai 1919.

« Some Aphorisms of the Artists of the Algonquin School », Belleville, Ont., *Intelligence,* 27 septembre 1919.

Charlesworth, H. « Reflections », *Saturday Night,* 13 décembre 1919.

M.L.F. « Seven Painters Show Some Excellent Work », Toronto *Star,* 7 mai 1920.

« Seven Artists Invite Criticism », *Mail and Empire,* 10 mai 1920.

« Art and Artists », *Globe,* 11 mai 1920.

Wrenshall, H.E. « Art Notes », *Sunday world,* 21 mai 1920.

Bridle, Augustus. « Are These New Canadian Painters Crazy ? » *Canadian Courier,* 22 mai 1920.

« The Canadian Algonquin School », *Mail and Empire,* 21 février 1920.

« Unusual Art Cult Breaks Loose Again », Toronto *Star,* 9 mai 1921.

« Art and Artists », *Globe,* 9 mai 1921.

Charlesworth, H. « Impressions of the Royal Canadian Academy », *Saturday Night,* 26 novembre 1921.

The Observer. « The Group of Seven and the Canadian School », Toronto *Star,* 31 janvier 1922.

M.O.H. (M.O. Hammond). « Retrospective Exhibition of Ontario Artists », *Globe,* 13 février 1922.

Jacob, Fred. « How Canadian Art Got its Real Start », Toronto *Star,* 9 avril 1922.

« The Group of Seven », *Mail and Empire,* 6 mai 1922.

M.O.H. (M.O. Hammond). « Salon of Group of Seven Reflects Canadian Impulse to Glimpse Beyond Skyline », *Globe,* 10 mai 1922.

« Group of Seven Not So Extreme », *Mail and Empire,* 13 mai 1922.

Bridle, Augustus. « Picture of the Group of Seven Show, 'Art Must Take the Road' » Toronto *Star,* 20 mai 1922.

« Candid Critic Talks of Art », *Globe,* 9 novembre 1922.

Charlesworth, H. « The National Gallery, a National Reproach », *Saturday Night,* 9 décembre 1922.

Walker B.E. et Charlesworth, H. « Canada's National Gallery, A Letter from Sir Edmund Walker and a Reply by Mr. Charlesworth », *Saturday Night,* 23 décembre 1922.

Charlesworth, H. « And Still They Come ! Aftermath of a Recent Article on the National Gallery », *Saturday Night,* 30 décembre 1922.

MacBeth, Madge. « The National Gallery of Art », *Saturday Night,* 14 janvier 1922.

Russell, G.H. « Art at the British Empire Exhibition, An Open Letter to Sir Edmund Walker », *Saturday Night,* 15 septembre 1923.

« Canada's Art at Empire Fare », éditorial, *Saturday Night,* 22 septembre 1923.

Walker E. « Open Letter to G. Horne Russell », *Saturday Night,* 22 septembre 1923.

« Sir Edmund Walker's Letters re the British Empire Exhibition », *Saturday Night,* 22 septembre 1923.

Charlesworth, H. « An Unofficial Display of Canadian Pictures », *Saturday Night,* 29 septembre 1923.

Bridgen, E.H., Grier, E. Wyly, Haines, Fred S., Jackson, A.Y., Jefferys, C.W., MacDonald, J.E.H., Palmer, H.S. « An Appeal to Painters. » Lettre à l'éditeur. *Saturday Night,* 6 octobre 1923.

Watson, Homer. « Canadian Art at British Empire Exhibition. » Lettre à l'éditeur. *Saturday Night,* 6 octobre 1923.

« Group of Seven Triumphs », *Telegram,* 30 novembre 1923.

Charlesworth, H. « Royal Canadian Academy », *Saturday Night,* 1er décembre 1923.

« Canada Has Given Birth To a New and National Art », *Star Weekly,* 26 janvier 1924.

(Charlesworth, H.). « Canadian Pictures at Wembley », éditorial, *Saturday Night,* 17 mai 1924.

(Charlesworth, H.). « Freak Pictures at Wembley », éditorial, *Saturday Night,* 13 septembre 1924.

« Johnston Never Member of the Group of Seven », *Star Weekly,* 11 octobre 1924.

Charlesworth, H. « Canadian Painting for the Tate Gallery », *Saturday Night,* 1er novembre 1924.

(Charlesworth H.). « Canada and Her Paint Slingers », éditorial, *Saturday Night,* 8 novembre 1924.

« School of Seven Exhibit is Riot of Impressions », *Star Weekly,* 10 janvier 1925.

« Back to Intelligibility, Group of Seven Show », *Telegram,* 12 janvier 1925.

« Artists in the Wilds », *Globe,* 17 janvier 1925.

Charlesworth, H. « The Group System in Art, New Canadian 'School' as Exemplified in the Show of 'Seven' », *Saturday Night,* 24 janvier 1925.

The Observer. « And That True North », Toronto *Star,* 31 janvier 1925.

Cowan, James A. « Hymie, Solly and a Pair of Truck-Drivers Take Part-Time Job as High Art Critics », *Star Weekly,* 31 janvier 1925.

« Must Study Figure to Develop Art — Grier », Toronto *Star,* 20 février 1925.

« Canadian Painters Lead in Originality », Toronto *Star,* 23 février 1925.

« Rival School's of Art Stoutly Championed », *Mail and Empire,* 27 février 1925.

« Art from the Rostrum », *Globe,* 27 février 1925.

« Artists Give Views at Club's Art Debate », Toronto *Star,* 27 février 1925.

« Advice to Group of Seven — 'Paint the Paintless Barn' », *Telegram,* 27 février 1925.

« If Cow Can Stay in Parlour, Then Why Can't Bull Moose ? » Toronto *Star,* 27 février 1925.

« Cult of Ugliness on Trial in England », éditorial, *Saturday Night,* 20 juin 1925.

« Disdainful of Prettiness, New Art Aims at Sublimity », Toronto *Star,* 6 mai 1916.

Bridle, Augustus. « Group of Seven Betray No Signs of Repentance », *Star Weekly,* 8 mai 1926.

« New Member is Added to Group of Seven », *Mail and Empire,* 8 mai 1926.

Charlesworth, H. « Toronto and Montreal Painters Wild Work at the Cross-Roads by Group of Seven A French Canada Exhibition », *Saturday Night,* 22 mai 1926.

Reade, R.C. « The Have Taken Photography and Wrung its Neck », *Star Weekly,* 22 mai 1926.

« Painters Demand the Head of Art Dictator », Toronto *Star,* 20 novembre 1926.

« New Volume Vigorously Champ Champions Group of Seven. » Article critique sur *A Canadian Art Movement* de F.B. Housser. Toronto *Star,* 11 décembre 1926.

Denison, Merrill. « Story of an Art Movement. » Article critique sur *A Canadian Art Movement* de F.B. Housser. *Globe,* 18 décembre 1926.

« British Artist Lands Canada's Group of Seven », Toronto *Star,* 18 décembre 1926.

Morgan-Powell, S. « Art in Canada ; Plea for Group of Seven ; Ex-Parte Arguments. » Article critique sur *A Canadian Art Movement* de F.B. Housser. Montréal, *Daily Star,* 31 décembre 1926.

« Seven Group Again Lead Ghost Dance of Palette », Toronto *Star,* 18 février 1927.

Jacob, Fred. « In the Art Galleries », *Mail and Empire,* 18 février 1927.

« Canadian Artists Exhibit Widely », Sault-Ste-Marie *Star,* 2 juin 1927.

« Toronto Artists After Distinct Values in Art », Regina, Saskatchewan, *Leader Post,* 30 juillet 1927.

« Pictures Good and Bad », *Mail and Empire,* 9 septembre 1927.

Greenaway, C.R. « Painter Says Canada Does Not Appreciate Arctic Possessions », Toronto *Star,* 10 septembre 1927.

_____ . « Jackson Says Montreal Most Bigoted City », Toronto *Star,* 10 septembre 1927.

Bridle, Augustus. « Group of Seven Display Their Annual Symbolism », Toronto *Star,* 8 février 1928.

Harris, Norman. « Group of Seven Exhibit », *Telegram,* 11 février 1928.

« Junk Clutters Art Gallery Walls, While Real Paintings Are Hidden in Cellar », *Telegram,* 18 février 1928.

« Skies Prove Big Mystery, Mountains Ice Cream Cones », Toronto *Star,* 27 février 1928.

« National Gallery Pleads 'Not Guilty' to Charge », *Telegram,* 22 septembre 1928.

Denison, Merrill. « No More Pyrotechniques at Painting Exhibitions », Toronto *Star,* 22 décembre 1928.

« Group of Seven Stupid is Artist's Criticism ». Toronto *Star,* 1er février 1930.

Salinger, J.B. « Freedom Fills Work by Group of Seven », *Mail and Empire,* 4 avril 1930.

Harris, Frank Mahn. « Seven Group Makes Whoopee in Gloom of Rain and Sleet », Toronto *Star,* 7 avril 1930.

« Now Represents Spirit of Canadian Art, Group of Seven Not Separate Entity », Ottawa *Evening Citizen,* 24 avril 1930.

« No Praise For Group of Seven. » Lettre à l'éditeur, signée : It is to Laugh. *Telegram,* 26 avril 1930.

Kean, A.D. « Cowboy Sees Gallery, Acquires Art Taste. 'Shorty' Campbell Finds Out All About Group of Seven », Toronto *Star,* 28 avril 1930.

« Need Not Look to Europe for Art Expression. » Réponse de Blodwen Davies à une critique sur le Groupe des Sept. *Telegram,* 10 mai 1930.

Hum, Ho. « The Plaint of the Philistine, The Group of Seven, *The Passing Show,* Montréal, septembre 1930, 24,25, 42.

« British Art Expert Praises School of 7 », Toronto *Star,* 21 mars 1930.

Salinger, Jehannie B. « Far North is Pictured By Two Artists », Regina, Saskatchewan, *Leader Post,* 1er mai 1931.

Hairston, R.H. « Canadian Paintings Win Lovers of Art in New York City », *Globe,* 21 mars 1932.

« Lismer in Vancouver Lauds Group of Seven », Toronto *Star,* 7 mai 1932.

Bouchette, Bob. « In Defence of the Group of Seven », *Mail and Empire,* 7 juillet 1932.

Lampman, Archibald. « Group of Seven 'Jazz Band of Art' Says John Russell », *Telegram,* 26 septembre 1932.

Phillips, W.J. « Art and Artists » (avec déclaration du Groupe des Sept). Winnipeg *Tribune,* 25 février 1933.

Underhill, Frank. « False Hair on Chest », *Saturday Night,* 3 octobre 1936.

Lindsay, Carol. « A Rediscovered Gallery of Group of Seven Paintings », *Star Weekly,* 10 février 1962.

CATALOGUES

Pour la liste complète des catalogues, prière de consulter la bibliographie de Dennis Reid dans *Le Groupe des Sept,* Ottawa, Galerie Nationale du Canada, 1970.

CREDITS

Rien n'a été négligé pour vérifier l'origine des illustrations reproduites. L'éditeur recevra avec gratitude tout renseignement permettant de corriger une erreur possible.

Les illustrations sont indiquées ci-dessous par ordre numérique. Le crédit des principales sources et des photographes est donné sous les abréviations suivantes :

ABRÉVIATIONS

Galeries
A.G.H. — Art Gallery of Hamilton, Hamilton, Ontario
A.G.O. — Art Gallery of Ontario, Toronto, Ontario
H.H. — Hart House, Université de Toronto, Ontario
M.C.C. — McMichael Conservation Collection, Kleinburg, Ontario
M.B.A.M. — Musée des Beaux-Arts de Montréal, Montréal, Québec
G.N.C. — Galerie Nationale du Canada, Ottawa, Ontario
V.A.G. — Vancouver Art Gallery, Vancouver, Colombie britannique

Photographes
AK — A. Kilbertus, Montréal, Québec
HT — Hugh Thompson, Sherman Laws Ltd, Toronto, Ontario
JE — John Evans Photography Ltd, Ottawa, Ontario
WB — William Bros, Vancouver, Colombie britannique

INDEX DES ILLUSTRATIONS

Les numéros se réfèrent à ceux des illustrations